D0307344

 Statistique   Statistics
Canada   Canada

Le Canada

La 49e revue annuelle
des conditions actuelles
et des progrès récents

Préparée à la
Section des publications
Division de l'information
Statistique Canada

*Publication autorisée par le
Ministre des Approvisionnements et Services Canada*

©Ministre des Approvisionnements et Services Canada
1981

En vente par la poste:

Centre d'édition du gouvernement du Canada
Approvisionnements et Services Canada
Hull (Qué.), Canada K1A 0S9

Service des publications
Statistique Canada
Ottawa, Canada K1A 0T6

ou chez votre libraire.

Nº de catalogue CS11-403/1981F   Canada: $6.00
ISBN 0-660-90678-3   Autres pays: $7.20
Prix sujet à changement sans avis préalable.

Composition: Southam Communications Ltd., Toronto
Contrat nº OKP8 1563
Impression: Ashton-Potter Limited, Toronto
Contrat nº02KX.45045-1-8197.

Avant-propos

La publication intitulée *Le Canada* raconte l'histoire du pays; elle décrit le peuple canadien, son environnement, sa culture, son évolution sociale et économique, ainsi que les pouvoirs et services publics qui lui sont propres. Cette 49e édition, relative à la période 1980-81, fournit des renseignements historiques et actuels sur tous les aspects de la société canadienne.

De l'éducation à l'agriculture, de la technologie au multiculturalisme, et de la balance des paiements aux loisirs, cet ouvrage offre de l'information et des exposés perspectifs. Comme les éditions précédentes, *Le Canada 1980-81*, avec son texte succinct, ses excellentes illustrations et ses tableaux statistiques riches en données, répondra au désir des personnes qui recherchent une vue d'ensemble du pays, aussi bien qu'au désir des personnes en quête d'aperçus plus précis dans des domaines particuliers. A quelque page qu'on l'ouvre, *Le Canada* est intéressant à lire.

De nombreux particuliers, ministères et organismes ont collaboré à cet ouvrage, y compris le secteur privé, plusieurs divisions de Statistique Canada et d'autres services fédéraux et provinciaux. La planification et la production du présent volume sont l'œuvre de Margaret Smith, rédactrice, assistée de Patricia Harris et d'autres membres du personnel de la Division de l'information de Statistique Canada. Ce groupe a brossé, par l'écrit et la photographie en couleur, un remarquable tableau de notre pays. La version française a été établie par le Service de traduction à Statistique Canada, du Bureau des traductions du Secrétariat d'État. La mise en page a été réalisée à la Division de l'information de Statistique Canada sous la direction de F.L. O'Malley.

Le statisticien en chef du Canada,

Martin B Wilk

Avril 1981

Martin B. Wilk

Table des matières

L'environnement

Géographie régionale du Canada

Afin de mieux comprendre les similitudes et différences que présente sa vaste superficie, on peut diviser le Canada en petites unités régionales. Pour définir ces régions, il convient de se fonder sur les attributs distinctifs de certains critères. La géographie régionale ne consiste pas en un ensemble de renseignements complexes sur une région donnée. Elle suppose le choix, l'agencement et l'interprétation des faits, de manière à présenter cette région dans une authentique perspective géographique; pour cela, il faut mettre en lumière la répartition spatiale des phénomènes. Tout comme l'histoire, qui choisit les faits en vue d'illustrer des événements propres à une période, la géographie doit réunir des éléments typiques des régions considérées. Chaque vallée, chaque village possède son caractère géographique propre; en principe, l'étude de ces petits ensembles devrait permettre de saisir les schèmes géographiques de régions plus étendues et, finalement, ceux du Canada tout entier.

La géographie s'efforce de décrire et d'expliquer, autant que possible, la totalité du paysage d'une région. Ce paysage se compose à la fois du milieu naturel (physique) et d'une diversité d'aménagements qui sont l'œuvre de l'homme. Dans certains de leurs aspects, les grandes régions du Canada comportent des similitudes; en groupant ces similitudes en unités régionales, il devient possible de décrire le «caractère» d'une région et de faire ressortir les différences qui la singularisent. Nombre de personnes ont un «sentiment régional» qui leur révèle intuitivement qu'à certains égards leur milieu diffère des secteurs avoisinants ou des régions éloignées. Plus on voyage à travers le Canada, plus on perçoit les ressemblances de tel lieu avec tel autre; comparer les similitudes des régions est donc aussi important que d'en définir les dissemblances. Concurremment avec d'autres disciplines, la

Régions géographiques du Canada

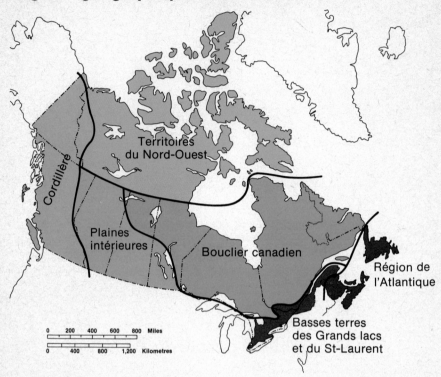

Territoires
du Nord-Ouest

Cordillère

Plaines
intérieures

Bouclier canadien

Région de
l'Atlantique

Basses terres
des Grands lacs
et du St-Laurent

| 0 | 200 | 400 | 600 | 800 | Miles |
| 0 | 400 | 800 | 1,200 | Kilometres |

géographie régionale a pour objet de faciliter la compréhension du plus grand nombre possible d'aspects du Canada et de ses parties constituantes.

Les Canadiens ont besoin d'indications régionales et cartographiques plus précises que celles fournies par les expressions courantes «est», «ouest» ou «nord», dont le sens diffère selon l'endroit où il se trouvent alors. Pour la plupart des Ontariens, Kirkland Lake se situe probablement «au nord», mais cet endroit est à la même latitude que Vancouver, ville qui elle-même se considère comme «au sud».

Le présent article divise le Canada en six régions. Celles-ci, généralement bien connues des Canadiens, offrent donc l'avantage d'être familières aux populations locales, autant qu'identifiées sur le plan national. Les critères servant à délimiter ces régions varient: quelques-uns relèvent de la géomorphologie, tandis que d'autres sont de nature politique. Voici un résumé des caractéristiques et définitions de ces six régions canadiennes.

Les provinces de l'Atlantique constituent surtout une région politique englobant les provinces Maritimes et l'île de Terre-Neuve. Le secteur de Terre-Neuve qui se situe dans le Labrador peut être considéré comme partie intégrante du Bouclier canadien, région avec laquelle il présente des traits communs en ce qui regarde l'environnement et l'utilisation des ressources. Statistiquement parlant, les provinces de l'Atlantique sont connues au Canada pour la faiblesse de leurs revenus et la

Cimes de l'Alberta dominant la mosaïque d'eaux vives et d'arbres majestueux. ➤

Beauté tranquille de l'hiver, au Nouveau-Brunswick.

mollesse de leur activité économique. La fragmentation de l'économie et l'éparpillement de la population comptent parmi les caractères géographiques distinctifs de cette région.

Les Basses terres des Grands lacs et du St-Laurent sont bornées au nord par l'escarpement, très visible dans le paysage, de la formation géologique dite Bouclier canadien. Cet escarpement constitue une démarcation entre les Basses terres, intensément agricoles et urbaines, et le Bouclier, peu peuplé et couvert de forêts. Les Basses terres, où la densité de l'industrie, du commerce et de la population est la plus forte du Canada, sont le «cœur» de la nation. Il existe entre leurs parties anglophones et francophones des différences culturelles qui suggèrent l'idée d'une division en au moins deux sous-régions, selon des critères d'ordre humain.

Le Bouclier canadien est une autre région géomorphologique, définie en fonction de sa base rocheuse précambrienne. Les roches primitives et dénudées, les forêts et les lacs qui la caractérisent lui donnent un aspect fort différent des Basses terres. Compte tenu de son énorme superficie, qui englobe plus de la moitié de la terre ferme du Canada, cette région présente une diversité de milieux qui n'exclut cependant pas de vastes zones de ressemblance. La partie sud du Bouclier est connue pour l'ampleur de ses ressources naturelles, fonctionnellement liées à la région appelée «cœur de la nation». Sa partie nord-ouest présente en surface un environnement physique différent qui fait l'objet d'une utilisation différente par l'homme; cette partie s'intègre donc aux Territoires du Nord-Ouest — région définie d'après des critères politiques.

Les Plaines intérieures sont puissamment bornées à l'ouest par le haut massif des Rocheuses, mais du côté est la lisière du Bouclier se dissimule en maints endroits sous des dépôts d'anciens lacs glaciaires ou des forêts de conifères. Les Plaines constituent la plus vaste étendue de terres presque plates du Canada; leur exploitation se caractérise par les grandes fermes céréalières des zones méridionales de cette région. Seule une faible partie des plaines est couverte d'herbages naturels, contrairement à la conviction populaire. Même si dans leur ensemble les provinces des Prairies peuvent être envisagées comme région politique, les sections du Bouclier dans le nord du Manitoba et de la Saskatchewan diffèrent beaucoup des plaines par leurs caractéristiques environnementales, économiques et humaines.

La Cordillère est une région montagneuse qui coïncide étroitement, mais non entièrement, avec les limites politiques de la Colombie-Britannique et du Yukon. Les terres plates du nord-est de la Colombie-Britannique font partie des Plaines intérieures et laissent voir de fortes différences avec le reste de la province. Les vifs contrastes que présentent l'environnement et les densités de population à l'intérieur de zones restreintes marquent la géographie de la Cordillère. Axée sur les ressources naturelles, l'économie de cette région s'apparente à celle des provinces de l'Atlantique, mais ne se situe pas à la même échelle. Dans une régionalisation du Canada, convient-il intégrer le Yukon à la Cordillère ou, compte tenu de ses caractéristiques «nordiques», le rattacher aux Territoires du Nord-Ouest?

Les Territoires du Nord-Ouest forment une région politique dépourvue d'uniformité morphologique ou environnementale; la population y est petite et

Entre Calgary et Banff, relief calcaire qui fournit un composant du ciment.

clairsemée. La détermination des limites régionales de ces territoires soulève plusieurs problèmes géographiques. Ferait-on mieux comprendre la population et l'économie de la vallée du Mackenzie en soulignant leurs similitudes avec les aspects démographiques et économiques des plaines intérieures du Nord, ou en considérant les Territoires comme une entité politique séparée du Canada méridional par les secteurs septentrionaux peu peuplés des provinces? Bien que du point de vue géologique le district de Keewatin fasse partie du Bouclier canadien, il diffère géographiquement du secteur sud de ce dernier en raison de sa surface sans arbres, de son climat arctique et de son peuplement inuit.

Les provinces de l'Atlantique

Fragmentation et dispersion sont des thèmes dominants de toute étude géographique des provinces de l'Atlantique. Selon de nombreuses mesures économiques et statistiques du développement régional canadien, ces provinces occupent un rang inférieur aux autres. La variété de l'environnement interne, la séparation des activités économiques et l'absence d'un centre urbain de grande envergure sont autant de caractéristiques géographiques perdus lorsque l'on rassemble les statistiques en agrégats régionaux pour les quatre provinces en cause.

Plusieurs traits physiques distinguent les provinces de l'Atlantique du reste du Canada. La faible altitude des monts et collines de cette région, ainsi que l'anfractuosité et la dentelure de ses côtes lui donnent un aspect géologique autre

Beauté qui se mire dans les eaux; parc national du mont Revelstoke (C.-B.).

Splendeur du Québec.

que celui des Basses terres du St-Laurent. Dans le passé, la configuration de la côte orientale a dispersé la population en petites grappes. Le climat maritime n'est pas le même que dans le reste de l'Est canadien et diffère du climat maritime de la côte ouest. Les arbres y ressemblent à ceux qui croissent ailleurs dans l'est du Canada, mais leurs aires d'association obligent à classer la région comme zone de végétation distincte. Les professions axées sur les ressources naturelles revêtent plus d'importance dans la région de l'Atlantique que dans le sud de l'Ontario et du Québec; l'exploitation des ressources de l'Est a engendré de multiples villes à industrie unique dispersées le long des côtes. La région compte peu de centres fortement peuplés. Bien qu'individuellement les fermes, villages ou villes de l'Est s'assimilent par leur structure et leur fonction aux autres lieux habités du Canada, leur répartition en petites zones, bandes et agglomérations espacées confère à la région un aspect différent sous l'angle de la géographie humaine et économique.

Les schèmes de distribution des peuplements et de leurs activités ne sont statiques dans aucune région; ils évoluent avec le temps. La géographie de l'agriculture et de la pêche dans les provinces de l'Atlantique illustre ce phénomène. Synonyme de pauvreté rurale la plupart des anciennes fermes familiales ou exploitées à temps partiel en sols peu productifs, sur des pentes raides et loin des routes principales ont été abandonnées; les fermes commerciales d'aujourd'hui se situent beaucoup plus près des voies améliorées d'accès aux grandes villes. Dans les provinces Maritimes, le caractère régional de l'agriculture d'autrefois ne découlait pas du mode d'exploitation des fermes ou de l'utilisation générale des sols, mais de la forme rubanée des terres arables de la région et de leur dispersion.

Les activités de pêche passent aussi d'un état de dispersion à un état de concentration. A Terre-Neuve surtout, et dans une moindre mesure en Nouvelle-Écosse, les petits ports ou villages de pêcheurs «éloignés» s'éparpillaient le long du littoral, dans des baies abritées, près des caps, ou sur des îles. Parce que chaque famille désirait posséder son quai ainsi que de l'espace près du rivage pour y aménager ses propres claies de séchage et un potager attenant, l'habitat de ces villages formait un tissu très lâche. Par leur aspect, les villages terre-neuviens différaient des autres localités du Canada nées de l'exploitation des ressources naturelles; ceux qui subsistent constituent l'un des éléments du paysage d'ensemble qui impreignent aux provinces de l'Atlantique leur caractère régional. Aujourd'hui, les pêcheurs se concentrent dans de grandes villes établies près des usines de transformation et de congélation du poisson, où ils bénéficient de plus nombreux services sanitaires, éducatifs et sociaux. Parfois, cependant, cette tendance géographique a remplacé la pauvreté rurale et la faiblesse du revenu typiques des petits centres de pêche par un chômage urbain accru.

Les Basses terres des Grands lacs et du St-Laurent

La petite étendue de terres basses qui occupe le sud de l'Ontario et du Québec renferme plus de la moitié de la population du Canada et produit les trois quarts environ de la valeur des biens manufacturés. Cette région densément peuplée de l'Est canadien compte plus de grandes villes d'au-delà de 100,000 habitants que tout autre secteur de même dimension du pays. Ses excellentes terres arables contribuent à nourrir les deux plus grandes agglomérations du Canada, soit Montréal et Toronto. «Cœur» du pays, elle est caractérisée par de fortes concentrations d'activités urbaines, industrielles et agricoles. Au XIXe siècle, la région des Basses terres offrait une heureuse combinaison de multiples éléments naturels en un milieu géographique facile d'accès; elle présentait un environnement attrayant pour les personnes en quête de sols arables, et la plus vaste superficie de terres plates dotées d'un chaud climat estival propre au Canada. Les colons venant de l'est pouvaient y accéder par le Saint-Laurent.

Quelques-uns des contrastes internes de la région résultent des différences culturelles entre ses peuplements canadiens français et ses peuplements d'origine britannique. Unique au Canada, le paysage rural du sud québécois, avec ses fermes longues et étroites, souvent entourées de vieilles clôtures de perches, se distingue nettement des exploitations agricoles rectangulaires, aux habitations dispersées, du Sud ontarien. Les villages ruraux de l'Ontario, avec leurs petits centres commerciaux compacts et leurs rues qui se croisent à angle droit, font contraste avec les villages linéaires du Québec, où souvent les sections résidentielles et commerciales s'entremêlent.

A une agriculture prospère, intensive, s'est ajouté un réseau serré de centres urbains. Dans le domaine de l'industrie, du transport, des services et des loisirs, les activités des 12 millions et plus d'habitants des Basses terres des Grands lacs et du St-Laurent sont aussi en étroite corrélation les unes avec les autres. De Québec à Windsor s'échelonnent, par groupements de forme géométrique et par hiérarchie de tailles, hameaux, villages, petites villes et grandes agglomérations. La taille et l'espacement de ces lieux urbains sont fonction de l'étendue et de la population des campagnes que chacun dessert. Malgré leurs différences historiques, économiques et culturelles, ces villes ont en commun de nombreux traits internes.

Montréal illustre bien la nature de certaines relations entre les villes des Basses terres et les milieux ruraux avoisinants. Cette agglomération a exercé une influence dominante sur l'ordonnance spatiale de l'économie du Québec. L'agriculture laitière et maraîchère entourant Montréal alimente ce vaste marché urbain. La transformation du tissu rural, pendant laquelle les exploitations agricoles des «charmants

Flamboyantes couleurs d'automne, en Nouvelle-Écosse.

habitants» du XIXᵉ siècle ont cédé la place aux fermes laitières bien équipées peut être attribuée directement à la présence du marché montréalais. L'industrie du vêtement de Montréal se rattache fonctionnellement aux nombreuses filatures et usines de textile des villes et villages situés au sud et à l'est. De multiples compagnies d'exploitation des ressources naturelles du Bouclier canadien sont dirigées à partir de gratte-ciel du quartier des affaires de Montréal.

Il existe des relations spatiales analogues entre les villes et les campagnes du sud de l'Ontario. Le Toronto métropolitain est le point de convergence des lignes de transport qui desservent toutes les Basses terres de l'Ontario et qui acheminent vers cette zone les ressources naturelles du Bouclier canadien et des Plaines intérieures. Les milliers de gestionnaires et de commis qui s'entassent dans le centre financier de Toronto témoignent de ces abondantes connexions géographiques.

Les villes de l'extrémité ouest du lac Ontario forment désormais un complexe urbain d'une envergure qui n'a pas d'équivalent ailleurs au Canada. Allant d'Oshawa à Hamilton et s'étendant à l'est jusqu'à St. Catharines et Niagara Falls, cette partie de l'Est ontarien présente des traits géographiques uniques, résultant de la coalescence de villes distinctes. A plus petite échelle, la même soudure des activités urbaines se produit dans la proche vallée de Grand River, depuis Woodstock jusqu'à Kitchener et Guelph. Les industries de la sous-région de Grand River et du complexe Toronto-Hamilton sont déjà intégrées de maintes façon; les produits passent d'une ville à l'autre pour y être montés, transformés davantage ou consommés. Les changements qu'imposent à la géographie les nouvelles utilisations des espaces ruraux et urbains ont suscité bien des problèmes sociaux, économiques et municipaux.

Le Bouclier canadien

L'énorme Bouclier canadien occupe à peu près la moitié de la terre ferme du Canada. Certes existe-t-il d'importantes différences entre les parties nord et sud de cette région, mais on y trouve néanmoins beaucoup de similitudes à l'intérieur d'amples zones. Le Bouclier se définit comme région directement assise sur de vieilles roches du Précambrien. Son milieu physique contraste fortement avec celui des Basses terres situées au sud de cette formation. Parsemé de forêts, de lacs et de rochers, le Bouclier ne compte qu'une faible population, surtout urbaine. Quelquefois appelé «Moyen-Nord» par les gens du sud de l'Ontario et du Québec, la partie méridionale du Bouclier possède une économie basée sur les ressources naturelles; ses produits — minerais, bois, hydroélectricité — sont exportés hors de ses limites ou à l'extérieur du Canada. L'interaction et les échanges entre le Bouclier et les Basses terres limitrophes sont choses courantes, car il s'agit de deux régions interdépendantes. De nombreuses matières premières passent du Bouclier aux Basses terres pour y être traitées ou consommées; inversement, bien des vacanciers et amateurs de plein air vont séjourner dans le Bouclier.

La géographie de l'exploitation des ressources naturelles du Bouclier s'est façonnée selon une trame précise. Des aires centre-sud du Bouclier, l'homme a déployé ses activités d'exploitation vers les secteurs périphériques. Aujourd'hui, ce front semi-circulaire progresse lentement en direction de l'intérieur, mais de vastes parties du Bouclier demeurent inoccupées. Toutefois, le milieu naturel du secteur septentrional diffère et les ressources exploitables y sont rares ou absentes; on ne peut donc s'attendre à trouver dans le nord du Bouclier le même genre et la même intensité d'exploitation ni, par conséquent, le même type de présence humaine.

Même si les Canadiens qualifient le Bouclier de «magasin de minéraux» cette formation géologique n'est pas toute minéralisée. Les établissements miniers sont à la fois concentrés et dispersés; ils forment, dans le centre-sud du Bouclier, un réseau de collectivités dont la ligne traverse la frontière Ontario-Québec, mais le long des flancs est et nord-est du Bouclier, ils constituent des villes isolées. Par exemple, vers 1940 le Nord-Est ontarien a vu s'élaborer une région minière fonctionnelle, desservie par le rail, la route et des lignes de transmission de l'énergie. La présence de chemins de fer a permis d'établir des usines de pâtes et papiers au sein de forêts vierges. La zone agricole a gagné sur la Ceinture d'argile, près de ces villes, à mesure que leurs populations augmentaient. Ailleurs dans le Bouclier, la plupart des collectivités minières ont vu le jour après 1945 et sont des exemples de villes nouvelles à industrie unique axée sur l'exploitation d'une ressource dans les «réserves frontalières». Les rues courbes et la séparation planifiée des zones de résidence et de travail les différencient des vieilles villes du sud canadien.

Au début du siècle actuel, des usines de pâtes et (ou) de papiers se sont implantées selon une forme analogue d'échelonnement périphérique dans ou près de la frange inférieure du Bouclier. La plupart étaient réparties en arc de cercle entre Québec et le haut de la rivière des Outaouais. L'extrémité ouest du Bouclier, dans le nord du Manitoba et de la Saskatchewan, n'est pas assez riche en forêts pour soutenir une industrie locale de pâtes et papiers.

Parc provincial de la rivière Sauvage en Ontario.

La troisième ressource majeure du Bouclier, l'énergie hydraulique, se présente également en une répartition périphérique, à la lisière inférieure du Bouclier. Heureusement, la «ligne de chutes» de ce dernier, où dévalent les rivières orientées vers son escarpement sud, se trouve aussi à proximité de la région qui a grand besoin d'électricité — les Basses terres. Le Québec fournit un bon exemple de la configuration évolutive du développement des ressources hydrauliques du Bouclier. Les tout premiers aménagements ont été réalisés en bordure du centre-sud de cette formation, notamment le long de la Saint-Maurice; plus tard, d'autres centrales ont été construites en direction est et ouest le long des limites du Bouclier, par exemple sur les affluents de la rivière des Outaouais et dans la vallée du Saguenay. La poussée en direction est des nouveaux efforts de mise en valeur des eaux du Bouclier s'est traduite par l'érection de barrages sur la Bersimis dans les années 50, sur les rivières Manicouagan-Outardes dans les années 60 et sur le Churchill, au Labrador, dans les années 70. A défaut d'autres grosses rivières coulant vers l'extérieur du Bouclier, le Québec s'est vu obliger, pour accroître ses sources d'hydroélectricité, de s'attaquer à La Grande Rivière, dont les eaux se déversent dans la baie James, amorçant ainsi l'utilisation d'une «ligne de chutes intérieure».

L'une des principales richesses naturelles du Bouclier réside dans ses paysages. L'ensemble de son panorama, avec la diversité de ses arbres, lacs, rivières, forêts, monts et espèces fauniques, fascine le citadin des Basses terres environnantes et des proches États unis d'Amérique. Contrairement aux autres ressources naturelles exportées hors du Bouclier, le panorama, ressource inépuisable par excellence, attire les gens dans cette région. Zone précambrienne la plus rapprochée des grandes agglomérations des Basses terres, le centre-sud du Bouclier fait l'objet de la plus forte utilisation, tandis que vers les bords externes et l'intérieur nord de cette formation le degré comparatif d'occupation des terres décroît, en même temps que les voies d'accès s'y raréfient.

L'agriculture régresse dans la région du Bouclier. Les plus grandes zones agricoles y sont formées par la terre plate des fonds d'anciens lacs glaciaires au sein de la Ceinture d'argile chevauchant la frontière Ontario – Québec, et par la partie des Basses terres voisine du lac St-Jean. Si les fermes sont indissociables des paysages régionaux de la majeure partie du Canada méridional, elles ne constituent qu'un élément mineur près des agglomérations du Bouclier, et, dans la quasi-totalité de celui-ci, elles font entièrement défaut.

Les Plaines intérieures

Les mots «plat, prairie, blé et pétrole» pourraient très bien caractériser l'environnement et les ressources des Plaines intérieures du Canada. Toutefois, même s'ils décrivent avec exactitude certains aspects importants du milieu naturel et de l'économie de ces plaines, ils n'en indiquent aucunement la variété. Certes existe-t-il de vastes secteurs des Plaines très plats, mais les zones de relief qu'elles comportent sont formées de collines, d'escarpements, de vallées encaissées et même de montagnes peu élevées; bien qu'autrefois des pâturages naturels de niveaux variables couvraient les plaines méridionales avant que l'agriculture n'y fasse son apparition, aujourd'hui plus de la moitié du secteur est boisé; après la subdivision des terres, le blé est devenu la principale céréale d'exportation, mais d'autres grains furent aussi exploités et désormais plusieurs cultures nouvelles occupent d'amples

Or automnal en Ontario.

Les Plaines ont quand même un relief: collines, escarpements, vallées encaissées et petites montagnes.

superficies; par ailleurs, si le pétrole a été un facteur primordial de diversification de l'économie des Plaines après 1947, d'autres combustibles et minéraux ont pris de l'importance dans certaines zones. Comme le Bouclier canadien, les Plaines intérieures renferment de vastes aires d'allures environnementales généralement uniformes, mais les caractéristiques et la combinaison de ces éléments physiques diffèrent de celles du Bouclier.

De grandes portions des Plaines présentent, dans l'ensemble, les mêmes conditions climatiques, mais ce sont les écarts par rapport aux moyennes et aux extrêmes qui donnent au climat de cette région son caractère distinctif. La variabilité des précipitations, par exemple, est plus typique des Plaines intérieures que de toute autre région du Canada. Le tableau de la végétation est révélateur des différences locales de climat. Les prairies originelles du sud des Plaines correspondaient aux secteurs de faibles précipitations et de hautes températures estivales. Au nord des prairies, de petits arbres à feuilles caduques parvenaient à survivre dans ces zones où la précipitation moyenne était un peu plus forte et les étés plus frais. Des peuplements de conifères recouvrent le nord des Plaines où les hivers sont toujours froids.

Jusqu'aux années 40, la répartition des types d'agriculture coïncidait assez étroitement avec les zones semi-circulaires que formaient les sols, la végétation et le climat. Depuis, des facteurs autres qu'environnementaux ont exercé une influence manifestement prépondérante sur le genre de cultures pratiquées et sur leurs aires de concentration. D'une année à l'autre, la superficie des emblavures au sein de la région aussi bien qu'à l'intérieur de fermes mêmes varie par suite de décisions d'ordre gestionnel, de l'évolution des marchés étrangers, des préférences du consommateur et d'autres facteurs externes. Une vue aérienne des grandes fermes rectangulaires consacrées à quelques cultures seulement, avec leurs habitations très espacées et l'absence d'arbres, sauf près des habitations, prouve sans conteste que l'agriculture des Plaines diffère de celle des autres régions du Canada.

La géographie des milieux urbains des Plaines ressemble beaucoup à celle des villes de l'est, mais diverses nuances permettent de caractériser les villes propres aux Prairies. Comme elles datent, pour la plupart, du siècle actuel, on y trouve peu de vieilles constructions comparativement aux villes de la partie orientale du Canada; les rues étroites y sont rares, et les larges avenues nombreuses; la ligne de démarcation entre les usages urbain et rural des terres apparaît très clairement et a été plus soigneusement et plus rigoureusement tracée que dans l'est.

L'une des caractéristiques géographiques des Plaines intérieures réside dans la régularité géométrique de l'espacement des villes et villages. La taille et la fonction de ces agglomérations dépendent du nombre d'agriculteurs des alentours qui ont besoin de certains biens et services d'origine urbaine. Certains articles et services spécialisés, mais moins souvent nécessaires, sont en général disponibles dans les grandes villes, où la population locale aussi bien que la clientèle d'un plus grand entourage rural peuvent se les procurer. En outre, de petits centres urbains présentent un espacement régulier attribuable à la présence du chemin de fer et à leur rôle comme points de collecte du grain. Cette gradation dimensionnelle des agglomérations tend à disparaître à mesure que les transports routiers s'améliorent et facilitent l'accès aux centres de services plus éloignés.

La Cordillère

Une région montagneuse, dite Cordillère, s'étend dans l'ouest de l'Amérique du Nord; la majeure partie de la Colombie-Britannique et tout le Yukon en font partie. Des contrastes très vifs à l'intérieur de zones restreintes caractérisent le paysage de cette région à peuplement urbain, où l'agriculture est totalement absente ou confinée à certaines vallées ou plaines d'inondation étroites. Cette population urbaine est aux trois quarts concentrée en une petite superficie dans l'angle sud-ouest de la Colombie-Britannique. Les localités du reste de la Cordillère vivent principalement de l'exploitation d'une ressource naturelle. Cette économie basée sur les ressources du milieu ressemble à celle du Bouclier canadien et des provinces de l'Atlantique.

L'unique autre partie du Canada qui présente un relief aussi spectaculaire sont les îles Baffin et Ellesmere dans le nord-est de l'Arctique. Même si, vue de près, la Cordillère semble une masse confuse de pics et, vue des airs, paraît s'allonger à l'infini, elle présente, à échelon local, des aspects particuliers qui permettent de la répartir en unités géologiques sous-régionales. Les montagnes Rocheuses, par exemple, forment une chaîne déterminée qui, du Montana, court le long d'une partie de la frontière Alberta/Colombie-Britannique jusqu'à l'immense plaine de la rivière Liard dans le nord-est de la Colombie-Britannique. La limite occidentale naturelle des Rocheuses, soit la Tranchée, une des vallées ininterrompues les plus longues du monde, part du Montana pour aboutir au cours supérieur de la Liard dans le Yukon.

Des contrastes climatiques à l'intérieur de zones restreintes sont typiques de toute région montagneuse, et la Cordillère canadienne n'échappe pas à cette généralité. Les plus fortes précipitations enregistrées au Canada comptent parmi les traits distinctifs de certaines pentes du versant ouest des montagnes insulaires et côtières de la région étudiée ici. En revanche, à seulement 320 à 480 km (kilomètres) vers l'est, dans les vallées intérieures du sud de la Colombie-Britannique, se situent les stations météorologiques les plus sèches hors de l'Arctique.

La géographie de l'exploitation forestière indique qu'initialement la foresterie a atteint son maximum d'intensité dans le sud-ouest et que l'industrie de la

L'homme paraît petit dans l'immensité du Yukon.

transformation du bois s'y trouve encore concentrée. A mesure que les coupes progressaient le long de la côte et qu'une technologie du transport des billes s'élaborait, il devint possible aux scieries urbaines des alentours du détroit de Georgie d'obtenir leur matière brute des forêts de la zone littorale. Après 1950, l'accroissement de la demande mondiale, jointe à l'amélioration des liaisons ferroviaires et routières avec les réserves à peine entamées de l'intérieur, a favorisé l'expansion de l'abattage vers l'arrière-pays. L'ouverture de chantiers d'abord dispersés puis concentrés, et l'intégration des entreprises de traitement du bois ont alors eu lieu dans la zone intérieure, de la même façon que sur la côte avant 1940.

L'industrie de la pêche sur la côte ouest se présente selon des schémas de répartition différents de ceux de la côte est. Elle s'est adaptée aux mœurs et aux migrations des cinq principales espèces de saumon. Dès le début du présent siècle, des conserveries se sont établies à proximité de l'embouchure de la plupart des rivières tout au long de la côte, mais surtout près du Fraser et de la Skeena, dont les bassins hydrographiques assuraient en général de meilleures prises. Peu à peu la technologie halieutique s'est améliorée, si bien que des bateaux plus gros, plus rapides et mieux équipés commencèrent d'exploiter des zones plus étendues au large des embouchures. La présence de petites conserveries dispersées devint donc moins indispensable, et l'industrie de la transformation du poisson s'est concentrée près des deux cours d'eau majeurs de la côte, sous la forme de grosses usines de traitement. Sur la côte ouest, l'inexistence d'établissements de pêcheurs fait contraste avec leur multiplicité dans l'Est canadien.

Durant plus d'un siècle d'exploitation minière, les schèmes géographiques de l'industrie extractive se sont révélés constants. Au début du siècle actuel, le sud-est de la Colombie-Britannique était l'un des plus importants districts miniers du Canada, tandis que le reste de la province luttait pour se doter d'une économie viable. Cette région demeure le principal secteur minier de la Cordillère, articulé sur les vastes entreprises de fonte et d'affinage de Trail capables de traiter divers minerais. Même si la minéralisation est très répandue dans le Yukon, les rares mines actives de ce territoire sont dispersées dans sa partie sud. En raison du nombre encore très limité, jusqu'à ces derniers temps, des axes intérieurs de liaison, la mise en valeur des gisements du Yukon se heurte à la cherté du transport vers les marchés externes. Dans la Cordillère, l'industrie extractive présente les mêmes caractéristiques que dans le Bouclier canadien, mais elle n'y est pas aussi intensive.

L'environnement spectaculaire et varié de la Cordillère donne lieu à des activités récréatives semblables à celles qui se pratiquent au sein du Bouclier. Les espaces vides de la Cordillère acquerront une valeur touristique grandissante à mesure que la population s'accroîtra dans l'ouest de l'Amérique du Nord.

La Cordillère se divise en deux sous-régions: la côte, avec son climat particulier et son tissu urbain dense, et l'intérieur, où se multiplient aujourd'hui les collectivités vivant d'exploitation des ressources naturelles. Malgré le grand écart de latitude qui sépare le centre de la Colombie-Britannique du Yukon septentrional, il existe entre ces deux endroits beaucoup de ressemblances quant aux paysages intérieurs et aux types de peuplements, d'aspect clairsemé. L'amélioration des transports abolit graduellement cette division côte-zone intérieure et engendre dans la Cordillère un nouvel ensemble d'aires interdépendantes.

Les Territoires du Nord-Ouest

Cette région se définit par ses limites politiques et l'on n'y retrouve pas l'uniformité de certains critères physiques et économiques servant à décrire d'autres régions du Canada. Elle est caractérisée par la diversité de ses milieux naturels, l'inexploitation quasi totale de ses ressources, l'éparpillement de sa population et un type de gouvernement particulier. La rareté des travaux de mise en valeur y est attribuable, sur le plan interne, à la pauvreté de l'environnement, et, sur le plan externe, aux problèmes de distance et d'accessibilité.

Les Territoires peuvent se diviser en deux sous-régions: la vallée subarctique du Mackenzie à l'ouest, et la zone arctique que forment les îles et la terre ferme du centre-nord. Ces zones se distinguent par l'isotherme de juillet (10°C); au nord-est de cette ligne, l'Arctique ne connaît pas d'été. Ce climat coïncide étroitement avec la limite septentrionale de la végétation arborescente et trace en quelque sorte, une ligne de démarcation entre la «patrie» de l'Indien et celle de l'Inuit.

Sur cette énorme superficie, l'agriculture et l'exploitation forestière sont minimes dans la zone subarctique, et tout à fait inexistantes dans la zone arctique, où non seulement les étés sont trop frais mais où la surface des terrains, érodée par les glaciers, ne présente que du roc dépourvu de sol. Le climat estival plus favorable de la vallée subarctique du Mackenzie offre des possibilités d'exploitation agricole; le jardinage peut y être productif, mais l'absence de grands débouchés locaux décourage l'agriculture en tant que profession.

Les Territoires sont l'unique région du Canada où la faune constitue un élément majeur de l'économie locale. Le gibier revêt encore de l'importance pour certains Indiens de la vallée du Mackenzie, tandis que pour de nombreux Inuit la mer continue d'être une source primordiale de nourriture. Pour les deux groupes,

Les Territoires reposent sur des parties de deux formations géologiques: le roc précambrien du Bouclier et les roches sédimentaires jeunes des Plaines intérieures.

toutefois, la chair animale représente un pourcentage décroissant de leur alimentation. Les animaux à fourrure ont acquis de l'importance dans l'économie indigène après l'arrivée des Blancs dans la région au début du siècle. L'Arctique dénudé n'a que le renard polaire comme source de fourrure, ce qui contraste avec la diversité des animaux à fourrure de la vallée boisée du Mackenzie, où à l'origine la majorité des établissements étaient des postes de traite des pelleteries.

Les ressources minérales permettent d'espérer que certaines parties des Territoires finiront par compter pour beaucoup dans l'économie canadienne. Les Territoires reposent sur des parties de deux grandes formations géologiques: le roc précambrien du Bouclier canadien pour ce qui est de la terre ferme des îles de la zone est, et les roches sédimentaires jeunes et à couches plates des Plaines intérieures pour ce qui est de la terre ferme et des îles de la zone ouest. Ces roches sédimentaires recèlent apparemment des quantités de pétrole et de gaz moindres que les réserves connues de la partie plus méridionale des Plaines. L'exploitation des ressources minières de l'Arctique se heurte aux difficultés du transport dans des eaux prises par les glaces de 9 à 12 mois par année.

Comme en d'autres régions peu peuplées du Canada, le «paysage général» des Territoires peut attirer des visiteurs pour de courts séjours. La toundra de l'Arctique dépourvu d'arbres est unique au Canada: les montagnes des îles Baffin, Devon et Ellesmere sont les plus élevées de l'est de l'Amérique du Nord; leurs sommets enneigés et leurs glaciers créent un extraordinaire panorama alpin. Voyager dans des eaux envahies de banquises et d'icebergs constituerait sans doute une expérience inédite pour bien des personnes. Au demeurant, l'indéfinissable «attrait du Nord» et l'occasion d'observer une nature exceptionnelle et une population différente, les Inuit, sont peut-être l'un des éléments les plus précieux des ressources exploitables de l'Arctique.

J. Lewis Robinson

Le climat

Les Canadiens ont tendance à accepter leur climat dans un esprit fataliste. Cependant, pour demeurer à la fois consommateurs et gardiens des valeurs écologiques, ils doivent se montrer ingénieux, efficaces et prudents dans leur façon de tirer parti du climat et de s'y adapter. Un développement économique soutenu est essentiel pour fournir à une population croissante les biens de consommation qu'elle désire, ce qui exige une utilisation plus rationnelle de nos ressources limitées. Par contre, la volonté de maintenir un haut niveau de qualité de l'environnement exige que le commerce, l'industrie et les coutumes sociales s'accommodent des contraintes d'un écosystème régi par le climat. Si la réalisation de bénéfices à court terme s'effectue aux dépens de l'environnement, on pourrait un jour se voir forcé de prendre des mesures correctives extrêmement coûteuses, ou se heurter à des problèmes insolubles.

Le climat et l'économie

Le climat représente à la fois une ressource et un risque. En tant que ressource, il fournit la chaleur et l'humidité essentielles à la vie; il constitue la base de l'agriculture, fournit aux nageurs des lacs chauds, aux skieurs de la neige, et donne aux courants marins leur impulsion. Sécheresses, inondations et ouragans sont au nombre des dangers qu'il présente; ceux-ci détruisent la vie, endommagent la propriété et incommodent l'homme, en provoquant souvent l'interruption de l'activité normale d'une collectivité. Les variations atmosphériques peuvent modifier radicalement l'économie d'une région en bouleversant les écosystèmes sur lesquels repose son mode de vie.

L'activité économique a pour objet l'atteinte d'objectifs sociaux et doit normalement être considérée en fonction des désirs et des besoins de la société. Réciproquement, la nécessité et le désir de conserver des paysages uniques, de réduire la durée des déplacements entre des zones fonctionnelles ou d'abaisser le coût des services publics ont un caractère social, mais ils ont de grandes répercussions économiques. Le présent article évoque donc diverses questions socio-écologiques puisque, comme le climat, elles contribuent à façonner l'économie canadienne et doivent entrer en ligne de compte dans l'évaluation et l'utilisation des ressources climatiques.

Le climat: une ressource

Un auteur a fait remarquer qu'en général «le centre du progrès dans la civilisation a glissé des régions relativement peu stimulantes, où l'hiver presque exempt de tempêtes est la saison la plus agréable, vers des régions stimulantes, sièges de nombreuses tempêtes et où l'été est la période la plus agréable»[1]. Ce déplacement a pu se réaliser grâce à la construction de logements et d'immeubles confortables en tout temps et de réseaux de transport adaptés aux rigoureux hivers de la zone tempérée. La preuve de l'effet stimulant de notre climat sur l'économie réside dans la comparaison de notre produit national brut avec celui des tropiques, où la consommation d'énergie est faible.

[1]Ellsworth Huntington, *Mainsprings of Civilization*, John Wiley and Sons, Inc., New York, 1945.

Petty Harbour (T.-N.).

Notre climat est cependant beaucoup plus qu'un facteur de stimulation; la chaleur, le froid, la pluie, la neige et le vent sont des ressources exploitables. Depuis un siècle, la définition de la nature des ressources climatiques a fait l'objet d'un effort majeur dans la planification de l'emploi des terres (en particulier pour l'agriculture), l'approvisionnement en eau et l'élaboration des systèmes de drainage et d'irrigation. A mesure que les ressources naturelles s'épuisent, on tend vers une productivité optimale en exploitant à plein l'énergie climatique et les sources de lumière et d'humidité.

Les ressources renouvelables sont à la base d'une grande part de l'industrie canadienne; elles satisfont aux besoins essentiels de la vie tels que le boire, le manger et le gîte et figurent pour environ la moitié des recettes du commerce d'exportation. Ces ressources dépendent avant tout du climat. L'aménagement et l'utilisation des ressources doivent donc se fonder sur des connaissances climatologiques et le recours aux prévisions météorologiques en vue d'une productivité optimale.

L'extraction et l'utilisation d'autres ressources dépendent largement aussi du climat. Par exemple, le pétrole et le gaz servent entre autres à protéger contre le froid, la neige et la chaleur. Dans l'Arctique, les champs de glace et les conditions atmosphériques y déterminent l'économie du développement. Une grande partie de l'énergie industrielle provient des ressources hydrauliques, qui dépendent du climat, et l'eau est abondamment utilisée dans le traitement des matières premières — par exemple, il faut jusqu'à 22 m³ (mètres cubes) d'eau pour raffiner un mètre cube de pétrole et 3 000 m³ pour produire une tonne (métrique) de caoutchouc synthétique.

Par ailleurs, les effets de l'industrialisation et de l'urbanisation sur l'atmosphère restreignent certains types d'entreprises économiques. L'activité économique donc s'inspire d'une judicieuse compréhension de l'environnement, de l'influence que l'homme exerce sur son milieu naturel et de l'aptitude de l'atmosphère à disperser sans danger les effluents industriels. Il est indispensable de bien saisir l'interaction entre les conditions atmosphériques, l'écologie et l'économie.

1. Phénomènes atmosphériques et pertes directes, 1868-1973

Année	Phénomène	Perte estimée	
		Vies	$ millions
1868	Sécheresse à Rivière Rouge		
1860...	Tempêtes sur les Grands Lacs		
1885-96	Sécheresse dans les Prairies		
1912	Tornade à Regina (Sask.)	30	4
1917-21	Sécheresse dans les Prairies		
1930-36	Sécheresse dans les Prairies		
1935	Tempête de neige à Vancouver (C.-B.)		
1944	Tornade à Kamsack (Sask.)	(2,000 sans foyer)	2
1945	Basses températures en Nouvelle-Écosse		4
1949	Sécheresse en Ontario		100
1950	Inondation à Rivière Rouge		100
1953	Tornade à Sarnia (Ont.)		5
1954	Ouragan Hazel en Ontario	100	252
1954	Rouille du blé dans les Prairies		33
1955	Sécheresse en Ontario		85
1957	Tempête de grêle en Saskatchewan		17
1959	Pluies abondantes en Saskatchewan (perte des récoltes)		12.5
1959	Tempête de neige en Ontario		
1967	Tempête de neige en Alberta		10
1969	Tempête de glace près de Québec (Qué.)		30
1967-68	Incendies de forêt au Canada		100
1973	Sécheresse en Colombie-Britannique		
1973	Tempête de glace à Sept-Îles (Qué.)		10

Le climat: un risque

Les dangers climatiques ne s'oublient pas facilement, à cause de leur effet sur la société et de l'importance que leur accorde la presse. Comme la plupart des pays des zones tempérée et polaire, le Canada connaît un climat variable qui, depuis les tout débuts de la colonisation, a provoqué des situations de crise.

Le tableau 1 indique les pertes économiques directement attribuables à de fortes perturbations atmosphériques survenues au Canada. Il mentionne entre autres de grands désastres qui ont marqué l'histoire du pays, mais pour lesquels il n'existe aucune estimation de leurs conséquences économiques directes.

Les pertes dues aux tempêtes sont rarement faciles à mesurer. On peut déterminer la valeur en dollars du bétail perdu pendant une tempête de neige, mais il est difficile d'évaluer l'affaiblissement des bêtes épargnées. La perte de $2.2 millions attribuée à la tempête de glace à Québec en 1973 ne tient pas compte des 250,000

L'hiver québécois a déposé son blanc linceul sur les Laurentides.

personnes qui ont alors été privées d'électricité, de chaleur et d'eau potable, des quantités d'aliments perdues en raison des pannes de congélateurs, ni de la paralysie des services de protection contre le feu pendant la période où les risques d'incendie étaient accrus par l'utilisation de poêles à gaz et d'autres appareils de remplacement.

Protection contre les pertes. Il existe cinq façons, dont l'une n'exclut pas nécessairement l'autre, d'affronter les intempéries: «1. acceptation passive; 2. évitement des régions et des mesures défavorables à l'utilisation efficace des ressources; 3. actions préventives courantes et défensives fondées sur l'évaluation des données météorologiques; 4. modification et contrôle direct du temps/climat; et 5. recours à des moyens structurels et mécaniques de protection qui font appel aux connaissances climatiques»[2]. Rien ne nous oblige à accepter nos pertes passivement; il existe d'autres solutions, dont l'assurance.

Parmi les mesures de protection figurent les programmes d'épandage de calcium sur les routes, le remplacement du carbone par l'acier pour les trolleys, l'emploi de mécanismes anti-givre et l'évacuation des secteurs menacés d'inondation. Ces mesures se basent souvent sur les prévisions météorologiques, donc sur la climatologie. Par exemple, la conception d'un barrage et le programme d'exploita-

[2]J.R. Hibbs, "Evaluation of weather and climate by socio-economic sensitivity indices", *Human Dimensions of Weather Modification*, Université de Chicago, Département de géographie, document de recherche no 105, 1966.

tion d'un réservoir s'appuient sur la climatologie à long terme et sur des renseignements connexes, qui permettent à l'opérateur de s'assurer que les eaux en réserve pourront satisfaire toutes les demandes raisonnables pendant la durée de vie du réservoir, y compris durant les périodes de sécheresse, et que l'aménagement permettra de résister aux inondations et d'en réduire les effets en aval. A l'étape opérationnelle, les prévisions météorologiques sont indispensables pour faire en sorte que le système fonctionne en toute sécurité et au mieux de l'intérêt public.

Le Service de l'environnement atmosphérique d'Environnement Canada a répondu avec prévoyance aux demandes changeantes et croissantes de la société. Ses services ont été élargis et adaptés pour satisfaire à des besoins particuliers, tant au niveau national que régional. De nouvelles techniques ont été mises en œuvre afin d'améliorer les services et d'en accroître l'efficacité, ce qui a permis aux météorologues d'appliquer leur science à la solution de problèmes socio-économiques importants où les conditions atmosphériques interviennent.

Applications de la climatologie
Agriculture et exploitation forestière

L'agriculture et l'exploitation forestière comptent parmi les activités très sensibles au climat. Il faut donc recourir dans leur cas aux prévisions météorologiques et à d'autres données pour combattre les principaux dangers: sécheresse, gel, grêle, pluies excessives, inondations, vent, neige, destructions par l'hiver, maladies, épidémies et infestations d'insectes associées au climat. Les pertes provoquées par les incendies de forêt se chiffrent en moyenne à $23 millions par an, et elles ont même déjà atteint $83 millions. Les dernières grandes pertes de récoltes, établies d'après l'indemnisation fédérale, figurent au tableau 2; elles font ressortir les avantages, sur le plan économique, de prévisions exactes du temps.

2. Pertes de récoltes d'après les paiements d'assistance

Année	Cause	Endroit	Perte estimée
			$ millions
1945	Basses températures	Nouvelle-Écosse	4.0
1954	Rouille du blé	Prairies	33.0
1959	Récoltes mouillées	Prairies	12.5
1964-65	Pluies abondantes	Québec	1.5
1965	Sécheresse	Est du Canada	5.5

La production de colza, évaluée à $100 millions en 1971, montre l'importance du climat dans l'économie agricole. Les cultures de colza poussent bien dans les Prairies lorsqu'il fait chaud et soleil le jour et frais la nuit, et la production de cette plante est intensive dans cette région. Dans le sud, le pourcentage d'huile contenu dans les graines est si faible qu'il n'est pas rentable de cultiver le colza, même à Minneapolis qui se situe davantage au nord. La délimitation de la région où le climat est propice à ces cultures présente une évidente valeur économique.

Le temps doit être propice non seulement à la croissance, mais aussi à l'ensemencement, à la culture, à la pulvérisation et à la récolte. Les agriculteurs ont constamment recours aux prévisions météorologiques et aux statistiques climatologiques pour se prémunir contre le mauvais temps (pendant la fenaison, par exemple) ou pour évaluer les chances de temps sec vers la fin de la saison des récoltes.

Considérée comme l'essentiel par les prévisionistes des centres de météorologie du Pacifique, la station de Cape St. James, à l'extrémité sud des îles Reine-Charlotte compte trois techniciens.

Ressources hydrauliques

Les précipitations sont la principale source d'approvisionnement en eaux de surface, et l'évaporation le principal consommateur. La planification, les opinions publiques et politiques ainsi que les décisions économiques relatives à la viabilité d'un système hydrologique sont donc souvent liées à la climatologie. L'ampleur et la fiabilité des réserves sont déterminées d'après les caractéristiques des pluies et des chutes de neige. Les crues types, le besoin d'irrigation, la demande urbaine, la capacité des égouts évacuateurs et la taille des canalisations sont fonction du climat, et l'exploitation de systèmes de régularisation permettant d'assurer la maîtrise des inondations et la conservation de l'eau en période de sécheresse dépend beaucoup des prévisions.

L'utilisation des ressources en eau par les villes, l'industrie et l'agriculture, ainsi que les pertes naturelles dues à l'évaporation, doivent être étudiées en termes de probabilité et de saisonnalité pour permettre la mise au point de systèmes d'approvisionnement qui satisfassent tous les besoins raisonnables d'une collectivité. Ces besoins sont prévisibles au moyen des prévisions et autres données météorologiques appliquées directement aussi bien qu'en relation avec les activités industrielle, sociale et biologique.

Mise en valeur des ressources

La mise en valeur des ressources canadiennes à l'intérieur du pays et dans les régions excentriques pose de sérieux problèmes écologiques où la climatologie doit jouer un rôle de premier plan. Par exemple, des émissions d'anhydride sulfureux provenant des raffineries de sables bitumineux de l'Alberta pourraient détruire la végétation sur de vastes étendues s'il ne s'exerçait pas de contrôle adéquat; l'aptitude de l'atmosphère à disperser ce contaminant est donc d'une importance primordiale. Si le charbon devait reprendre une place prépondérante, la dispersion de l'anhydride sulfureux et des fines particules pourrait devenir un problème grave.

A l'extrémité nord des Territoires du Nord-Ouest, observateur météorologiste d'Alert émettant son rapport.

La gazéification et les tours de refroidissement peuvent dégager de grandes quantités d'énergie thermique et d'humidité dans l'atmosphère. La protection contre les risques naturels est un important facteur à considérer dans le forage en mer, l'aménagement de pipelines (au franchissement des rivières par exemple), le transport de l'énergie électrique et l'exploitation des centrales nucléaires.

La topoclimatologie et les études sur la qualité de l'air doivent être prises en compte lorsqu'il s'agit de déterminer l'emplacement de raffineries, de systèmes de conversion, d'infrastructures, etc. La climatologie marine et les prévisions météorologiques sont intimement liées aux problèmes de forage en mer, de navigation dans les eaux englacées, d'emmagasinage du pétrole en mer lorsque l'acheminement à partir des lieux de forage doit être interrompu à cause du brouillard, et de localisation des ports en eau profonde.

Les préoccupations d'ordre environnemental devraient inciter à une plus grande utilisation des ressources énergétiques renouvelables, ce qui nécessiterait une meilleure interprétation et compréhension des variations dans le temps et dans l'espace de l'énergie solaire et du vent et de leurs sous-produits tels que les vagues, les courants et les gradients thermiques.

Planification de l'usage des terres

Le développement des ressources, l'industrialisation, la tendance à l'urbanisation, l'accroissement démographique, le volume limité des ressources et la responsabilité morale sont autant de facteurs qui commandent un emploi rationnel des terres.

L'utilisation et l'exploration accrues des ressources sont liées à l'aisance matérielle et au goût pour la vie urbaine. Non seulement les Canadiens quittent les fermes pour s'installer dans les villes, mais ils se concentrent dans quelques grandes agglomérations industrialisées. On prédit qu'en l'an 2000, 20 millions de Canadiens (60% de la population) vivront dans 15 centres de plus de 300,000 habitants, et 17 millions d'entre eux dans des centres d'un million d'habitants et plus.

Plage de Cavendish (Î.-P.-É.).

Ces tendances revêtent une importance socio-économique majeure, et parmi les difficultés qui en découlent figurent les problèmes considérables et complexes de l'utilisation des sols. Le rôle que sera appelée à jouer la climatologie dans la solution de ces problèmes n'en sera pas moins considérable et complexe. Par exemple, environ la moitié des terres arables de première qualité au Canada se trouve en Ontario, où les pressions de l'urbanisation sont énormes. Dans cette province, le zonage en fonction du climat peut aider à la préservation des meilleures terres agricoles. Ailleurs, dans tous les cas où le climat est moins propice, ce mode de zonage peut donner à l'agriculteur une plus grande sécurité.

Construction

La construction est la principale industrie du Canada. Extrêmement sensible aux intempéries, elle appelle plus que toute autre un soutien météorologique. L'intervention de la météorologie dans les techniques du bâtiment a porté entre autres sur les problèmes des charges de neige, de poussée des vents, d'accumulation de glace, de drainage, de pénétration de la pluie et d'usure des matériaux. Par ailleurs, la prédiction du temps, que ce soit pour le séchage du béton, pour les travaux d'excavation ou pour l'utilisation des grues, est de toute première importance dans cette industrie.

Transports

L'aviation a connu une croissance exponentielle. Certains aéroports n'étaient pas sitôt construits qu'ils se révélaient déjà trop petits, et le bruit des avions modernes devient un sujet de préoccupation grandissante. Pour tenter de résoudre ces problèmes toujours plus aigus, on a aménagé de nouveaux aéroports loin des grandes villes, en prenant soin de les installer aux endroits les plus propices au décollage et à l'atterrissage du point de vue météorologique, sans que l'orientation des pistes nuise aux axes établis du trafic aérien.

La relation topographie-climat est fondamentale dans le choix des points d'implantation dans l'Arctique, et constitue donc un facteur important dans la mise en valeur des ressources du Nord. Pipelines, navires et trains de véhicules sont des éléments familiers du système de transport de cette région. Leur infrastructure de soutien nécessite des stations de compression, des ports et des villes. Dans le passé, des installations sur la côte ou à l'intérieur des terres ont été emportées ou gravement endommagées par les vents arctiques; l'abri est primordial. Par contre, dans les zones non ventilées se pose le problème de la pollution de l'air et du brouillard glacé lorsque le froid persistant s'accompagne d'une inversion des masses d'air. L'étude du vent et du drainage de l'air est donc essentielle dans la répartition des établissements industriels et des secteurs d'habitation.

Tourisme et loisirs

Pour la plupart des Canadiens les loisirs sont une activité de plein air, plus ou moins agréable suivant le temps qu'il fait. Les loisirs sont fortement axés sur les ressources naturelles renouvelables, et l'état des ressources dépend du climat. Dans certains cas, le climat même est la ressource.

Le tourisme occupe une place de choix dans les économies nationale, provinciale et locale, et les gouvernements ont donc intérêt à aménager des parcs, des lieux d'hébergement et d'autres formes d'installations récréatives. Le climat intervient forcément en la matière, car même les impressionnantes chutes Niagara sont plutôt ternes sous le brouillard. Des méthodes visant à obtenir une valeur récréative optimale ont été élaborées en fonction du climat, et on a fait des études climatiques des parcs nationaux pour décider de l'emplacement des installations et des routes, ainsi que des programmes d'exploitation.

Évaluation des effets de l'activité humaine sur l'environnement

Il est essentiel d'évaluer les effets, délibérés ou involontaires, de l'activité de l'homme sur l'environnement afin d'en éliminer les aspects indésirables. Les planificateurs doivent pour cela considérer les effets secondaires de leurs propositions sur des périodes courte, moyenne et longue, et envisager également des formules de remplacement, dont l'une consiste à renoncer à un projet. On arrive finalement à une décision, soit d'abandonner le programme envisagé, soit d'approuver la formule de rechange la plus acceptable dans sa forme initiale ou dans une forme modifiée. Un programme de surveillance est également établi pour assurer le respect des conditions souhaitées.

La qualité de l'air et l'aptitude de l'atmosphère à transporter les polluants là où ils peuvent endommager l'environnement ou les immeubles, ou nuire à la santé de l'homme, sont des questions de première importance pour une société industrialisée. Toutefois, les aspects climatologiques des études nécessaires ne se limitent pas uniquement à la qualité de l'air. Ces études peuvent commencer avec l'évaluation des plans de l'ingénieur; par exemple, une tour résistera-t-elle à la glace et au vent? Les modifications apportées à l'occupation de l'espace, comme l'élargissement de la superficie agricole, l'installation de pipelines et la création de nouveaux lacs,

Fleurs printanières à la Ferme expérimentale du Canada, à Ottawa.

peuvent aussi modifier le climat. D'habitude, ces changements n'ont pas tellement d'ampleur, mais l'effet cumulatif d'un grand nombre de projets mineurs risque parfois d'être fort nocif. De petites variations dans la température, les précipitations ou le brouillard n'affecteront peut-être pas de façon sensible le climat d'une région, mais il se peut qu'elles engendrent des situations extrêmes qui seraient intolérables pour certaines espèces; il n'est pas impossible non plus qu'elles déclenchent un mécanisme de rétroaction subtil aux conséquences considérables. Une compréhension globale et positive des relations interdisciplinaires qui existent dans ce domaine est donc très importante.

Bureau fédéral d'examen des évaluations environnementales

En plus d'entreprendre des études distinctes en matière d'environnement, le Service de protection de l'environnement atmosphérique participe activement au Processus d'examen des évaluations environnementales du gouvernement fédéral (PEÉE), dans le cadre de ses travaux climatologiques. Cette participation comprend l'analyse des exposés d'incidences environnementales rédigés par l'entreprise privée et divers ministères fédéraux en vue de projets assujettis au règlement du PEÉE. Dans pareille analyse, le Service doit se pencher sur les parties de chaque exposé consacrées aux conditions atmosphériques existantes aussi bien que sur les possibilités qu'un changement de climat se produise pendant la durée de vie de l'aménagement projeté.

GORDON McKAY

1. Jardins publics à Edmonton (Alb.).
2. Jardins botaniques à Hamilton (Ont.).
3. Jardins de High Park (Ont.).

◄ Forêt pluviale de la côte ouest (C.-B.).

Le peuple et son héritage

Histoire

Dans la première moitié du XXe siècle, le Canada passe du statut de colonie à celui d'État totalement indépendant au sein du Commonwealth. Par ailleurs, sa dépendance vis-à-vis des États-Unis s'accentue, et il s'avère de plus en plus difficile pour lui de demeurer autonome près d'un voisin si puissant. Tout au long de l'histoire du Canada, les deux thèmes inséparables de l'accommodement et de la coopération entre les différentes ethnies qui composent la population canadienne et le souci d'acquérir dans le concert des nations une identité satisfaisante pour les Canadiens vont influencer tous les aspects de la vie nationale.

C'est au XVIIe siècle que le territoire qui constitue aujourd'hui le Canada devient un lieu de peuplement. Les Français sont les premiers arrivés, et ils pénètrent à l'intérieur des terres par la voie du Saint-Laurent et de ses affluents. Dès 1670, les Anglais sont établis sur la baie d'Hudson, et c'est le début de la lutte pour la maîtrise de l'arrière-pays. Les Français poussent vers le nord et vers l'ouest, les Anglais vers le sud à partir de la baie d'Hudson et vers l'ouest à partir de leurs établissements le long de l'Hudson et dans la région qui forme aujourd'hui la Nouvelle-Angleterre. Aidés de leurs alliés indiens et aiguisés par l'hostilité entre la Grande-Bretagne et la France en Europe, les adversaires se disputent le contrôle des ressources du continent, et c'est la Grande-Bretagne qui finalement l'emportera. Avant cette victoire, cependant, les Français se sont déjà solidement enracinés le long du Saint-Laurent et en Acadie.

Durant ses 50 premières années de lutte, la colonie française est minuscule. Sa progression s'effectue lentement, les missionnaires ne réussissent à faire que quelques conversions, et le commerce se résume à peu. En 1663, la colonie compte moins de 2,500 habitants, dont le principal exploit est d'avoir survécu.

Néanmoins, c'est de cet effort de survie qu'allaient naître les mythes qui ont façonné la conscience collective du Canada français, empreint d'un ineffaçable attachement au passé et du sentiment d'être une entité distincte. Les héros tels que Dollard des Ormeaux et sa poignée de compatriotes morts en défendant la colonie contre les Indiens en 1660, et les martyrs comme les Jésuites, qui succombent aux tortures en essayant d'instaurer le christianisme chez les autochtones, confèrent aux premiers temps de la colonie le caractère d'une véritable épopée.

En 1740, la rivalité mondiale entre Français et Anglais déclenche la guerre qui provoquera la chute de la Nouvelle-France. La colonie progresse depuis le milieu du XVIIe siècle, car le gouvernement royal a fait venir de nouveaux colons, des fonctionnaires qualifiés et des régiments pour défendre les villages et les avant-postes. Malgré cela, la Nouvelle-France ne pouvait résister à la puissance navale et à la supériorité numérique des forces de la Grande-Bretagne. En 1759, la ville de Québec, principale agglomération d'alors, capitule devant l'armée du général Wolfe, et en 1763 le Traité de Paris cède à la Grande-Bretagne les principales possessions françaises en Amérique du Nord; la domination britannique est désormais assurée sur le continent nord-américain.

Cependant, en l'espace de 20 ans les 13 colonies sises au sud de la Nouvelle-France gagnent la guerre d'Indépendance et créent les États-Unis d'Amérique. Depuis leur conquête de la Nouvelle-France, les Britanniques craignent que les francophones ne suivent l'exemple des Américains. Ils abandonnent donc toute tentative d'assimilation et, par l'Acte de Québec de 1774, ils reconnaissent les principales institutions des habitants: le droit civil, le régime seigneurial et la religion catholique. Fort de ces droits, le Canada résiste à la «courtisanerie» des 13 colonies du sud et résiste à leurs tentatives d'invasion, pour demeurer une possession britannique.

La Révolution américaine amène également en Amérique du Nord britannique des milliers de Loyalistes qui fuient les institutions républicaines des rebelles. Établis en Nouvelle-Écosse, sur les terres qui deviendront bientôt le Nouveau-Brunswick, dans les Cantons de l'Est et dans les régions inoccupées au nord du lac Ontario, ces Loyalistes constitueront le premier groupe important de colons anglophones à s'installer au pays.

Leur arrivée nécessite de nouveaux arrangements politiques. La Nouvelle-Écosse possède une assemblée représentative depuis 1758, et les deux Canada vont désormais jouir du même régime. En 1791, l'Acte constitutionnel divise l'ancienne province de Québec en deux colonies, le Haut-Canada et le Bas-Canada, dotée chacune de sa propre assemblée. Les colonies commencent à se développer, sinon à s'épanouir, et bientôt s'amorce la lutte pour l'instauration d'un gouvernement autonome, qu'on appelait à l'époque gouvernement responsable. Sa création a lieu en 1849, mais seulement après l'échec fracassant des rébellions dans les deux Canada en 1837 et la réunion des deux colonies en 1841; pareille dernière mesure, proposée par Lord Durham dans son fameux rapport, visait à favoriser l'assimilation des Canadiens français.

Cette tentative échoue, tout comme l'union politique des deux Canada. Au milieu du XIXe siècle, les colonies sont aux prises avec des coûts de plus en plus élevés et des revenus qui progressent si lentement qu'ils suffisent à peine à la construction des chemins de fer et des canaux nécessaires à l'infrastructure d'une société moderne. Les marchés s'effritent, surtout à la suite de l'abolition des tarifs préférentiels par la Grande-Bretagne, qui s'engage sur la voie du libre-échange. La scène politique est témoin d'un âpre conflit entre factions et d'une sérieuse impasse,

Cuisine d'été, souvenir de la vie canadienne d'antan au Upper Canada Village, en Ontario.

aggravés par la prépondérance numérique croissante des anglophones sur les francophones. Enfin, dans les années 1860, les États-Unis, de plus en plus hostiles, constituent une menace; en Amérique du Nord britannique, on craint beaucoup que les Américains, à peine sortis de la guerre civile, ne songent à réunir le Nord et le Sud dans une guerre victorieuse contre les colonies dispersées de cette Amérique. De telles circonstances, jointes à l'encouragement du gouvernement britannique désireux de réduire ses engagements en Amérique du Nord, aboutissent en 1865 à la décision canadienne de s'acheminer vers une fédération de toutes les colonies britanniques — les deux Canada, le Nouveau-Brunswick, la Nouvelle-Écosse, l'Île-du-Prince-Édouard et Terre-Neuve.

Cet objectif n'est que partiellement réalisé le 1er juillet 1867 lorsque les deux Canada, la Nouvelle-Écosse et le Nouveau-Brunswick s'unissent en une Confédération aux termes de l'Acte de l'Amérique du Nord britannique. Cet acte, qui représente la constitution du nouveau Dominion du Canada, est l'œuvre d'un groupe dynamique d'hommes politiques, dont John A. Macdonald, premier chef du nouvel État, Georges-Étienne Cartier, George Brown, Leonard Tilley et Charles Tupper. La constitution prévoit un régime fédéral centralisé dont le gouvernement national, siégeant à Ottawa, représente la force dominante, et laisse aux provinces les questions d'intérêt local. Le français et l'anglais sont reconnus comme langues officielles au Parlement, devant les tribunaux de juridiction fédérale et dans la

province de Québec. La nouvelle nation est dès lors une monarchie constitutionnelle où le Parlement se compose du gouverneur général, représentant du
monarque, d'une Chambre des communes et d'un Sénat nommé.

Le Dominion reste incomplet; l'Île-du-Prince-Édouard et Terre-Neuve ont refusé
de se joindre aux autres provinces, les grandes plaines de l'Ouest appartiennent à la
Compagnie de la Baie d'Hudson, et la Colombie-Britannique, de l'autre côté des
Rocheuses, sur la côte du Pacifique, est isolée dans un vaste territoire dépourvu de
toute voie de communication transcontinentale. Le premier geste qui permettra au
nouveau Dominion d'être fidèle à sa devise *A Mari Usque ad Mare* (D'un Océan à
l'Autre) sera l'acquisition des plaines de l'Ouest; on assiste donc en 1870 à la
création d'une nouvelle province, le Manitoba, après la défaite d'une brève rébellion
dirigée par l'habile et fanatique Louis Riel. L'année suivante, c'est la Colombie-
Britannique qui, sur la promesse d'obtenir un chemin de fer, devient à son tour une
province et en 1873 l'Île-du-Prince-Édouard adhère aussi à la Confédération. Les
Territoires du nord-ouest sont créés en 1874, englobant toutes les terres comprises
entre le Manitoba et la Colombie-Britannique; en 1885, ils sont le théâtre de la
seconde rébellion de Riel, révolte qui échouera parce que la milice canadienne a pu
se rendre assez rapidement sur les lieux grâce au chemin de fer du Canadien
Pacifique, dont la ligne transcontinentale avait été achevée cette année-là. Vingt ans
plus tard, les provinces de l'Alberta et de la Saskatchewan sont formées par un
découpage qui les détache des Territoires du nord-ouest, ce qui porte à neuf le
nombre des provinces. Finalement, en 1949, Terre-Neuve choisit de devenir le
dixième membre de la Confédération.

Toutefois, le Canada était et se devait d'être plus qu'un territoire. Il lui fallait
adopter des politiques authentiquement nationales. Le gouvernement conservateur
de Sir John A. Macdonald, au pouvoir presque sans interruption dans les 25 années
qui suivent la Confédération, s'applique donc à établir une politique d'application
nationale. Le chemin de fer, un des éléments majeurs de cette politique, aura pour
vocation de rapprocher les membres d'une population dispersée. Macdonald cherche
également à encourager l'immigration, mais les progrès à ce chapitre sont très lents
jusqu'à la phase de grande prospérité du début des années 1900, qui déclenche un
afflux d'immigrants. Une troisième mesure, visant à établir une solide protection
douanière, est jugée indispensable à la croissance de l'industrie manufacturière du
Canada. C'est uniquement à la condition que l'industrie canadienne s'affermisse,
que l'on arrive à peupler l'Ouest et que les communications deviennent rapides et
sûres que le Canada, pense-t-on, pourra résister à la forte attraction des États-Unis.

Macdonald pose les assises de l'essor du Canada, mais ses politiques ne porteront
fruit que sous le premier ministre libéral Sir Wilfrid Laurier, premier chef national
d'origine francophone, au pouvoir de 1896 à 1911. La durée de son ministère sont des
années d'or, une période où il peut dire avec sérieux que le XIXe siècle a été celui
des États-Unis, mais que le XXe siècle appartient au Canada.

Malgré la prospérité et l'expansion, le règne de Laurier voit les conflits de classes
et de cultures qui existent depuis 1867 se poursuivre, s'aggraver même. L'exécution
de Riel en 1885, et les attaques menées contre les écoles françaises et catholiques de
l'Ouest dans les années 90, ont durci les relations entre Français et Anglais. De
nouvelles discordes, entre les anglophones à tendance impérialiste et leurs
compatriotes francophones à tendance plutôt nationaliste et isolationniste, sont
alimentées par la guerre des bœrs et par la poursuite du débat sur la place du Canada
dans l'Empire britannique. Lorsqu'en 1911, Laurier présente au Parlement un traité
de réciprocité avec les États-Unis, tous ces litiges sont furieusement évoqués lors de

Fort Walsh, en Saskatchewan.

la campagne électorale qui suit. Les Libéraux, battus à plate couture, cèdent alors le pouvoir aux Conservateurs, sous la direction de Robert Borden.

C'est à Borden qu'échoit la tâche de diriger le Canada durant la Grande Guerre de 1914-18, période très pénible pour le pays. Plus de 60,000 Canadiens meurent outre-mer, et l'unité nationale est grandement secouée par la question de la conscription en 1917. Nombre de Canadiens d'ascendance non britannique s'opposent au service militaire obligatoire, et c'est sur cette controverse que portent les élections de 1917, remportées par Borden. Le gouvernement Borden, formé à ce moment-là d'une coalition de Conservateurs et de Libéraux anglophones, impose la conscription.

Le service militaire pèse lourdement aussi sur les agriculteurs de l'Ontario et de l'Ouest. La guerre a engendré une hausse des prix et une période de prospérité après des années d'austérité, mais voilà que le gouvernement vient arracher aux paysans leurs fils. Cette doléance, et les plaintes depuis longtemps réitérées au sujet du tarif douanier qui favorise les fabricants, donne lieu à la création du Parti progressiste et à sa montée remarquable aux élections de 1921.

Le syndicalisme gagne aussi du terrain durant la guerre, mais ce progrès est presque entièrement perdu lorsqu'en 1919 une grève générale à Winnipeg est brisée par l'intervention massive du gouvernement fédéral. Le mouvement syndical s'en trouvera affaibli pendant des années, et il lui faudra attendre la Dépression et la Seconde Guerre mondiale pour reprendre de la vigueur.

Le pays tout entier découvre de nouveaux avantages dans la modification du statut de Dominion à l'issue de la Grande Guerre. Lancé dans la guerre à titre de colonie de la Grande-Bretagne, il en ressort presque égal à cette dernière, situation qui sera consacrée par le Statut de Westminster en 1931.

Pendant la majeure partie de l'entre-deux-guerres, cependant, le Canada prend peu de part aux affaires mondiales. Le successeur de Laurier, W.L. Mackenzie King, est un homme prudent qui s'applique à réduire les taxes et les droits de douanes. Le Canada progresse lentement, et la dépression des années 30 lui assène un dur coup.

Sous la direction de R.B. Bennett, des Conservateurs qui accèdent au pouvoir lors des élections générales de 1930, sont constamment aux prises avec un chômage élevé et un déclin du commerce et du produit national brut. Le Canada traverse alors une période difficile, et la population cherche des solutions dans de nouveaux partis politiques. Le Crédit social obtient le pouvoir en Alberta, le CCF tente de rapprocher les groupes de travailleurs et d'agriculteurs de l'Ontario et de l'Ouest, et l'Union nationale mène les nationalistes conservateurs à la victoire au Québec. La grande dépression révèle en outre que le gouvernement fédéral ne dispose pas des pouvoirs constitutionnels nécessaires face à une urgence nationale en temps de paix; cela étant, le gouvernement King, réélu en 1935, institue une vaste enquête à ce sujet. La Commission royale d'enquête sur les relations entre le Dominion et les provinces présente son rapport en 1940, dans lequel elle recommande des changements radicaux, mais à ce moment-là le Canada est en guerre et Ottawa a déjà le pouvoir d'agir expéditivement en temps de conflit armé.

La période de 1939-45 sont des années extraordinaires. L'entrée dans une conjoncture de guerre totale sous le gouvernement King transforme le Canada en une grande puissance militaire, industrielle et financière. Un million d'hommes sont dans les forces armées, des milliards de dollars sont consacrés à l'aide mutuelle aux alliés du Canada, et c'est le plein emploi dans les florissantes usines de munitions. La conscription en 1942 et en 1944 suscite des troubles, mais laisse moins de cicatrices qu'en 1917. Le gouvernement se montre habile à organiser la transition entre la guerre et la paix, et l'essor économique se poursuit sans relâche jusque dans les années 50.

Mackenzie King se retire en 1948, et Louis Saint-Laurent, un avocat de Québec, lui succède. Le gouvernement Saint-Laurent rapproche le Canada et les États-Unis sur le plan des relations économiques et militaires; il amène le Canada à faire partie de l'Organisation du Traité de l'Atlantique Nord (OTAN) et négocie son entrée dans le Commandement de la défense aérienne de l'Amérique du Nord.

Cependant, l'essor économique soutenu du Canada est alimenté par des capitaux américains ou des fonds empruntés à New York et ces tendances, parmi d'autres, suscitent suffisamment d'inquiétude pour qu'en 1957 les Conservateurs, sous la direction de John Diefenbaker, soient portés au pouvoir. Le gouvernement Diefenbaker dirige le Canada de 1957 à 1963, période orageuse tant sur le plan intérieur qu'international. A la fin des années 50, la croissance économique ralentit, le chômage augmente et les relations avec les États-Unis se détériorent, en raison notamment de la répugnance de Diefenbaker à doter les forces canadiennes d'armes nucléaires américaines. Par ailleurs, le Québec se rebiffe de plus en plus contre la Confédération, et il réclame une plus grande autonomie et une reconnaissance accrue de la langue française dans tout le pays.

Le gouvernement libéral de Lester Pearson, élu en 1963 avec une minorité de sièges à la Chambre des communes, institue la Commission royale d'enquête sur le bilinguisme et le biculturalisme pour examiner en profondeur le domaine des relations entre francophones et anglophones. Au cours des cinq années qui suivent, marquées de scandales politiques et de réformes sociales, le gouvernement consacre de plus en plus de temps à la question du Québec.

C'est peut-être en raison de son attitude fortement fédéraliste que Pierre Elliott Trudeau a été choisi pour succéder à Pearson en 1968; il mène son parti à la victoire aux élections générales de la même année. Deux ans plus tard, son gouvernement impose la Loi sur les mesures de guerre et envoie quelque 10,000 soldats au Québec à la suite de l'enlèvement d'un délégué commercial britannique et de l'enlèvement et

Tâches quotidiennes des pionniers à Fort William (Ont.).

du meurtre d'un ministre du Cabinet québécois par le Front de Libération du Québec. Cette réaction énergique de la part du fédéral semble faire taire les propos séparatistes au Québec, et dans les six années suivantes d'autres questions dominent les débats.

Durant son premier mandat, le gouvernement Trudeau apporte certains changements à la politique étrangère du pays: il réduit l'engagement militaire à l'égard de l'OTAN et insiste sur le besoin de protéger et de faire valoir la souveraineté canadienne. Les problèmes économiques, en particulier le taux élevé de chômage et l'inflation croissante, sont à l'ordre du jour, et c'est sans doute ce qui explique le recul du parti aux élections de 1972, à la suite desquelles il se retrouve au pouvoir en position minoritaire. Pendant les deux années qui suivent, le gouvernement Trudeau tente de s'occuper de l'économie, des difficultés croissantes que pose l'approvisionnement en énergie, et de l'influence américaine sur l'économie et la culture canadienne. En 1974, il est réélu avec une rassurante majorité.

Au cours des deux années suivantes, deux partis de l'opposition se choisissent un nouveau chef. Le Nouveau Parti Démocratique, qui a remplacé le CCF, choisit Ed Broadbent, professeur d'université en Ontario et député d'Oshawa (Ont.). Au début de 1976, les Conservateurs choisissent Joe Clark, jeune député de l'Alberta. Ces deux

Le Bluenose II, *réplique du célèbre Bluenose, dans le port d'Halifax.*

hommes politiques ne cessent de s'attaquer aux questions économiques, attirant particulièrement l'attention sur la limitation des prix et des salaires instituée par les Libéraux en 1975 et sur les problèmes constants de l'inflation et du chômage. La levée des restrictions commence en 1978, mais les taux d'intérêt, l'inflation et le coût de la vie continuent d'augmenter, et environ un million de personnes chôment.

Aux élections de 1979, il s'ensuit que J. Clark amène les Conservateurs au pouvoir et forme un gouvernement minoritaire. Mais quelques mois plus tard, les Conservateurs subissent une défaite à la Chambre des communes et, dans les élections de 1980, ils sont battus à plein. Pierre Trudeau, qui avait perdu les élections de 1979, et, de fait, annoncé son intention d'abandonner le commandement de son parti, fait l'une des plus étonnantes rentrées de l'histoire politique du Canada, et redevient premier ministre.

Le problème majeur qui l'attend dès lors est celui du Québec, sa province natale. Sous la direction de l'habile et populaire René Lévesque, le Parti Québécois avait obtenu une forte majorité à l'Assemblée nationale lors des élections provinciales de 1976. Ayant promis de faire du Québec un État souverain associé au Canada dans une sorte de marché commun, Lévesque propose, en vue de l'indépendance de sa province la tenue d'un référendum en deux étapes. A la première consultation prévue, il va s'agir pour son gouvernement d'obtenir le mandat d'amorcer des négociations avec Ottawa, tandis qu'à la deuxième, la population aura à se prononcer pour ou contre l'issue de ces négociations. La première étape, dont la date est fixée au 20 mai 1980, pousse la confrontation Québec-Canada à son point critique. Chose ironique, le Québec est à ce moment mieux représenté que jamais à Ottawa, par Pierre Trudeau, bon nombre de ministres influents mandatés au fédéral par l'électorat québécois, et la moitié du caucus libéral. Le résultat ultime des votes proposés et l'avenir du pays semblaient encore imprévisibles au début de 1980.

J.L. GRANATSTEIN

Population

Au 1er juin 1979, la population totale du Canada était estimée à 23,670,700 habitants, soit une augmentation de 18.3% par rapport au chiffre établi lors du recensement de 1966 (20,014,880). En fait, les taux d'accroissement de la population canadienne diminuent depuis cette date, l'augmentation annuelle moyenne étant passée de 1.6% pour la période 1966-71 à 1.0% pour la période 1976-79. Font exception à cette tendance générale l'Alberta, le Nouveau-Brunswick, l'Île-du-Prince-Édouard et la Saskatchewan. Le taux d'accroissement en Alberta s'est accru de 2.3% qu'il était en 1966-71 à 3.1% en 1976-79; celui du Nouveau-Brunswick a passé de 0.6% à 1.1% et celui de l'Île-du-Prince-Édouard de 0.6% à 1.3%. La Saskatchewan, après avoir subi une baisse de 0.6% au cours de la période 1966-71 a enregistré une hausse de 1.3% en 1976-79. Le Yukon et les Territoires du Nord-Ouest qui comptent des populations relativement faibles par rapport aux provinces ont connu de forts taux d'accroissement dans la période 1966-76, mais ces taux ont diminué durant la période 1976-79.

Les provinces et les territoires du Canada diffèrent beaucoup les uns des autres en ce qui regarde leur superficie ainsi que la taille et la densité de leur population. Plus de 80% de la population totale du Canada est actuellement concentrée au Québec, en Ontario, en Alberta et en Colombie-Britannique qui ont de plus grandes superficies que les autres provinces. L'Alberta, la Colombie-Britannique et l'Ontario sont les seules régions où l'accroissement annuel moyen a surpassé la moyenne nationale dans les années antérieures. L'Île-du-Prince-Édouard, la Nouvelle-Écosse et le Nouveau-Brunswick sont les provinces les moins étendues, mais elles affichent des densités de population (20.5, 16.0 et 9.7 personnes par kilomètre carré) bien au-dessus de la moyenne nationale de 2.6, tandis que le Yukon et les Territoires du Nord-Ouest, dont les superficies sont vastes, comptent beaucoup moins de personnes, soit 0.04 et 0.01 par kilomètre carré respectivement.

L'évolution de la population résulte de la combinaison de quatre facteurs: natalité, mortalité, immigration et émigration. Le taux de natalité élevé (28.0 pour 1,000 en moyenne en 1951-56) et le taux d'accroissement naturel élevé (19.6 pour 1,000 en moyenne) sont caractéristiques de la croissance rapide du début de l'après-guerre, qui a atteint son point culminant au milieu des années 50 (tableau 2). La diminution des taux d'accroissement dans les années subséquentes résulte surtout de la baisse des naissances depuis le début des années 60. Bien qu'elle ait diminué légèrement, la mortalité est restée relativement stable si on la compare aux autres facteurs. La migration internationale nette, soit la différence entre l'immigration et l'émigration, du début et du milieu des années 50 (7.9 pour 1,000 en 1951-56 et 5.6 pour 1,000 en 1956-61) a aussi influencé considérablement l'accroissement de la population au Canada. Depuis quelques années, cette influence s'atténue; en 1971-76 elle intervenait pour le tiers environ de l'accroissement total observé de 1971 à 1976, mais pour le sixième seulement de 1976 à 1979.

Depuis quelques années, la migration interne est le facteur qui exerce la plus forte influence sur la répartition géographique de la population canadienne (tableau 3). En 1967-69, l'Ontario et la Colombie-Britannique attiraient la majorité des migrants venant des autres parties du pays. Depuis le début des années 70, cet état de choses a beaucoup changé. La Colombie-Britannique a maintenu ses gains, tandis que le Québec, Terre-Neuve et le Manitoba ont subi des pertes répétées. Les provinces qui accusaient régulièrement des pertes (Île-du-Prince-Édouard, Nouvelle-Écosse, Nouveau-Brunswick et Saskatchewan) ont affiché des gains. L'Ontario, province qui

1. Répartition de la population et superficie, Canada et provinces, 1966, 1971, 1976 et 1979[1]

	Population en milliers				Variation annuelle moyenne en pourcentage			Superficie Kilomètres carrés milliers	Densité de population[2] 1979
	1966	1971	1976	1979	1966-71	1971-76	1976-79		
Canada	20,015	21,568	22,993	23,671	1.6	1.3	1.0	9 205	2.6
Terre-Neuve	493	522	558	574	1.2	1.3	0.9	372	1.5
Île-du-Prince-Édouard	109	112	118	123	0.6	1.2	1.3	6	20.5
Nouvelle-Écosse	756	789	829	848	0.9	1.0	0.7	53	16.0
Nouveau-Brunswick	617	635	677	701	0.6	1.3	1.1	72	9.7
Québec	5,781	6,028	6,234	6,284	0.9	0.7	0.3	1 358	4.6
Ontario	6,961	7,703	8,264	8,503	2.1	1.4	1.0	917	9.3
Manitoba	963	988	1,022	1,032	0.5	0.7	0.3	548	1.9
Saskatchewan	955	926	921	959	-0.6	-0.1	1.3	570	1.7
Alberta	1,463	1,628	1,838	2,012	2.3	2.5	3.1	638	3.2
Colombie-Britannique	1,874	2,185	2,467	2,570	3.3	2.5	1.4	893	2.9
Yukon	14	18	22	22	5.7	3.5	-0.4	532	0.04
Territoires du Nord-Ouest	29	35	43	43	4.1	4.1	0.6	3 246	0.01

[1] Chiffres fondés sur les données du recensement pour 1966, 1971 et 1976, et sur des estimations pour 1979. [2] Habitants par kilomètre carré.

2. Éléments de variation de la population, 1951-56, 1956-61, 1961-66, 1966-71, 1971-76 et 1976-79

Date	Naissances	Décès	Accroissement naturel	Immigration	Émigration	Migration internationale nette	Variation totale
	Taux pour mille[1]						%
1951-56	28.0	8.4	19.6	10.4	2.5	7.9	27.5
1956-61	27.5	8.0	19.5	8.8	3.2	5.6	25.1
1961-66	23.5	7.6	15.9	5.6	2.9	2.7	18.6
1966-71	17.8	7.4	10.5	8.6	4.1	4.5	14.9
1971-76	15.8	7.4	8.4	7.6	3.1	4.5	12.8
1976-79[2]	15.3	7.2	8.1	4.7	3.2	1.5	9.6

[1] Taux moyen pour 1,000 habitants, pour chacune des périodes indiquées. [2] Estimations provisoires pour les années postcensales.

3. Migration interne par province, pour certaines périodes (moyennes annuelles[1])
(centaines de migrants)

Province ou territoire	1967-69			1972-74			1977-79		
	Migration		Solde	Migration		Solde	Migration		Solde
	en-trante	sor-tante	migra-toire	en-trante	sor-tante	migra-toire	en-trante	sor-tante	migra-toire
Canada..............	3794	3794	—	4102	4102	—	4028	4028	—
Terre-Neuve.........	86	117	−32	122	133	−11	103	123	−20
Île-du-Prince-Édouard..	36	43	−7	47	38	9	43	39	5
Nouvelle-Écosse......	234	255	−22	254	232	22	225	222	3
Nouveau-Brunswick ...	186	228	−41	213	188	24	193	180	12
Québec..............	389	596	−207	384	539	−155	259	632	−373
Ontario..............	1064	835	229	969	1033	−64	981	1003	−22
Manitoba............	277	348	−71	300	351	−51	242	348	−105
Saskatchewan........	231	368	−137	246	364	−118	272	254	18
Alberta..............	563	490	73	688	608	80	923	643	279
Colombie-Britannique..	678	471	206	812	552	260	726	511	215
Yukon..............	49	41	8	67	64	3	24	26	−2
Territoires du Nord-Ouest........							37	47	−10

[1] Années civiles.   — Néant ou zéro.

avait toujours marqué d'importantes avances, a connu une perte au cours de cette période. Le Yukon et les Territoires du Nord-Ouest ont également subi des reculs. L'Alberta, pôle d'attraction des migrants depuis le milieu des années 60, a enregistré ses plus forts gains au milieu des années 70.

La population du Canada, autrefois à prédominence rurale, est devenue avec les années très majoritairement urbaine. Au recensement de 1901, seulement 37.5% de la population totale vivaient en milieu urbain; dès 1976, le chiffre correspondant atteignait 75.5%. Sur les 5,625,635 personnes qui constituaient la population rurale du Canada en 1976, 1,034,560 (18.4%) vivaient dans des fermes, tandis que 4,591,070 (81.4%) vivaient hors des fermes.

En 1978, plus de la moitié de la population totale du Canada demeurait dans 23 régions métropolitaines de recensement (RMR), comme l'indique le tableau 4. Chacune de ces grandes agglomérations renferme le principal bassin de main-d'œuvre pour une zone bâtie en continu et habitée par au moins 100,000 personnes.

D'après les estimations de la population établies en 1978, Montréal et Toronto étaient les deux plus grandes régions métropolitaines du Canada, comptant chacune plus de 2.8 millions d'habitants; la population de Vancouver atteignait 1.2 million. Toutefois, en termes de croissance démographique relative, Calgary, Edmonton, Ottawa–Hull et Kitchener ont progressé le plus rapidement ces dernières années, la population totale de Calgary s'étant accrue de 25% entre 1971 et 1978, et celle d'Edmonton, Ottawa–Hull et de Kitchener d'environ 17% chacune. Par contre, les populations de Sudbury et de Windsor ont en fait fléchi au cours de cette période, tandis que les populations de Montréal et Chicoutimi – Jonquière enregistraient de légères augmentations.

La pyramide des âges d'une population est d'un intérêt capital pour tous les pouvoirs publics qui doivent adopter des programmes économiques et sociaux. Les

4. Population des régions métropolitaines de recensement (RMR), 1971, 1976 et 1978[1]

	Population en milliers[2]			Variation en pourcentage
	1971	1976	1978	1971-78
Canada.........................	21,568	22,993	23,483	8.9
Ensemble des RMR..............	11,985	12,799	13,053	8.9
Pourcentage de la population totale.	55.6	55.7	55.6	...
Toronto.......................	2,602	2,803	2,856	9.8
Montréal......................	2,729	2,802	2,823	3.4
Vancouver.....................	1,082	1,166	1,173	8.4
Ottawa – Hull	620	693	726	17.2
Côté Ontario	474	521	547	15.4
Côté Québec.................	146	172	179	22.9
Winnipeg......................	550	578	589	7.1
Edmonton.....................	496	554	581	17.2
Québec........................	501	542	554	10.6
Hamilton	503	529	536	6.6
Calgary.......................	403	470	504	25.2
St. Catharines – Niagara............	286	302	306	7.1
Kitchener.....................	239	272	280	17.4
London	253	270	274	8.3
Halifax	251	268	271	8.2
Windsor	249	248	246	−1.0
Victoria.......................	196	218	222	13.6
Sudbury	158	157	155	−1.7
Regina........................	141	151	160	13.7
St-Jean (T.-N.).................	132	143	146	11.1
Oshawa[3].....................	120	135	139	15.8
Saskatoon.....................	126	134	139	10.1
Chicoutimi – Jonquière	126	129	130	2.6
Thunder Bay	115	119	121	5.2
St-Jean (N.-B.).................	107	113	117	9.8

[1] Chiffres fondés sur les données du recensement pour 1971 et 1976 et sur des estimations provisoires pour 1978.   [2] Données établies d'après la superficie en 1976.   [3] N'était pas une région métropolitaine de recensement en 1971.   ... Sans objet.

responsables de l'enseignement, par exemple, ont noté une chute des effectifs aux niveaux primaire et secondaire par suite de la diminution du nombre de jeunes au sein de la population. Le tableau 5 montre que dans la population canadienne la proportion des moins de 15 ans a baissé de 32.9% qu'elle était en 1966 à 23.5% en 1979, soit une perte de 9.4 points de pourcentage. Ce recul s'explique surtout par la dénatalité des années précédentes, comme en témoigne la diminution d'environ 20% du nombre d'enfants de 0 à 4 ans entre 1966 et 1979.

A mesure que les enfants nés au cours de la poussée démographique des années 50 devenaient de jeunes adultes, le groupe en âge de travailler (15-64 ans) s'est accru rapidement. Parmi la population totale, la proportion de personnes âgées de 15 à 64 ans est passée de 59.4% en 1966 à 67.2% en 1979. L'immigration influe beaucoup sur la croissance de ce fort groupe d'âge actif, surtout dans le cas des jeunes adultes. En 1976, par exemple, 47% environ des nouveaux immigrants avaient entre 20 et 39 ans.

L'évolution du chiffre de la population âgée de 65 ans et plus présente un intérêt particulier pour ceux qui planifient l'équipement nécessaire au soin des vieillards et qui déterminent les besoins futurs en matière de retraités. Ce segment de la population totale a rapidement augmenté ces dernières années. La proportion de

5. Population par groupes d'âge, 1966, 1971, 1976 et 1979[1]

Groupe d'âge	Population en milliers				Répartition en pourcentage			
	1966	1971	1976	1979	1966	1971	1976	1979
Total	20,015	21,568	22,993	23,671	100.0	100.0	100.0	100.0
Moins de 15 ans	6,592	6,381	5,896	5,570	32.9	29.6	25.6	23.5
0-4	2,197	1,816	1,732	1,763	11.0	8.4	7.5	7.4
5-9	2,301	2,254	1,888	1,799	11.5	10.5	8.2	7.6
10-14	2,093	2,311	2,276	2,008	10.5	10.7	9.9	8.5
15-64	11,884	13,443	15,094	15,896	59.4	62.3	65.7	67.2
15-19	1,838	2,114	2,345	2,382	9.2	9.8	10.2	10.1
20-24	1,461	1,889	2,134	2,291	7.3	8.8	9.3	9.7
25-34	2,483	2,889	3,621	3,933	12.4	13.4	15.7	16.6
35-44	2,543	2,526	2,597	2,759	12.7	11.7	11.3	11.6
45-54	2,078	2,291	2,473	2,473	10.4	10.6	10.8	10.4
55-64	1,480	1,732	1,924	2,059	7.4	8.0	8.4	8.7
65 ans et plus	1,540	1,744	2,002	2,204	7.7	8.1	8.7	9.3

[1] Chiffres fondés sur les données du recensement pour 1966, 1971 et 1976, et sur des estimations pour 1979.

Edmonton (Alb.). Calgary, Edmonton, Ottawa-Hull et Kitchener se sont développées des plus rapidement ces dernières années.

personnes âgées de 65 ans et plus s'est accrue de 7.7% qu'elle était en 1976 à 9.3% en 1979. La dénatalité et l'élévation de l'espérance de vie sont les deux principaux facteurs de cette hausse de la proportion des vieillards.

Sur les 18 millions de Canadiens âgés de 15 ans et plus en 1978, 28.5% étaient célibataires (n'avaient jamais été mariés). Cette catégorie a augmenté de 779,000 (18.2%) entre 1971 et 1978. Les données du tableau 6 montrent également qu'en 1978 32% de la population adulte masculine et 25% de la population adulte féminine était célibataire. L'écart provient surtout du fait que les hommes tendent à rester célibataires plus longtemps que les femmes. Selon les estimations de 1978, par exemple, 71% de la population masculine de 20 à 24 ans était célibataire, contre 49% chez la population féminine du même groupe d'âge.

En 1978, 63% de la population totale de 15 ans et plus étaient mariées, cette catégorie s'étant accrue d'environ 15% entre 1971 et 1978. Cependant, la proportion de la population mariée a fléchi au cours de la même période, passant de 64.4% en 1971 à 63.0% en 1978; cela peut être attribué à des facteurs démographiques tels que les variations de la pyramide des âges et les tendances de la nuptialité.

En 1971, il y avait 175,115 personnes divorcées au Canada; en 1978, leur nombre atteignait 421,800, soit une augmentation de 141%. Bien qu'au cours des années la

6. Répartition numérique et en pourcentage de la population âgée de 15 ans et plus, selon l'état matrimonial, 1971 et 1978[1]

| État matri- monial | Population en milliers | | | | | |
| | 1971 | | | 1978 | | |
	Total	Hommes	Femmes	Total	Hommes	Femmes
Total	15,187	7,532	7,656	17,797	8,761	9,036
Célibataires	4,291	2,378	1,913	5,070	2,800	2,270
Mariés[2]	9,778	4,889	4,889	11,218	5,593	5,625
Veufs	944	191	753	1,087	193	894
Divorcés	175	74	101	422	175	247

| | Répartition en pourcentage | | | | | |
| | 1971 | | | 1978 | | |
	Total	Hommes	Femmes	Total	Hommes	Femmes
Total	100.0	100.0	100.0	100.0	100.0	100.0
Célibataires	28.2	31.6	25.0	28.5	32.0	25.1
Mariés[2]	64.4	64.9	63.9	63.0	63.8	62.3
Veufs	6.2	2.5	9.8	6.1	2.2	9.9
Divorcés	1.1	1.0	1.3	2.4	2.0	2.7

[1] Chiffres fondés sur les données du recensement pour 1971 et sur des estimations pour 1978. (Les chiffres ayant été arrondis, le total peut ne pas correspondre à la somme des éléments.)
[2] Comprend les personnes séparées qui n'ont pas obtenu le divorce.

Victoria (C.-B.). Plus de 80% de la population totale est concentrée au Québec, en Ontario, en Alberta et en Colombie-Britannique.

tendance générale soit allée dans le sens d'une progression de la divortialité et d'une diminution de l'âge des personnes obtenant le divorce, l'augmentation marquée entre 1971 et 1978 peut s'expliquer en partie par l'adoption de mesures législatives relativement plus libérales sur le divorce.

L'un des points les plus frappants de la statistique de l'état matrimonial est la plus forte proportion de veuves que de veufs. En 1978, il y avait 894,400 veuves (9.9% de la population adulte féminine) comparativement à 193,400 veufs (2.2% de la population adulte masculine). Ce grand écart tient aux taux de mortalité moindres chez les femmes et aux taux inférieurs de remariage chez les veuves.

Les autochtones

Les Indiens

Au 31 décembre 1978, 302,749 personnes étaient inscrites comme Indiens en vertu des dispositions de la Loi sur les Indiens du Canada. Dès le 31 décembre 1979, il existait 575 bandes d'Indiens qui disposaient de 2,240 réserves; la superficie totale des réserves se chiffrait à quelque 2 611 800 ha (hectares). Près de la moitié des Indiens inscrits, et principalement ceux qui vivent en Ontario et dans les trois provinces des Prairies, ont droit à des paiements en vertu de traités signés entre leurs ancêtres et la Couronne.

On ignore le nombre de personnes d'ascendance indienne qui n'ont pas le droit d'être inscrites aux termes de la Loi sur les Indiens. Parmi celles-ci figurent les Indiens qui ont renoncé à leur statut et à leur qualité de membre d'une bande au moyen de la procédure juridique appelée émancipation, les femmes indiennes qui ont épousé des non-Indiens, les Métis et les descendants des personnes qui ont reçu des terres ou des certificats d'argent.

Chez les Indiens du Canada, il existe 58 langues ou dialectes différents appartenant à 10 principaux groupes linguistiques: algonquin, iroquois, sioux, athapaskan, kutenai, salish, wakash, tsimshian, haïda et tlingit.

Enseignement. Les services d'enseignement destinés aux Indiens des réserves ressortissent au gouvernement fédéral qui finance, par l'intermédiaire du ministère

Danse indigène au Stampede de Calgary.

Jeunes mères et leurs bébés à Repulse Bay (T.N.-O.).

la masse pour chasser le caribou à l'intérieur des terres et s'y donna une culture fort différente. Ces Inuit se nourrissaient de caribous et de poissons des lacs, faisaient des feux avec des arbustes au lieu du blanc de baleine, et fréquentaient rarement la mer.

Les premiers explorateurs de l'Arctique canadien ont rencontré des Inuit de temps à autre pendant 300 ans, mais n'ont guère frayé avec eux; dans cette région, le développement s'est effectué beaucoup plus tard que dans les autres terres arctiques. Ce n'est qu'à l'arrivée des baleiniers et des marchands de fourrures au début du XIXe siècle que la situation a commencé à se modifier. Par suite des échanges avec les chasseurs de baleines et les marchands, les Inuit en sont venus à dépendre jusqu'à un certain point des produits de l'homme blanc et leur nomadisme traditionnel leur devint alors moins attrayant.

Dès 1923, des postes de traite s'échelonnaient le long des deux rives du détroit d'Hudson, vers le bas de la côte est de la baie d'Hudson jusqu'à Port Harrison et vers le haut de la côte ouest jusqu'à Repulse Bay; une expansion semblable se produisait dans l'Ouest de l'Arctique. Aujourd'hui, la Compagnie de la Baie d'Hudson compte une trentaine de postes dans les régions arctiques.

La Seconde Guerre mondiale a accéléré le progrès des communications aériennes et suscité l'aménagement d'installations militaires et de stations radio et météorologiques dans le Nord. Au cours des 20 dernières années, l'isolement des Inuit s'est amoindri rapidement.

Pour beaucoup de ces gens, le passage de la vie de chasseur nomade à celle de citadin moderne a été difficile, voire dramatique. Grâce à des moyens tels que le satellite de communication Anik, le téléphone, la radio et la télévision ont pénétré dans les foyers inuit. Le chien de traîneau, vieux compagnon indispensable de l'Inuit, a cédé son rôle au toboggan automoteur. Pour les longs voyages, l'avion est devenu le taxi de l'Arctique, et dans ce lieu rares sont les villages dépourvus de piste d'atterrissage. La technologie moderne, représentée par les ADAC (avions à décollage et atterrissage courts) et les jets, a considérablement rétréci les vastes espaces du domaine esquimau.

De façon générale, l'état de santé des Inuit s'est remarquablement amélioré ces dernières années, et leur espérance de vie est meilleure qu'il y a seulement 10 ans. Sensibles aux maladies européennes contre lesquelles ils n'étaient pas immunisés, ils ont été frappés par la grippe, la tuberculose et la rougeole qui ont sévi dans certains groupes et ont parfois décimé des villages entiers; on a réussi ces dernières années à réprimer ces maladies. A travers le Nord, il existe maintenant des services médicaux dispensés dans des infirmeries ou dans des hôpitaux situés à des endroits stratégiques. Des avions affrétés servent d'ambulances pour les endroits isolés.

Divers programmes gouvernementaux dans les domaines de l'éducation, des affaires sociales, de l'administration locale et du développement économique ont également contribué à la transformation spectaculaire du mode de vie des Inuit. Par exemple, les coopératives déclarent un chiffre d'affaires annuel supérieur à $25 millions et contrôlent pour une grande part la commercialisation de l'art inuit. Des écoles ont été construites dans chaque village inuit viable et dispensent presque toujours un enseignement jusqu'à la 8e et la 9e année. Pour les cours préparatoires à la formation professionnelle et le secondaire avancé les élèves s'inscrivent soit ailleurs dans l'Arctique, soit dans le Sud du Canada. Le gouvernement des Territoires du Nord-Ouest offre une aide financière généreuse aux étudiants du postsecondaire qui s'éloignent pour fréquenter l'université ou un établissement de formation professionnelle ou technique.

Nombre de collectivités auparavant administrées sur place par un agent du gouvernement sont devenues des villages constitués gérant leurs propres affaires par l'intermédiaire de conseils élus. Le Conseil des Territoires du Nord-Ouest, organe comparable à ceux des provinces, compte neuf Inuit parmi ses membres élus. De plus, un Inuk représente Nunatsiaq (partie orientale des Territoires du Nord-Ouest) à la Chambre des communes et un autre siège au Sénat.

La mise sur pied d'organisations autochtones découlent directement du désir croissant des Inuit de diriger leurs propres affaires. L'Inuit Tapirisat of Canada (la Fraternité esquimaude) est un organisme national créé en 1971 pour travailler à la réalisation d'un tel vœu et de favoriser la croissance et l'essor de la culture inuit. Son conseil d'administration est élu à l'assemblée générale annuelle à laquelle participent des délégués de toutes les collectivités inuit du Canada; outre l'organisation nationale, il existe six associations régionales représentant chacune leur propre région: le Comité d'étude des droits des autochtones (CÉDA) dans l'ouest de l'Arctique; l'Association des Inuit du Nouveau-Québec (AINQ); la Labrador Inuit Association (LIA); la Baffin Region Inuit Association; la Keewatin Inuit Association; et la Kitikmeot Inuit Association dans le centre de l'Arctique.

Ces associations défendent les intérêts des Inuit dans les pourparlers et les négociations avec l'industrie, les administrations provinciales, territoriales et fédérale, et leurs organismes spécialisés; elles s'occupent de plus en plus des revendications territoriales et de la préservation du mode de vie des Inuit face à la mise en valeur des ressources. Elles participent aussi à diverses initiatives visant à préserver la culture inuit et à obtenir des améliorations sociales pour les Inuit. On peut mentionner entre autres la création de l'Institut de culture inuit, l'établissement de centres de services juridiques, l'élaboration d'un système global de communications inuit au moyen de la radio communautaire, un programme d'habitation à coût modique, des programmes de recherche sur les ressources non renouvelables, la publication d'*Inuit Today*, magazine mensuel, distribué dans tout le Canada, et la création d'offices et de commissions dans les domaines de l'enseignement, de la langue, du droit et de la gestion de la faune.

Le gouvernement fédéral a soutenu toutes ces entreprises, en y consacrant des subventions, des contributions et des prêts sans intérêts par l'entremise du ministère des Affaires indiennes et du Nord et du Secrétariat d'État.

Profitant de la demande accrue de pétrole, de gaz et de minéraux, qui intensifie l'exploration dans l'Arctique, le ministère des Affaires indiennes et du Nord et le gouvernement des Territoires du Nord-Ouest cherchent à procurer des occasions d'emploi aux Inuit dans l'industrie des ressources non renouvelables et les services de soutien connexes. L'Inuit Tapirisat of Canada et les diverses associations régionales s'appliquent à exposer les motifs d'inquiétude des Inuit concernant les effets de la mise en valeur des ressources sur l'environnement du Nord et sur le mode de vie des Inuit. Bien que ceux-ci ne s'opposent pas au progrès, ils craignent que le développement industriel ait des effets néfastes pour le territoire et les animaux dont ils dépendent. Les gouvernements fédéral et territoriaux sont sensibles à ces préoccupations, et les règlements sur l'utilisation des terres ont été remaniés pour assurer un développement rationnel du Nord.

L'évolution de la société inuit est peut-être le sujet le plus controversé, le plus délicat et le plus difficile à traiter en peu de mots. Les problèmes qu'affronte cette société en pleine transformation sont complexes et ardus. De plus en plus c'est aux Inuit mêmes qu'il appartient d'analyser ces problèmes et de proposer des solutions qui leur permettront de se bâtir un avenir collectif conforme à leurs aspirations.

Parking de motoneiges du magasin général coopératif de Cape Dorset (T.N.-O.).

Langues officielles

L'existence, depuis les débuts de l'histoire canadienne, de deux grands groupes linguistiques est l'une des forces dynamiques qui ont contribué à modeler le pays et à lui donner son caractère unique. Pour sauvegarder ce précieux héritage national, le gouvernement fédéral a pris certaines mesures pour assurer aux Canadiens francophones et anglophones une chance égale de participer à l'avenir du pays.

En 1963, le gouvernement instituait la Commission royale d'enquête sur le bilinguisme et le biculturalisme pour étudier diverses questions concernant la langue et la culture au Canada. Après la publication du premier volet du rapport final de la Commission, le gouvernement a présenté un texte de loi sur les langues officielles, adopté en juillet 1969 et promulgué en septembre de la même année.

La Loi spécifie que «l'anglais et le français sont les langues officielles du Canada» et qu'elles «ont un statut, des droits et des privilèges égaux quant à leur emploi dans toutes les institutions du Parlement et du gouvernement du Canada».

La Loi précise aussi que, dans la région de la capitale nationale et les autres. régions où la demande est suffisante, les services fédéraux seront dispensés dans les deux langues officielles et qu'un Commissaire aux langues officielles directement comptable au Parlement assurera le respect de la Loi. Il est à noter que cette loi, et en fait l'ensemble de la politique fédérale en matière de langues officielles, ne vise pas à rendre tous les Canadiens «bilingues», mais bien à faire en sorte que partout où ils se trouvent dans une proportion raisonnable, les francophones et les anglophones puissent utiliser leur propre langue dans leurs rapports avec le gouvernement fédéral.

Les principaux organismes chargés de l'application de la politique et des programmes touchant les langues officielles sont le Secrétariat du Conseil du Trésor, le Secrétariat d'État, la Commission de la Fonction publique et la Commission de la capitale nationale. De plus, le Commissaire aux langues officielles a pour fonction de veiller à ce que les langues officielles soient reconnues dans la pratique et que l'esprit de la Loi et l'intention du législateur soient respectés dans les institutions du Parlement et du gouvernement du Canada.

Secrétariat du Conseil du Trésor

En matière de bilinguisme, le Secrétariat du Conseil du Trésor a charge de fournir aux ministères, institutions et organismes fédéraux, y compris les sociétés de la Couronne, des lignes directrices et des orientations générales, et de veiller à la mise en œuvre des programmes de langues officielles. Il surveille également les progrès de la Fonction publique dans la réalisation des objectifs et mesures prévus à ce sujet et en fait rapport au gouvernement.

Direction des langues officielles. Cette direction élabore et fait connaître la politique et les programmes du gouvernement relatifs à l'application de la Loi sur les langues officielles dans les ministères et organismes du gouvernement du Canada, ainsi que dans les instances judiciaires, quasi judiciaires ou administratives et les sociétés de la Couronne; de plus elle en surveille, vérifie et évalue la mise en œuvre et l'efficacité. Sa structure comprend un Secrétariat, une Division de l'analyse des opérations, une Division de la politique et une Division de l'évaluation et de la vérification.

Le *Secrétariat* assure des services de contrôle, de coordination et de soutien aux éléments organisationnels de la Direction dans les secteurs de la main-d'œuvre et des ressources financières, le traitement des présentations ministérielles, l'élaboration et la publication du Manuel des opérations de la Direction et le contrôle du coût des programmes de langues officielles dans la Fonction publique. Il comporte un centre de documentation et de référence chargé de fournir rapidement des renseignements à jour et un service de consultation sur le détail de la Loi, des politiques et des programmes gouvernementaux concernant les langues officielles; enfin il s'occupe de la communication et de la diffusion des politiques, circulaires et directives gouvernementales.

La *Division de l'analyse des opérations* a pour rôle de conseiller les ministères sur la mise en pratique des programmes de langues officielles, entre autres la préparation des plans annuels et des rapports provisoires. Elle analyse les plans et autres présentations des ministères au Conseil du Trésor, puis juge s'il convient d'en recommander l'acceptation, la modification ou le rejet. Elle sert d'intermédiaire entre la Direction et les ministères et organismes, et assure l'acheminement de l'information destinée aux ministères ou provenant d'eux. Elle participe à l'analyse et à l'interprétation des politiques, particulièrement en ce qui regarde l'exécution des programmes au sein des ministères.

La *Division de la politique* se charge d'interpréter systématiquement les politiques du Conseil du Trésor sur les langues officielles, d'analyser les problèmes majeurs que pose leur application au sein des ministères, de formuler au besoin des propositions de modification ou de révision de telles politiques, et de préparer des rapports et des évaluations sur l'incidence de ces politiques. Ses fonctions comprennent la participation à l'analyse des plans annuels des ministères en vue d'établir s'ils sont conformes aux politiques existantes des langues officielles. La Division se tient aussi en étroite relation avec les autres directions du Secrétariat du Conseil du Trésor et les autres organismes centraux afin d'assurer la coordination entre les politiques de langues officielles et les autres mesures connexes intéressant le personnel ou les langues.

La *Division de l'évaluation et de la vérification* a pour rôle de définir des indicateurs appropriés de performance des programmes, d'analyser les données provenant du système d'information et les observations émanant d'autres sources, y compris les analystes et les équipes de vérificateurs, d'effectuer des études spéciales et de déterminer les tendances et l'efficacité des programmes. Elle s'occupe également de planifier et d'établir les systèmes et procédures nécessaires pour assurer l'application des politiques gouvernementales et en évaluer les résultats.

Secrétariat d'État

En vertu de son mandat général, le Secrétariat d'État encourage l'usage des langues officielles dans l'enseignement, les administrations provinciales et municipales et les secteurs public et privé. Par l'entremise de son Bureau des traductions il répond aux demandes fédérales de traduction, d'interprétation et de services terminologiques. Il applique en outre un programme d'aide aux groupes minoritaires de langue officielle qui vise à l'épanouissement linguistique et culturel des collectivités francophones ou anglophones en minorité dans leur région respective.

Direction des programmes de langues. Cette direction administre une série de programmes de promotion des langues officielles destinés au secteur privé. Dans le domaine de l'éducation, son programme fédéral-provincial d'encouragement du bilinguisme a pour objet d'accroître, dans chaque province ou territoire, la possibilité pour tout Canadien appartenant à une minorité de recevoir sa formation scolaire dans la langue officielle de cette minorité et d'apprendre également l'autre langue officielle du Canada. A cette fin, l'aide financière offerte aux provinces par entente mutuelle entre ces dernières et le fédéral est fonction du chiffre des inscriptions, du temps consacré à l'enseignement de la langue seconde et du coût de cet enseignement par élève. La Direction accorde également des bourses individuelles, des subventions à des écoles normales et autres établissements qui donnent des cours de langue officielle seconde ainsi que des fonds pour des projets spéciaux à frais partagés. Une aide limitée est aussi mise à la disposition d'institutions ou organismes afin d'encourager la collecte et la diffusion d'informations sur l'enseignement et l'apprentissage de la seconde langue officielle et sur l'enseignement dans la langue officielle (français ou anglais) des minorités.

Aux termes d'ententes fédérales-provinciales, les provinces et territoires reçoivent des contributions pour aider les immigrants adultes à suivre des cours d'instruction civique et à apprendre l'une ou l'autre des deux langues officielles. Cette aide est proportionnelle au coût de l'enseignement et au prix des manuels.

Dans les secteurs privé et public (non fédéral) on a créé divers programmes pour encourager l'adoption de meilleures méthodes d'apprentissage et d'usage des deux langues officielles, de manière à faciliter la résolution des problèmes relatifs à la prestation de services en anglais comme en français dans ces secteurs. Il peut s'agir d'un service de consultation technique à l'intention du commerce et de l'industrie, des administrations provinciales et municipales, des établissements d'enseignement, des institutions médicales et des organismes de services sociaux ou encore d'une aide financière aux associations bénévoles pour leurs besoins en matières de traduction et d'interprétation.

Direction des groupes minoritaires de langue officielle. Cette Direction vise à promouvoir la vitalité sociale et culturelle propre des communautés francophones et anglophones, dans les provinces où elles sont en minorité, et de favoriser ainsi leur épanouissement.

Dans chaque province, les groupes minoritaires de langue officielle ont diverses organisations qui s'intéressent à un aspect ou l'autre de leur vie économique, sociale, éducative et culturelle. Les programmes de la Direction visent à répondre aux besoins de ces organisations ainsi qu'à ceux de leurs membres en favorisant des projets compatibles avec son mandat.

Bureau des traductions. Le Bureau des traductions a pour mission d'aider le gouvernement du Canada et l'administration fédérale à communiquer efficacement dans toutes les langues, tant au sein de la Fonction publique que dans leurs relations culturelles, scientifiques, économiques et diplomatiques, à l'intérieur comme à l'extérieur du pays. Il dispense les services linguistiques nécessaires au bon fonctionnement du Parlement, du gouvernement et des organismes de l'État, principalement dans le contexte de la politique des langues officielles. Il établit, avec leur collaboration, leurs divers besoins et prend les dispositions pour y satisfaire. En plus de fournir des services de traduction aux ministères et organismes fédéraux, il assure l'interprétation et la traduction des débats de la Chambre des communes, du Sénat et de leurs comités, ainsi que des délibérations des conférences nationales et internationales auxquelles le gouvernement fédéral participe. Outre la tâche d'alimenter et de mettre à jour la Banque de terminologie du gouvernement canadien, il incombe au Bureau de normaliser, dans les deux langues officielles, le vocabulaire en usage dans les divers secteurs de l'administration. Il participe également avec les institutions canadiennes et étrangères, aux travaux spécialisés qui se font dans toutes les disciplines et langues pertinentes, mais plus particulièrement dans les langues officielles du Canada.

Le Commissaire aux langues officielles

Nommé par le Parlement, le Commissaire aux langues officielles a pour mandat de veiller à l'exécution de la Loi sur les langues officielles qui précise que: «l'anglais et le français sont les langues officielles du Canada pour tout ce qui relève du Parlement et du gouvernement du Canada». Il appartient donc au Commissaire de prendre, dans les limites de ses pouvoirs, toutes les mesures propres à «faire reconnaître le statut de chacune des langues officielles et à faire respecter l'esprit de la Loi et l'intention du législateur dans l'administration des affaires des institutions du Parlement et du gouvernement du Canada». A ces fins, il procède, de sa propre initiative ou à la suite de plaintes reçues par lui, à des instructions et formule à l'adresse des ministères ou organismes intéressés des recommandations pertinentes. Chaque année il doit, de plus, soumettre un rapport directement au Parlement.

Désigné pour une période de sept ans, le Commissaire remplit un triple rôle, qui consiste à protéger les droits linguistiques des individus et des groupes; à vérifier l'action des organismes fédéraux en matière linguistique, et à promouvoir la réforme linguistique dans l'ensemble du pays.

La Loi sur les langues officielles impose à tous les organismes fédéraux de faire en sorte que le public anglophone ou francophone puisse communiquer avec eux et obtenir leurs services dans la langue officielle de son choix, sauf là où la demande de services bilingues est trop faible ou trop irrégulière pour en justifier la prestation. En outre, pour assurer à chacun des deux principaux groupes linguistiques une participation équitable à l'activité de la Fonction publique fédérale, tout fonctionnaire fédéral doit avoir, autant que possible, la latitude de travailler dans la langue officielle de son choix.

Multiculturalisme

Au recensement de 1971, 44.6% de la population du Canada était d'origine britannique, 28.7% d'origine française et les 26.7% restants, d'autres origines

Danse ukrainienne.

linguistiques. La politique du multiculturalisme du gouvernement, annoncée en octobre 1971, faisait suite aux recommandations du Rapport de la Commission royale d'enquête sur le bilinguisme et le biculturalisme. Elle promettait à la fois d'appuyer les programmes visant la conservation, l'enrichissement et la diffusion des diverses cultures et ceux encourageant le respect et la compréhension entre tous les Canadiens.

En novembre 1972 le gouvernement créait le poste de ministre chargé du Multiculturalisme, et en mai 1973 naissait le Conseil consultatif canadien du multiculturalisme (CCM), chargé de conseiller le ministre relativement à l'application de cette politique. Des réunions provinciales, nationales et au niveau de la direction ont eu lieu régulièrement depuis lors dans le but d'examiner la politique et d'évaluer les programmes. D'importantes consultations ont eu lieu entre le CCM et de nombreuses collectivités culturelles locales et des groupes de jeunes de toutes les régions du Canada.

Programmes de multiculturalisme

L'application de la politique du gouvernement en la matière est assurée par la Direction du multiculturalisme du Secrétariat d'État et plusieurs organismes culturels fédéraux. Elle comporte certains programmes, dont les suivants.

Le Programme des études ethniques soutient la recherche et les études dans les sciences humaines et les sciences sociales liées à d'importants aspects du pluralisme culturel au Canada. Les universités reçoivent une aide pour inviter professeurs et conférenciers. Le Comité consultatif pour les études ethniques canadiennes conseille les responsables du Programme des études ethniques à cet égard.

Formation de cornemuses défilant à Toronto.

La Section du développement des ressources culturelles encourage le développement des ressources et l'échange de renseignements sur le caractère multiculturel de la société canadienne. Elle vise à faire connaître la diversité culturelle du pays à tous les Canadiens, notamment par les systèmes d'enseignement, les médias, le Projet des histoires ethniques, et l'aide aux arts de la scène et à la rédaction et la traduction d'œuvres littéraires.

La Direction du multiculturalisme soutient aussi un large éventail d'activités organisées par des groupes bénévoles; pour permettre à ceux-ci non seulement de conserver et de développer leur patrimoine culturel, mais également de le partager. Une aide est fournie pour l'organisation de cours supplémentaires de nature culturo-linguistique, la formation d'instructeurs et la mise au point de matériel didactique utilisé dans les écoles de langues ancestrales, les communications interculturelles, le développement collectif, l'intégration culturelle des immigrants, etc. Par le truchement de ses bureaux nationaux, régionaux et locaux, le ministère entretient des rapports avec les groupes, les particuliers, et les organisations représentant les groupements ethnoculturels du Canada, et continue de les aider à participer pleinement à la vie canadienne.

Danse à Ottawa, le jour du Dominion.

Églises canadiennes

1. Our Lady of Fatima, église catholique de Renfrew (Ont.).
2. Cathédrale anglicane Christ Church à Fredericton (N.-B.).
3. Christ Church à Millarville (Alb.), érigée en 1895 et encore utilisée.
4. Christ Lutheran Church à Neudorf (Sask.), construite en 1914.
5. Église orthodoxe grecque à St. Catharines (Ont.).

Arts et culture

Au cours des années 80, les arts au Canada connaîtront l'une des plus difficiles décennies de leur histoire. La véritable explosion d'activité créatrice du début des années 70 a bénéficié d'un intérêt accru à l'égard de la préservation du patrimoine culturel canadien, tandis que sur le plan international et national nos produits culturels faisaient l'objet d'une meilleure appréciation et d'une plus forte demande. Dans tous les domaines les artistes canadiens ont tenté de prolonger cette palpitante dynamique dans les années 80. Malheureusement, la demande chez le public et l'appui financier en provenance de toutes sources n'ont pas nécessairement progressé au même rythme que l'élan artistique, en partie à cause des contraintes économiques qui pèsent aujourd'hui sur tous les secteurs de l'activité nationale.

Le tableau économique

Les arts de la scène sont, par inhérence, dépendants des sources d'aide financière. Loin de pouvoir s'autofinancer, il leur faut compter sur un apport massif de subventions. Tributaires de la bonne volonté d'autrui, sans cesse demeurent-ils exposés et vulnérables aux fluctuations de l'économie. Dans les périodes d'austérité ce sont toujours les arts qui, les premiers, se ressentent des compressions budgétaires. La hausse des coûts et le déclin des subventions mettent doublement les arts en péril.

Rudy Webb personnifiant «Merlin», dans Arthur, production du Young People's Theatre, en tournée dans les écoles de la région torontoise au printemps de 1980.

Hugh Webster et Michael Ball dans une production du Black Bonspiel of Wullie MacCrimmon, *au Festival de Lennoxville.*

Pour une entreprise d'arts de la scène, le revenu gagné est celui que lui assurent ses propres opérations, principalement la vente de billets, mais aussi l'apport des garanties et le produit des ventes de programmes et de rafraîchissements lors des spectacles et concerts. En général, le prix d'entrée moyen à une représentation artistique est raisonnable par rapport aux prix gonflés par l'inflation des autres éléments de consommation. L'auditoire paye tout au plus la moitié du coût de la production, le reste des frais étant subventionné. En 1978, les prix moyens des places s'établissaient comme il suit: théâtre, $4; concert, $5.61; danse, $4.87; et opéra, $8.63.

Tout comme les autres secteurs d'activité économique, les arts subissent l'escalade des coûts, et les dépenses au chapitre des arts d'interprétation augmentent plus vite que les recettes. En 1978, le prix de revient moyen d'une représentation théâtrale se chiffrait à $2,396; celui d'un concert, à $10,288; celui d'un spectacle de danse, à $7,800 et celui d'un opéra, à $20,273. Le revenu gagné par les troupes de théâtre représentait 51% de leur revenu total. Dans le cas de l'opéra, la proportion correspondante s'établissait à 53%. Par contre, la musique et la danse ne sont pas parvenues à gagner la moitié de leur revenu total — musique, 44% et danse, 43%. Le reste des revenus totaux était d'origine subventionnelle.

Subventions et dons proviennent de deux secteurs principaux: public (administrations gouvernementales) et privé. En moyenne, les subventions ont constitué plus de la moitié (52%) du revenu total des compagnies d'arts de la scène en 1978.

Les divers pouvoirs publics sont les principaux subventionnaires. En 1978, 78% de toute l'aide accordée aux arts de la scène ont émané des trésoreries publiques. En voici le détail: 41%, d'origine fédérale; 27%, d'origine provinciale; et 10 d'origine municipale. Le reste (22%) a été fourni par le secteur privé.

Les principales sources de financement privées sont les fondations, les sociétés, les particuliers, les campagnes de souscription effectuées par des bénévoles, les legs, les dons, l'intérêt sur des dépôts bancaires et la rémunération d'investissements. A l'échelon national, le plus clair de l'aide financière privée est venu des particuliers, suivis de près par les sociétés.

Le fédéral s'est engagé à entreprendre une vaste étude sur les futures orientations susceptibles d'intensifier l'essor de la culture au Canada. Les provinces, les principales municipalités et le grand public ont indiqué leur intention d'appuyer cette initiative et d'y apporter leur plein concours. Voici les points qui seront étudiés: opportunité d'accroître les mesures propres à encourager la multiplication des sources d'aide financière en faveur des artistes et des arts en général; élargissement de la promotion et de la distribution des produits culturels à la grandeur du pays aussi bien qu'à l'étranger; et nécessité de mieux exploiter le rôle majeur que peuvent jouer les arts en vue d'assurer entre les régions non seulement une meilleure compréhension mais aussi une meilleure appréciation des différentes traditions et aspirations culturelles qui donnent à la mosaïque canadienne une diversité qu'il convient de faire ressortir.

Philippe Vita et Manon Levac dans Diallele, *production du groupe Nouvelle Aire.*

Jack Ackroyd, Sharon Bakker et Dan MacDonald dans The Birds, *une production du Theatre Calgary.*

Le Conseil des Arts

Le Conseil des Arts offre des subventions aux artistes et organismes profession-nels dans les domaines englobant les arts visuels (y compris la photographie, le cinéma, l'artisanat et la télévision), la littérature, l'édition, la traduction, la musique, le théâtre et la danse, notamment pour les programmes ci-après.

Aide individuelle. Des subventions sont mises à la disposition d'artistes professionnels qui œuvrent dans les sphères suivantes: architecture, administration des arts, critique d'art, création littéraire, danse, cinématographie, musique, photographie, théâtre, télévision, peinture, sculpture et arts traditionnels. Les subventions versées à titre individuel varient de \$19,000 (pour les grands artistes seulement) à des sommes restreintes représentant le coût d'un projet particulier et les dépenses connexes de voyage. En 1979-80, des artistes chevronnés comme Gratien Gélinas, Irving Layton, Yvon Thériault et Joyce Wieland ont reçu des subventions dans le cadre de ce programme. L'administration de l'aide destinée à la représentation internationale et aux échanges culturelles avec l'étranger relèvent aussi du service des subventions du Conseil des Arts.

Musique. Le Conseil consacre la part la plus importante de son budget réservé à ce domaine aux orchestres professionnels, quatuors à cordes, groupes de musique de chambre, chorales professionnelles, compagnies d'opéra, et organisations et écoles de musique. En 1979-80, l'Orchestre symphonique de Toronto a reçu \$802,100, l'Opéra d'Edmonton, \$120,000, et les Tudor Singers de Montréal, \$35,000. En outre, le Conseil dirige un programme très limité d'aide aux chorales amateurs, aux groupes locaux de musique ainsi qu'à l'édition et à l'enregistrement de musique canadienne.

Théâtre. Des subventions sont accessibles aux compagnies de théâtre profession-nelles, festivals, écoles et groupements voués à l'art théâtral. Les subventions de fonctionnement sont réservées aux compagnies bien établies, tandis que celles prévues pour des projets particuliers et des productions d'atelier sont accordées à un

Catherine Lafortune, Josephine Baurac, Betsy Baron (au centre), Hélène Grenier et Josée Ledoux dans Soaring présenté par Les Grands Ballets Canadiens.

nombre restreint de jeunes troupes. Chaque année, plus de 160 compagnies bénéficient d'un appui du Conseil. Par exemple, en 1979-80 les organismes suivants ont bénéficié de son aide: Le Théâtre du Nouveau Monde ($465,000), le Festival de Stratford ($550,000), l'École nationale du théâtre ($1,020,000) et le Rising Tide Theatre Company ($7,000).

La danse. Par suite des restrictions budgétaires, le Conseil n'octroie des fonds que pour la danse classique et moderne et ses formes expérimentales, et n'accorde des subventions de fonctionnement qu'à un nombre restreint de troupes. En 1979-80, seulement huit troupes ont bénéficié de telles subventions, dont le Ballet National ($1,198,000), les Grands Ballets Canadiens ($605,000) et le Anna Wyman Dance Theatre ($126,000). Par ailleurs, l'École nationale du ballet reçoit près de $1 million chaque année. Environ une douzaine de compagnies de danse bénéficient généralement de subventions aux fins de projets particuliers.

Les arts visuels. La section des arts visuels subventionne des projets de films, d'enregistrements magnétoscopiques, la Banque d'œuvres d'art, les galeries, musées et ateliers de gravures. Un programme d'artistes permet aux établissements postsecondaires et aux organismes d'arts visuels d'accueillir des professionnels canadiens comme conférenciers. Un programme d'artistes en résidence aide ces derniers à se procurer des ateliers à New York et facilite l'organisation de colloques et parfois d'expositions d'art canadien à l'étranger, telle la participation du Canada à la 11e Biennale de Paris.

La Banque d'œuvres d'art achète des œuvres contemporaines d'art canadien, en loue à des institutions publiques, et en prête quelquefois aux expositions. La collection de la Banque compte actuellement quelque 9,000 œuvres de plus de mille artistes, dont Jack Bush, Charles Gagnon et Michael Snow.

Programme d'explorations. Ce programme offre des subventions aux particuliers, groupes et organismes, pour des travaux d'imagination qui enrichissent la culture canadienne: scénarios de films; colloques d'artisanat; biographies, projets inédits d'arts de la scène; expositions de photographies, de diapositives et autres formes d'art; littérature populaire; enregistrements; cinématographie; productions audio-visuelles expérimentales; projets locaux d'animation culturelle, et ouvrages d'histoire d'intérêt régional et local. Récemment, le Conseil a contribué au financement d'une exposition informatisée qui dépeint le passé culturel du Canada à l'aide de photographies anciennes; il a aussi accordé des fonds pour une nouvelle galerie de musique expérimentale.

Tournées culturelles. L'Office des Tournées du Conseil des Arts, qui vise d'une part à fournir au plus grand nombre possible de citoyens l'occasion d'assister aux séances données par des interprètes canadiens, et de former d'autre part des spécialistes de la promotion et de la gestion des tournées, offre à des artistes et groupes canadiens des subventions pour multiplier et renforcer les circuits régionaux de tournées. En 1979-80, le Ballet National du Canada s'est produit dans plusieurs provinces et le Quatuor Orford a fait une tournée nationale. Un certain appui est aussi offert à des compagnies étrangères qui viennent en tournée au Canada dans le cadre d'un programme d'échanges culturels. Par exemple, l'Opéra de Pékin s'est produit dans certaines villes importantes du pays en 1979-80. Un programme d'apprentissage permet à des particuliers de travailler aux côtés des gens qui ont de l'expérience comme imprésarios et gestionnaires de tournées.

Par la voie du programme Concerts Canada, l'Office des Tournées octroie des subventions d'encouragement et de communications aux imprésarios d'exécutants canadiens, et publie des annuaires pratiques d'artistes et d'organisateurs locaux.

Le corps dè ballet Anna Wyman a effectué récemment une tournée de trois semaines en Chine.

Ray Jewers et Derek Ralston dans Savages, au Centre national des Arts.

Création littéraire et édition. Les maisons d'édition majoritairement contrôlées par des Canadiens peuvent bénéficier de subventions globales ayant pour objet de contrebalancer les déficits que leur occasionne, le cas échéant, un programme complet de publication de livres canadiens au cours d'une année civile. Les maisons d'édition qui n'ont pas encore atteint le niveau de développement ouvrant droit aux subventions globales peuvent obtenir des subventions particulières pour la publication de manuscrits particuliers. Le Conseil offre aussi des subventions aux maisons d'édition canadiennes pour la traduction d'une langue officielle à l'autre d'ouvrages d'écrivains canadiens.

Le Conseil achète auprès de maisons d'édition sous contrôle majoritairement canadien des livres en vue de les distribuer gratis tant au pays qu'à l'étranger. De concert avec divers organismes et éditeurs, il aide en outre les auteurs canadiens à entreprendre des tournées de promotion de leurs œuvres et s'efforce de faciliter la publication de périodiques artistiques et littéraires. De plus, il appuie dans une certaine mesure un nombre restreint d'écrivains en résidence et une association professionnelle nationale d'auteurs et d'éditeurs.

Le Centre national des Arts

Le Centre national des Arts (CNA), situé à Ottawa compte trois salles principales: L'*Opéra* (2,300 sièges), conçu principalement pour l'opéra et le ballet, est doté d'une fosse d'orchestre pleine grandeur ainsi que d'un système de sonorisation, d'éclairage et autres dispositifs techniques ultramodernes. Sa scène, qui mesure 58 mètres sur 34 est une des plus vastes au monde, et ses installations se prêtent aux transformations les plus complexes que peuvent exiger les plus grandes compagnies en tournée. Le *Théâtre* (950 sièges), est idéal pour les pièces grecques, élisabéthaines ou contemporaines et sa scène peut facilement passer du rectangle traditionnel au type de plateau élisabéthain caractéristique des drames de Shakespeare. Comme l'*Opéra* il est complètement équipé pour la télévision, la traduction simultanée et la projection de films; son aménagement technique compte parmi les meilleurs au monde. Le *Studio* est une salle de forme hexagonale qui peut accueillir jusqu'à 350 personnes, groupées selon divers agencements possibles des fauteuils. Il sert aux représentations théâtrales, aux conférences et aux spectacles de variétés.

L'Orchestre du Centre national des Arts (46 membres), présente une quarantaine de concerts par année au Centre même, et davantage encore dans ses tournées au Canada et à l'étranger. Sa programmation musicale comprend quelque 70 concerts par an mettant en vedette des solistes renommés et des orchestres invités du Canada et de toutes les parties du monde.

Au-delà de 400 spectacles dramatiques ont lieu chaque année au Centre. Quelques-unes des pièces sont montées par le département de théâtre et d'autres représentent le théâtre régional canadien ou celui de pays étrangers. Le département de théâtre effectue à travers le Canada des tournées au cours desquelles il présente des pièces prévues dans les séries sur abonnement; il forme aussi de petites compagnies qui se produisent dans des écoles et ailleurs, offrant du théâtre professionnel en anglais et en français à des collectivités qui autrement en seraient privées. L'organisation d'ateliers pour élèves et enseignants figure parmi les autres services de ce département.

Le département de la danse et des variétés fait venir tous les ans une centaine de spectacles, entre autres des ballets ainsi que des revues et comédies musicales. Certaines troupes canadiennes de danseurs donnent régulièrement des représentations au CNA, et les programmes de danses et de variétés permettent à des artistes de tous les coins du pays de briller sous les feux de la rampe. En tout, le Centre réalise quelque 900 productions tous les ans, attirant près de 800,000 personnes.

Films

L'année 1978-79 a été témoin d'une évolution rapide et profonde de l'ampleur et du caractère de la cinématographie canadienne.

En 1966, trois longs métrages destinés aux cinémas ont été réalisés au Canada. Dans la décennie qui a suivi la création de la Société de développement de l'industrie cinématographique canadienne (SDICC) en 1967, notre cinéma a commencé à prendre essor grâce à l'investissement par la Société de près de $26 millions dans quelque 220 films dont les budgets totalisaient $60 millions. Ce fut l'importante époque de mise en route d'une industrie forte et concurrentielle.

La production a fait un bond spectaculaire en 1979-80, lorsque la SDICC a fourni $5.6 millions pour la réalisation de 27 films – 17 en anglais et 10 en français – dont les budgets globaux ont atteint $50 millions. D'autres longs métrages, avec un budget d'ensemble de $13 millions, ont été réalisés sans nulle participation de la Société.

Bien que cette extraordinaire croissance découle de maintes circonstances, les nouvelles mises de fonds et les efforts accrus de développement et de promotion par la Société y ont aussi contribué. D'autres facteurs sont également intervenus: émergence d'un groupe de réalisateurs très capables et inventifs; incitation fiscale

La reproduction des détails historiques exige de la concentration. Musée provincial d'Edmonton (Alb.).

sous forme de déductions pour investissement; apport de capitaux frais par la distribution de titres chez des courtiers reconnus; enfin, diverses ententes de coproduction du Canada avec la Grande-Bretagne, la France, l'Italie, la République fédérale d'Allemagne et Israël.

Musées et galeries

Au cours de la dernière décennie, il s'est produit au Canada un essor remarquable de l'activité muséologique. Actuellement, 1,500 musées environ sont exploités dans l'ensemble du pays, et quelque 50 grands établissements accueillent chaque année près de 10 millions de visiteurs. Le nombre d'employés des musées a aussi beaucoup augmenté. Depuis 1972, les musées reçoivent une importante aide financière de tous les paliers de gouvernement, ce qui traduit le grand intérêt du public pour la préservation du patrimoine naturel, historique et artistique du Canada.

Un des principaux éléments de la communauté muséale est l'Association des musées canadiens, dont le siège est à Ottawa. Elle favorise le professionnalisme au moyen de publications, de séminaires, de conférences et de son centre de consultation muséologique.

Les Musées nationaux du Canada

En 1968, la Loi sur les musées nationaux regroupait, sous l'administration des Musées nationaux du Canada, la Galerie nationale du Canada, le Musée national de l'Homme et sa division le Musée canadien de la guerre, le Musée national des sciences naturelles et le Musée national des sciences et de la technologie ainsi que sa division la Collection nationale de l'aéronautique.

Des délibérations au niveau fédéral ont abouti à l'annonce en mars 1972 d'une nouvelle politique nationale des musées dont la mise en œuvre a été confiée aux Musées nationaux du Canada. Basée sur le concept de la démocratisation et de la décentralisation du patrimoine culturel canadien, cette politique visait à favoriser l'accès de tous les Canadiens à leur patrimoine national, ainsi que la préservation de celui-ci. En vertu de ce principe, une série de programmes nationaux ont été mis sur pied. La nouvelle politique prévoyait aussi l'établissement d'un réseau national de 25 musées associés comprenant les quatre musées nationaux situés à Ottawa et la création d'un réseau de centres d'exposition pour répondre aux besoins des collectivités non desservies par de grands musées.

Parmi les autres programmes nationaux, il y a lieu de mentionner l'Institut canadien de conservation, qui offre des services de recherche, de consultation et de soins compétents pour protéger les trésors nationaux; le Répertoire national, inventaire informatisé des objets de musée; un programme d'expositions mobiles, notamment un parc de roulottes qui met en valeur différentes régions du Canada, le Train de la découverte, qui présente sur une longueur d'un demi-mille une vivante

Diorama de l'ours blanc, au Musée national des sciences naturelles.

exposition sur l'histoire naturelle et humaine du Canada; un programme d'échanges internationaux et un programme d'aide technique et financière à l'intention des centaines d'établissements reconnus. Les publications, les productions audio-visuelles et les trousses éducatives des Musées nationaux du Canada atteignent un vaste public d'un océan à l'autre.

La Galerie nationale du Canada. Le rôle de ce musée des beaux-arts, depuis sa constitution en 1913, a été de susciter l'intérêt du public à l'égard des arts plastiques et de favoriser l'épanouissement des arts au Canada. Forte de ce mandat, la Galerie a enrichi ses collections et s'est acquis une renommée internationale.

La Galerie nationale renferme plus de 23,000 œuvres d'art: peintures, sculptures, estampes, dessins, photographies et pièces d'arts décoratifs. Les collections historiques ont un caractère national et international pour que le peuple canadien retrace les origines et l'évolution de son histoire culturelle à travers les arts visuels. La collection d'art canadien, la plus vaste et la plus importante qui soit, est sans cesse augmentée. On y trouve de nombreuses œuvres de grands maîtres des principales écoles européennes du XIVe au XXe siècle et des collections florissantes d'art asiatique et contemporain.

La Galerie organise à l'intention des visiteurs des expositions, des conférences, des projections de films et des visites commentées. Le public a également accès à sa bibliothèque de référence qui contient plus de 67,000 volumes et périodiques sur l'histoire de l'art et des sujets connexes.

La Galerie prépare, dans l'intérêt de tous les Canadiens, des expositions itinérantes, des tournées de conférences, des publications, des reproductions et des projections de films. En même temps, elle fait connaître l'art canadien à l'étranger en participant à des expositions internationales et en préparant de grandes

Pièces de la période coloniale exposées au Musée de guerre canadien, deuxième bâtiment public du Musée de l'homme.

Télescope à réfraction au Musée national des sciences et de la technologie.

expositions d'art canadien; elle fait aussi venir d'importantes expositions au Canada. En 1979-80, elle a organisé et fait circuler des expositions qui ont été vues par plus de 265,000 personnes dans 30 établissements de 18 villes du Canada.

Le Musée national de l'Homme. Ce musée recueille, conserve, interprète et expose des objets relatifs au patrimoine historique et culturel des diverses ethnies canadiennes, en plus d'effectuer des recherches et de publier des données à ce sujet.

Le Musée occupe neuf salles d'expositions permanentes dans l'Édifice commémoratif Victoria. On peut mentionner entre autres: «L'Épopée humaine», galerie d'introduction; «Le Canada avant Cartier», qui relate la préhistoire du Canada; «Les Inuit», étude sur les habitants du Nord; «Les peuplades des Longues habitations», portrait de la société iroquoise; «Les chasseurs de bisons», étude des Indiens des Plaines; et «Les enfants du corbeau», sur la vie des Indiens de la Côte nord-ouest. Les plus récentes expositions, «Quelques arpents de neige» et «Notre patrimoine: l'odyssée canadienne», traitent de l'histoire du peuplement et du développement social au Canada et de la riche mosaïque de culture créée par les pionniers.

Sept divisions participent à l'œuvre du Musée. La Commission archéologique du Canada effectue des recherches et des fouilles de sauvetage sur les sites menacés de destruction ou d'endommagement. Le Centre canadien d'études sur la culture traditionnelle possède les plus importantes archives de culture traditionnelle du pays. Le Service canadien d'ethnologie effectue des recherches approfondies sur les cultures autochtones et métisses du Canada. Le Musée canadien de la guerre, logé dans le deuxième édifice du Musée national de l'Homme, s'occupe de recherches, d'expositions et de publications concernant l'histoire militaire et abrite une vaste collection de souvenirs allant des œuvres d'art aux chars d'assaut. La Division de l'histoire fait des recherches sur la société et la culture matérielle du Canada depuis les débuts de la colonisation européenne. La Division des programmes nationaux organise des expositions itinérantes au Canada et à l'étranger. La Division de l'éducation et des affaires culturelles produit des instruments éducatifs, dont la série «L'Histoire du Canada en images», des films et des trousses du Musée et offre des programmes locaux à l'intention des écoles et du grand public.

Le Musée national des sciences naturelles. Ce musée se compose de divisions qui s'occupent de botanique, zoologie des invertébrés, zoologie des vertébrés, minéralogie, paléobiologie, interprétation et vulgarisation; au Centre d'identification zooarchéologique, on identifie les restes d'animaux provenant de sites archéologiques.

Le Musée participe a plusieurs grands travaux de recherches entrepris soit par son personnel, soit en collaboration avec des scientifiques venant d'universités et d'autres organismes externes. Ses collections comptent plus de 4 millions de specimens qui sont à la disposition des scientifiques du monde entier. En outre, il publie des documents d'intérêt scientifique sur des sujets relatifs à ses collections.

Six salles d'expositions permanentes ont été aménagées: «La Terre», «La Vie dans le temps», «Les Oiseaux du Canada», «Les Mammifères du Canada», «La Vie animale» et «les Animaux dans la nature». Elles présentent l'histoire naturelle grâce à des montages audio-visuels, des mécanismes de démonstration à bouton poussoir, des dessins, des maquettes et des milliers de spécimens provenant des collections du Musée. Une salle intitulée «La Vie végétale» est en voie d'aménagement et devrait être terminée en 1981. Des expositions temporaires organisées par le Musée ou prêtées par d'autres établissements sont présentées dans une salle spéciale.

Les conférences, projections de films et programmes spéciaux d'animation offerts par le Musée gagne de plus en plus la faveur des écoliers et du grand public. Des ouvrages de vulgarisation, un service de prêt de documents éducatifs aux écoles et un programme d'expositions itinérantes mettent à la portée de tous les Canadiens leur patrimoine national.

Le Musée national des sciences et de la technologie. Ce musée reçoit chaque année plus d'un demi-million de visiteurs qui peuvent monter dans des véhicules et manipuler ou simplement admirer les montages animés qui mettent en valeur ses collections. De plus, 200,000 personnes visitent chaque année la Collection nationale de l'aéronautique à l'aéroport de Rockcliffe.

Les salles d'expositions du Musée présentent des maquettes de navires, des horloges, des appareils de communication, un ordinateur, un élevage de poussins, des machines agricoles anciennes et modernes, des presses d'imprimerie et des objets relatant l'histoire de l'aviation au Canada. L'histoire des transports terrestres au pays est illustrée par divers engins, depuis les traîneaux et carrosses jusqu'aux locomotives à vapeur géantes et aux premières automobiles. Jeunes et adultes s'en donnent à cœur joie dans la salle de physique qui présente des illusions d'optique et des instruments leur permettant de mettre leurs connaissances à l'épreuve. A l'observatoire du Musée, le plus grand télescope réfracteur du Canada sert à l'observation des étoiles dans le cadre de programmes éducatifs présentés en soirée.

Des guides assurent la réalisation de programmes éducatifs sur des sujets généraux ou particuliers à l'intention de tous les groupes d'âge. En été, un train à vapeur qui fait l'aller-retour entre Ottawa et Wakefield, au Québec, évoque les voyages d'antan. En outre, le Musée conçoit et exécute des expositions qui voyagent parfois dans tout le Canada, et effectue des échanges d'objets avec d'autres musées au Canada et à l'étranger.

Librairie de livres rares, à Toronto (Ont.).

La Collection nationale de l'aéronautique compte une centaine d'appareils qui témoignent des progrès de l'aviation depuis ses débuts, et de l'importance de la machine volante dans la découverte et le développement au Canada.

Bibliothèques et archives

Bibliothèques

Au Canada il existe des bibliothèques depuis le début du XVIIIe siècle. Avant 1850, il s'agissait de bibliothèques juridiques, théologiques, universitaires et privées; après cette date sont apparues les bibliothèques spécialisées dans le domaine des affaires et de l'industrie, puis les bibliothèques publiques subventionnées. Depuis la Seconde Guerre mondiale, toutes les bibliothèques connaissent un essor sans précédent.

Le Canada étant une fédération dans laquelle les bibliothèques relèvent de la compétence provinciale, il n'existe pas de système national unifié de bibliothèques. Les réseaux de bibliothèques publiques des provinces, malgré de légères différences, se ressemblent en ce qu'ils sont supportés par les administrations locales ou provinciales (sauf au Yukon et dans les Territoires du Nord-Ouest où ils bénéficient de subventions fédérales), et sont coordonnés par un organisme central.

Les bibliothèques publiques canadiennes fournissent à leur clientèle pour la divertir, l'informer ou l'instruire, de nombreux documents imprimés et non imprimés. Certaines s'occupent activement de fournir des renseignements sur les services et aménagements communautaires. D'autres, toujours plus nombreuses, prennent des moyens pour mettre leurs services à la portée des gens qui ne peuvent se déplacer ou se rendre aux bibliothèques: vieillards; malades; prisonniers; handicapés physiques et personnes démunies. A l'intention des citoyens dont la langue maternelle n'est ni le français ni l'anglais, les bibliothèques offrent des ouvrages en langues étrangères, souvent avec l'aide du Biblioservice multilingue de la Bibliothèque nationale, qui réunit des collections de livres en langues étrangères et les prête à long terme aux bibliothèques provinciales pour qu'elles les fassent circuler dans leurs régions.

Abstraction faite de collections conservées dans les salles de classe, le Canada compte environ 10,000 bibliothèques scolaires, qui sont devenues de véritables centres de documentation multimédia. Grâce à la gamme étendue de ressources qui s'ajoute désormais à leurs documents imprimés: films, enregistrements, bandes magnétiques, diapositives et ensembles éducatifs.

Les bibliothèques de collège et d'université ont connu, dans les années 60 et au début des années 70, une expansion très rapide qui cependant ralentit — depuis le milieu de cette décennie. Les bibliothèques universitaires ont automatisé bon nombre de leurs opérations particulièrement le catalogage, afin de pouvoir absorber une charge de travail croissante. Elles ont créé des réseaux d'échange de données bibliographiques et collaboré à la rationalisation des collections et du partage des ressources. Dans ces efforts, elles ont bénéficié du concours de la Bibliothèque nationale qui a parrainé certaines études, notamment sur la possibilité d'établir un réseau bibliographique national. Les bibliothèques de collèges se signalent par l'intégration de l'audio-visuel à leurs collections de livres et par les mesures innovatrices qu'elles prennent pour répondre aux besoins divers de leur clientèle, depuis les élèves du secondaire jusqu'aux personnes âgées.

Les bibliothèques spécialisées qui desservent les entreprises, associations et institutions comme les musées, les hôpitaux, les ministères et les organismes gouvernementaux, se chiffrent à près de 1,500. En général, les bibliothèques gouvernementales sont les plus importantes, surtout celles des assemblées législatives des provinces. Un certain nombre de bibliothèques fédérales sont en fait de véritables bibliothèques de soutien, dans leurs domaines propres, pour l'ensemble du Canada, mais le plus souvent les bibliothèques spécialisées ne s'adressent qu'aux usagers autorisés des organismes qui les supportent. Ces bibliothèques s'intéressent à l'automatisation des services de référence.

A l'échelle nationale, la bibliothèque de documentation scientifique est l'Institut canadien de l'information scientifique et technique (ICIST), né de l'ancienne Bibliothèque scientifique nationale. Les services de l'ICIST offerts aux chercheurs scientifiques et milieux industriels comprennent, en plus d'une collection d'appoint de publications en série et de monographies, un service automatisé de diffusion sélective de l'information (DSI), un service connexe de recherches documentaires en ligne (CAN/OLE), et la publication d'une liste collective des publications scientifiques en série conservées au Canada.

La Bibliothèque nationale du Canada a marqué son 25e anniversaire en 1978 en effectuant une étude approfondie de son rôle dans l'avenir et elle s'efforce maintenant de donner suite aux priorités établies. Elle continue à augmenter ses collections dans le domaine des lettres et des sciences sociales, à réunir des ouvrages de toutes sortes sur le Canada, et à exercer un grand nombre de fonctions d'intérêt national. En vertu de la Loi de 1969 sur la Bibliothèque nationale, elle veille à l'application du règlement sur le dépôt légal, publie la bibliographie nationale Canadiana et tient à jour les catalogues collectifs à partir desquels bibliothèques et chercheurs peuvent retrouver l'endroit au Canada où sont conservés tels ou tels ouvrages en particulier. En outre, elle attribue les numéros internationaux normalisés du livre (ISBN) pour les publications de langue anglaise et les numéros internationaux normalisés des publications en série (ISSN) pour tous les périodiques canadiens. Elle fournit un service DSI concernant les lettres et les sciences sociales et effectue, pour un prix minime, des recherches rétrospectives de

La Maison Laurier, à Ottawa, ancienne résidence des premiers ministres Sir Wilfrid Laurier et William Lyon Mackenzie King, est administrée par les Archives publiques.

données pour les bibliothèques et les particuliers. Elle joue un rôle de premier plan dans la promotion des réseaux bibliographiques nationaux, et est en train de mettre sur pied un réseau de bibliothèques fédérales.

Au Canada, les bibliothécaires reçoivent une formation universitaire. Sept universités décernent une maîtrise en bibliothéconomie et deux, Toronto et Western Ontario, un doctorat. De plus, un grand nombre de collèges communautaires dispensent des cours postsecondaires de formation en bibliotechnie.

Archives publiques

Les Archives publiques du Canada ont pour mandat d'acquérir, de conserver et de mettre à la disposition du public tout document portant sur les divers aspects de la vie canadienne et le développement du pays.

A une certaine époque, les chercheurs s'intéressaient presque exclusivement aux documents manuscrits. Aujourd'hui on reconnaît une égale importance aux documents de toute espèce en tant que source authentique d'information. Outre leur propre bibliothèque, les Archives publiques comptent maintenant des divisions distinctes pour les manuscrits, cartes et plans, tableaux, dessins et estampes, photographies, enregistrements visuels et sonores, et archives ordinolingues.

Les Archives exercent des fonctions également importantes en gestion des documents publics. La Direction de la gestion des documents aide les ministères et organismes fédéraux à établir et administrer dans leurs services mêmes des programmes efficaces de gestion et d'élimination des documents. Ici encore on attache beaucoup d'importance aux microfilms et aux documents ordinolingues. Le Service central du microfilm de la Direction de l'administration exécute des travaux de microfilmage au prix coûtant pour la plupart des organismes fédéraux.

La maison Laurier, ancienne résidence à Ottawa des premiers ministres Sir Wilfrid Laurier et William Lyon Mackenzie King, est administrée par les Archives publiques. Des collections de tableaux, de porcelaines et d'argenterie ajoutent au charme de cette demeure, qui accueille chaque année plus de 25,000 visiteurs.

Les Archives ont aussi mis en œuvre un vaste programme d'expositions destinées à faire mieux connaître leurs nombreuses collections et activités. Ainsi, la Direction des archives doit présenter une série d'expositions et de publications relatives à l'histoire du Canada. La première exposition, prévue pour juillet 1981, mettra l'accent sur les documents historiques antérieurs à 1700.

Les pouvoirs publics et la politique culturelle

Responsabilités privée et publique

Tous les Canadiens vivent leurs cultures, mais très peu en parlent. Lorsqu'ils en discutent, ils considèrent d'ordinaire la culture comme une affaire essentiellement personnelle. Bien que certaines formes d'aide gouvernementale soient les bienvenues, toute tentative par quelque administration publique que ce soit de déterminer le contenu de la vie culturelle se révélerait incompatible avec les valeurs canadiennes.

Néanmoins, le public exige des gouvernants certaines catégories de services culturels. Il semble y avoir un intérêt croissant pour diverses formes d'expression culturelle qui définissent le Canada et les Canadiens. En l'espèce, les problèmes se trouvent compliqués par la diversité culturelle de la population, la décentralisation de l'autorité publique et l'ouverture du Canada aux influences de l'Europe, des États-Unis et d'autres parties du monde. Les ressources provenant du marché et de l'aide privée sont importantes, mais insuffisantes; on s'accorde donc à reconnaître que les pouvoirs publics doivent également apporter leur contribution.

Les politiques culturelles du Canada se caractérisent donc par la recherche de moyens permettant aux autorités gouvernementales d'aider le développement culturel, la production artistique et la jouissance des arts, sans toutefois imposer de valeurs, de contrôle ou de censure officiels.

Les pouvoirs publics et le patrimoine culturel

Soit par accident historique, soit par décision réfléchie, les administrations publiques sont propriétaires de nombreux éléments du patrimoine culturel des Canadiens, depuis des monuments nationaux comme les édifices du Parlement jusqu'aux registres d'obscurs prêtres de paroisse du XIXe siècle, en passant par les collections les plus représentatives de la peinture canadienne. Ce rôle a donné lieu à la création d'institutions importantes telles que les archives fédérales et provinciales, les services des lieux et monuments historiques et les galeries d'art et musées administrés par les trois paliers de gouvernement. Bref, les administrations publiques sont les plus grands collectionneurs et exposants du pays.

Les dirigeants assument leurs fonctions de propriétaire patrimonial de multiples façons. Les collections sont régulièrement agrandies et diversifiées, et les installations et services de présentation font sans cesse l'objet de perfectionnements pour que les biens publics deviennent plus faciles d'accès et plus significatifs aux yeux du citoyen.

En ce qui concerne la construction des immeubles publics, les trois ordres de gouvernement se sont attachés aussi bien à l'esthétique qu'au fonctionnel, qu'il s'agisse de l'architecture ou de l'utilisation d'œuvres d'art à l'extérieur comme à l'intérieur des immeubles. Récemment, les autorités ont manifesté un intérêt nouveau pour la rénovation d'édifices faisant partie du patrimoine culturel, soit en considération de leur valeur historique comme dans le cas de l'Hôtel de ville de Kingston, soit à des fins utilitaires comme dans le cas de la transformation d'immeubles anciens en nouveaux bureaux d'administration publique.

Le Centre national des Arts, à Ottawa.

A titre de propriétaires, les autorités gouvernementales sont disposées à construire et à exploiter des aménagements destinés à des expositions et spectacles. Au cours des 15 dernières années, nombre de nouveaux théâtres et salles de concert ont été construits. Presque toutes les grandes villes, et de nombreuses localités plus restreintes sont désormais assez bien pourvues à ce chapitre.

Il est intéressant de constater que les immobilisations en biens et en aménagements culturels destinés au public ne sont pas le fait d'un seul niveau de gouvernement. Les municipalités aussi bien que les administrations fédérale et provinciales possèdent et mettent à la disposition du public des bibliothèques, salles de concert, collections d'œuvres d'art et édifices patrimoniaux. Nombre d'ententes intergouvernementales ont été élaborées en vue d'améliorer les services publics d'intérêt culturel et d'en faciliter le financement, surtout du côté des immobilisations. Les subventions fédérales aux provinces et aux municipalités revêtent une importance particulière, notamment pour la construction de lieux d'expositions et de spectacles; les subventions provinciales aux municipalités sont essentielles pour la construction et l'exploitation de bibliothèques publiques, de centres culturels et de nombreux programmes à vocation locale. Dans certaines provinces, de fortes sommes provenant des loteries sont versées aux municipalités pour qu'elles les investissent dans des installations culturelles et récréatives.

Soutien des artistes

Jusqu'au milieu du siècle, les administrations publiques tenaient pour acquis que les artistes feraient leur chemin seuls, et se contentaient d'acheter de leurs œuvres afin de grossir les collections patrimoniales ou à d'autres fins publiques. Aucune somme importante n'était régulièrement affectée par l'État au soutien des artistes, à part l'achat d'une partie de leur production.

En 1949, le rapport de la Commission Massey-Lévesque a marqué un tournant en faisant ressortir qu'une vie culturelle florissante au Canada ne pouvait être soutenue uniquement par les recettes du marché, par le bénévolat et par des artistes vivant dans la pauvreté. Depuis lors, les autorités gouvernementales ont reconnu, non sans hésitation, qu'il y a lieu d'employer des deniers publics pour subventionner peintres, danseurs, musiciens et autres artistes, ainsi que les institutions pour lesquelles ils travaillent. Même aujourd'hui, peu d'artistes professionnels gagnent des revenus proches des paliers tenus pour normaux dans les autres professions, mais le niveau actuel d'expression artistique au Canada est dans une certaine mesure le reflet de l'aide gouvernementale.

Le Musée d'anthropologie de l'Université de la Colombie-Britannique, à Vancouver.

Les pouvoirs recourent à plusieurs moyens pour octroyer rationnellement des fonds publics aux artistes, sans contraindre ou tenter de contrôler l'orientation de leurs travaux. Certains conseils des arts ont été établis en dehors de la structure gouvernementale normale. Le Conseil des Arts du Canada, instrument que s'est choisi le gouvernement fédéral, est une fondation ou trust public sans but lucratif qui prend ses propres décisions et n'est régi que par sa loi organique. Plusieurs provinces utilisent ce modèle, qu'elles adaptent aux exigences régionales.

Les conseils des arts, de leur côté, consultent la communauté artistique elle-même et s'en remettent à des professionnels reconnus dans une discipline donnée pour déterminer la meilleure façon d'y affecter les fonds disponibles. Rarement, les conseils disposent-ils d'assez de fonds pour satisfaire tous les besoins, ce qui les acculent à des choix très difficiles; l'objet du système est donc de reconnaître l'excellence le plus objectivement possible.

Les pouvoirs publics et l'éducation

Au sens large, toute politique touchant l'éducation est une politique culturelle. Les écoles sont les plus importantes institutions culturelles de la société canadienne. Matière de compétence provinciale, l'éducation est administrée en grande partie au niveau municipal. En raison de sa portée locale et de sa diversité, le sujet est donc très complexe, de sorte que les paragraphes qui suivent ne peuvent en présenter que quelques aspects généraux.

Au Canada, les programmes scolaires ont toujours attaché de l'importance aux arts en tant qu'élément de formation générale. Depuis leur tout début, nos écoles enseignent la littérature, et dans bon nombre de provinces la tendance actuelle consiste à mettre l'accent sur les œuvres contemporaines, en particulier sur les œuvres canadiennes. La musique fait également partie de l'enseignement, et de nombreuses écoles offrent des programmes d'arts visuels.

Ces dernières années, les arts de la scène, la télévision et le cinéma semblent susciter un intérêt croissant, que reflètent à la fois les politiques de l'enseignement

Les petits anges de la maternelle de Bragg Creek (Alb.) chantent à l'occasion de la Noël.

et l'attitude des élèves. On a découvert que la télévision pouvait servir aussi bien de matériel pédagogique que de sujet d'étude, et de nombreuses innovations captivantes et utiles ont été faites en ce qui concerne l'utilisation par les élèves de la technique vidéo comme moyen d'expression culturelle.

En collaboration avec les conseils scolaires, et souvent grâce au support financier d'autres pouvoirs publics, nombre de troupes montent des spectacles dans les écoles et associent des troupes étudiantes à leurs principales réalisations. De plus, diverses troupes professionnelles et groupes communautaires présentent des pièces à l'intention des jeunes hors du cadre scolaire.

Les pouvoirs publics et la réglementation

Se conformant à l'opinion publique, les pouvoirs se sont généralement abstenus d'intervenir dans le domaine des arts et de la vie culturelle de la population, traitant les artistes comme de simples citoyens et les organisations culturelles comme des entreprises. Néanmoins, d'importantes réglementations ont été établies dans quelques sphères bien déterminées. En voici deux ou trois exemples.

Les pouvoirs publics fournissent un cadre juridique à la production artistique (sous forme de lois portant sur les droits d'auteur et d'autres droits, par exemple); de plus, leur politique fiscale vise à favoriser les arts et autres activités culturelles au moyen d'exemptions d'impôt sur les dons privés aux organisations artistiques. Parfois, ils étaient même disposés à intervenir pour contrebalancer le désavantage économique des producteurs canadiens face à des concurrents étrangers capables d'opérer à des coûts unitaires très bas en raison de leur accès à de vastes marchés internationaux.

Récemment, bon nombre d'administrations provinciales et municipales ont manifesté un vif intérêt pour les lois ou règlements visant à empêcher qu'on démolisse ou défigure des immeubles privés ou des quartiers anciens d'intérêt historique. Là encore, la réglementation s'accompagne souvent d'une aide destinée à encourager la restauration et la réanimation de l'héritage culturel légué par les générations antérieures.

Construction d'une maquette à l'école primaire de Chicoutimi (Qué.).

Les pouvoirs publics et la production artistique

A quelques exceptions près, par exemple le cas de l'Orchestre du Centre national des Arts, les pouvoirs publics ont toujours préféré se tenir à l'écart de la gestion, même indirecte, des spectacles artistiques ou de la production d'œuvres d'art; le travail de l'artiste ou de la troupe, bien que souvent destiné au public, relève du secteur privé. Là où la présence gouvernementale existe, elle se veut discrète, utile et neutre.

Font notoirement exception à cette règle la radio et la télévision, domaines où les limites de la technologie, les données économiques de l'industrie et le caractère et l'étendue du pays ont nécessité un système de gestion à la fois publique et privée. Toutefois, même dans le secteur public de cette industrie, l'État a choisi délibérément d'agir par l'entremise de sociétés spécialement constituées, de façon à ne pas influer sur le contenu des programmes; les secteurs public et privé de la radiotélévision sont tous deux réglementés par un conseil distinct qui n'exerce aucun rôle au niveau de l'exploitation.

En tant qu'institutions culturelles, les entreprises de radiodiffusion et de télévision figurent au deuxième rang après les écoles, et certains les placent même au premier rang. On ne saurait surestimer l'importance culturelle des réseaux de radio et de télévision de Radio-Canada, qui appartiennent au gouvernement et qui desservent presque tout le Canada en français et en anglais. De plus, une importante innovation dans le secteur public de la diffusion a consisté dans la création de services provinciaux de télévision éducative; ceux-ci sont en général exploités par des sociétés spécialement constituées et viennent compléter les services de Radio-Canada et des chaînes privées par une programmation conçue à l'intention des écoliers, des enfants d'âge préscolaire et des étudiants adultes.

Les politiques culturelles des pouvoirs publics du Canada sont probablement un reflet assez fidèle des caractéristiques culturelles, des aspirations et des priorités de la population canadienne. Comme il s'agit d'une population diversifiée, dispersée et pluraliste, les politiques en question sont également diversifiées, et parfois peut-être contradictoires. Comme le pays lui-même, la politique culturelle est une mosaïque, non pas un creuset.

Éducation

Responsabilité constitutionnelle

Les quatre premières provinces du Canada à s'unir en 1867 ont posé comme une des conditions de l'union que l'enseignement relève du pouvoir provincial et non du pouvoir fédéral. La constitution du Canada, soit l'Acte de l'Amérique du Nord britannique (AANB), a donc été formulée de façon à donner aux provinces la compétence exclusive en cette matière et à protéger les systèmes d'enseignement existants. A mesure que d'autres provinces se sont jointes au Canada, ces dispositions de l'AANB (article 93) ont été réaffirmées.

Officiellement, l'AANB n'autorise aucune intervention du fédéral dans l'enseignement. Toutefois il lui accorde des pouvoirs directs à l'égard des personnes qui ne relèvent pas des autorités provinciales (autochtones, membres des Forces armées et personnes à leur charge au Canada et à l'étranger, et détenus des établissements fédéraux). En outre, à mesure que l'enseignement s'est développé, la participation indirecte du gouvernement fédéral s'est accrue par le biais d'une aide financière pour la construction d'écoles de formation professionnelle et technique, de contributions au financement de l'enseignement supérieur et d'une assistance aux provinces pour encourager le bilinguisme.

Administration provinciale

Étant donné que l'organisation et l'administration de l'enseignement relèvent de chaque province et territoire, il n'existe pas de système scolaire uniforme au

Joie d'apprendre.

Canada. L'autonomie provinciale a engendré des régimes d'éducation distincts qui reflètent les traditions historiques et culturelles et les conditions socio-économiques propres à chaque province. Chacun des systèmes est unique sous certains aspects (organisation locale, structure par années d'études, financement, programme des matières, examens).

Chaque province possède un ministère de l'Éducation relevant d'un ministre comptable à l'Assemblée législative. Le ministère est administré par un sous-ministre, il s'agit en général d'un éducateur de carrière, qui conseille le ministre et veille à la stabilité des orientations choisies. Dans certaines provinces, des ministères distincts s'occupent de l'enseignement postsecondaire et des questions de main-d'œuvre connexes. La réglementation des universités et collèges varie d'une province à l'autre.

Administration locale

Bien que les Assemblées législatives provinciales et les ministères de l'Éducation fournissent le cadre juridique dans lequel s'inscrit l'activité des écoles publiques, le fonctionnement même des écoles est délégué pour une bonne part à des conseils scolaires locaux composés de membres élus ou nommés et dont les fonctions sont déterminées par les lois provinciales et les règlements des ministères. Leurs attributions varient d'une province à l'autre, mais elles comprennent en général la construction des écoles, le transport des élèves, l'embauche des enseignants et la détermination des taux des impôts scolaires. Leurs budgets sont toujours soumis aux ministères de l'Éducation.

L'organisation structurelle locale de l'enseignement s'est modifiée avec les années. Bien que dans deux provinces il existe depuis très longtemps de grands

Heure des contes à l'école de Winterton (T.-N.).

Dinette à l'école, Repulse Bay (T.N.-O.).

districts scolaires (en Alberta depuis 1937 et en Colombie-Britannique depuis 1945), dans les autres provinces les districts ont toujours été plus restreints; ces dernières années, tous ont fait l'objet de regroupements progressifs en de grandes divisions administratives. En Saskatchewan, il existe de vastes divisions scolaires dans les régions rurales, mais dans les villes les conseils sont encore nombreux. La même situation se retrouve en Nouvelle-Écosse où l'on a formé de grandes divisions géographiques pour les écoles rurales, tandis que la plupart des municipalités urbaines possèdent leur propre conseil scolaire; ces dernières années, cependant, trois conseils régionaux ont été créés pour desservir des écoles rurales et urbaines.

Organisation scolaire

Les différences d'organisation de l'enseignement primaire et secondaire sont telles qu'il n'existe pas de modèle commun.

A Terre-Neuve, le système comporte 11 années et une année de maternelle non obligatoire. En général l'enseignement primaire s'échelonne sur six années, et l'enseignement secondaire sur cinq, mais il existe des variations locales. Un diplômé de 11e doit faire quatre ans d'université pour obtenir un baccalauréat. Le programme du secondaire, actuellement en révision, comportera une année supplémentaire, à savoir la 12e pour les élèves qui amorceraient leur 10e année de scolarité en septembre 1981.

Dans l'Île-du-Prince-Édouard, au Nouveau-Brunswick et en Colombie-Britannique l'enseignement s'étale sur 12 années d'études primaires et secondaires, suivies de quatre années d'université pour le baccalauréat. Ni l'Île-du-Prince-Édouard ni le Nouveau-Brunswick n'offrent la maternelle dans les écoles publiques, tandis que ce programme est presque universel en Colombie-Britannique. Dans les deux provinces Maritimes, le programme de la 1re à la 6e s'enseigne généralement dans les écoles primaires et celui de la 7e à la 12e dans les écoles secondaires; parfois les matières de la 7e à la 9e constituent le secondaire de 1er cycle. En Colombie-Britannique, le primaire va généralement de la 1re à la 7e, et le secondaire de la 8e à la 12e; dans certains cas la 8e à la 10e constituent le secondaire de 1er cycle.

Élèves profitant des cours d'éducation physique dans une école primaire à Calgary (Alb.).

1. Effectifs des écoles primaires et secondaires, 1979-80[1]

Province ou territoire	Publiques[2]	Privées	Fédérales[3]	Total
Canada	4,931,050	193,305	34,055	5,162,290[4]
Terre-Neuve	150,505	280	—	150,785
Île-du-Prince-Édouard	27,295	—	50	27,345
Nouvelle-Écosse	189,795	1,420	785	192,000
Nouveau-Brunswick	156,385	395	840	157,620
Québec	1,164,015[5]	82,300[5]	3,130	1,249,445
Ontario	1,859,910	67,900	7,280	1,935,090
Manitoba	208,920	8,040	8,480	225,440
Saskatchewan	208,120	2,200	6,760	217,080
Alberta	436,330	5,940	4,030	446,300
Colombie-Britannique	511,825	24,830	2,700	539,355
Yukon	5,120	—	—	5,120
Territoires du Nord-Ouest	12,830	—	—	12,830

[1] Données préliminaires.   [2] Comprend les écoles provinciales pour les aveugles et les sourds et les écoles du ministère de la Défense nationale au Canada.   [3] Écoles pour les autochtones administrées par le ministère des Affaires indiennes et du Nord.   [4] Comprend 3,880 élèves dans les écoles du ministère de la Défense nationale en Europe.   [5] Estimation.   — Néant ou zéro.

La Nouvelle-Écosse, le Manitoba, la Saskatchewan et l'Alberta ont opté pour des programmes de 12 années d'études, suivies de trois années d'université aux fins du baccalauréat. En Nouvelle-Écosse, la maternelle (appelée classe élémentaire) est

Travaux de créativité dans une école primaire de l'Île-du-Prince-Édouard.

universelle; elle est facultative mais presque universelle au Manitoba et en Saskatchewan, et en Alberta elle n'existe que depuis tout récemment. Dans toutes ces provinces, le primaire se termine en 6ᵉ et le secondaire en 12ᵉ; dans certains cas la 7ᵉ à la 9ᵉ constituent le secondaire de 1ᵉʳ cycle.

En Ontario, il faut 13 ans de scolarité pour entrer à l'université et trois années d'études universitaires pour obtenir un baccalauréat. Il est également possible d'obtenir un diplôme d'études secondaires après la 12ᵉ, mais cela ne mène pas directement à l'université. D'habitude les huit premières années sont dispensées dans les écoles primaires et les cinq autres dans les écoles secondaires. Les écoles catholiques séparées, où en vertu de la loi l'enseignement s'arrête à la 10ᵉ, sont normalement associées à des écoles privées dont les cours vont jusqu'à la 13ᵉ.

Au Québec, le système comprend 11 années d'études primaires et secondaires, auxquelles s'ajoute un programme de deux ou trois ans dans un collège d'enseignement général et professionnel (CEGEP). Les élèves désireux d'accéder à l'université doivent suivre le programme de deux ans des CEGEPs; l'obtention d'un baccalauréat exige trois années d'université.

Dans les Territoires du Nord-Ouest, l'organisation scolaire est calquée sur celle des provinces des Prairies; au Yukon elle suit le modèle de la Colombie-Britannique.

Enseignement primaire et secondaire

Au niveau primaire, on dispense un enseignement général de base, tandis qu'au secondaire les élèves peuvent choisir des cours qui répondent à leurs besoins particuliers. Ils ont généralement le choix entre plusieurs programmes et peuvent établir un plan d'études personnel.

A une certaine époque, les écoles secondaires dispensaient un enseignement surtout théorique qui préparait aux études universitaires; la formation professionnelle se donnait dans des établissements distincts à l'intention surtout des jeunes qui ne désiraient pas faire d'études postsecondaires. Aujourd'hui, bien qu'il existe encore des écoles secondaires techniques et commerciales, la plupart des écoles secondaires sont des polyvalentes offrant des programmes intégrés de tous genres.

Écoles indépendantes

Dans toutes les provinces, sauf à Terre-Neuve et dans l'Île-du-Prince-Édouard, il existe en dehors du réseau d'écoles publiques un certain nombre d'écoles primaires et secondaires indépendantes ou privées, confessionnelles ou non confessionnelles. Il existe également des maternelles et des prématernelles pour les enfants d'âge préscolaire. Dans la plupart des provinces les écoles privées bénéficient d'une forme quelconque d'aide publique.

Écoles séparées

Dans cinq provinces, des dispositions juridiques prévoient la création d'écoles confessionnelles à l'intérieur du réseau d'écoles financées par les pouvoirs publics.

A Terre-Neuve, les écoles publiques ont toujours eu un caractère confessionnel. Cependant, vers le milieu des années 60, les principales confessions protestantes (Église anglicane, Église unie et Armée du salut) ont fusionné leurs écoles et leurs conseils scolaires. Les écoles catholiques, qui desservent le plus nombreux groupe religieux, sont organisées en 12 districts scolaires. Deux autres confessions religieuses, les Assemblées pentecostales et les Adventistes du septième jour, possèdent aussi leurs propres écoles et ont chacune un conseil scolaire.

Au Québec, il existe deux systèmes, un pour les catholiques et un pour les non-catholiques, bien que ces dernières années la distinction fondée sur la religion ait été remplacée dans une certaine mesure par une distinction fondée sur la langue d'enseignement. Les deux systèmes reçoivent une aide publique équitable.

En Ontario, en Saskatchewan et en Alberta, la loi permet la création de districts scolaires séparés. Dans ces trois provinces, les districts catholiques séparés administrent un grand nombre d'écoles, et il y existe quelques districts scolaires

2. Effectifs à temps plein des établissements postsecondaires, 1979-80[1]

| Province | Collèges communautaires et établissements connexes | | Établissements décernant des grades et collèges affiliés | | |
	Programmes de formation technique	Programmes de passage à l'université	1er cycle	2e et 3e cycles	Total
Canada.................	168,420	73,175	329,020	40,905	611,520
Terre-Neuve...........	2,020	—	6,240	355	8,615
Île-du-Prince-Édouard....	780	—	1,330	—	2,110
Nouvelle-Écosse.........	2,480	165	16,105	1,605	20,355
Nouveau-Brunswick.....	1,790	—	10,440	460	12,690
Québec.................	63,400[2]	63,700[2]	74,490	12,220	213,810
Ontario.................	67,000[2]	—	137,745	17,190	221,935
Manitoba...............	3,055	—	14,505	1,555	19,115
Saskatchewan..........	2,400[2]	—	13,440	760	16,600
Alberta.................	15,265	2,315	27,475	3,140	48,195
Colombie-Britannique....	10,230	6,995	27,250	3,620	48,095

[1] Données provisoires.   [2] Estimation.   –Néant ou zéro.

L'Université Laval à Québec.

protestants séparés. En Saskatchewan et en Alberta, les écoles catholiques séparées offrent la totalité de l'enseignement primaire et secondaire, tandis qu'en Ontario elles ont droit aux impôts scolaires seulement jusqu'à la 10e.

Enseignement postsecondaire

Dans les années 60 et 70, il s'est produit une croissance extraordinaire des programmes et des moyens de poursuivre des études au-delà du secondaire. Autrefois, les universités étaient presque seules à dispenser un enseignement postsecondaire, mais aujourd'hui toutes les provinces ont des collèges communautaires et des instituts de technologie publics.

Établissements décernant des grades

Il existe au Canada plusieurs types d'établissements décernant des grades. La plupart des universités offrent des programmes menant à des grades au moins en arts et en sciences. Les grands établissements décernent des grades allant jusqu'au doctorat dans divers domaines et disciplines. En 1979-80, le Canada comptait 47 universités.

Les collèges d'arts libéraux sont des établissements de moindre envergure qui offrent des programmes menant seulement à des grades en arts. Habituellement, ils donnent aussi des cours de sciences, mais ne confèrent pas de grades dans ce domaine. En 1979-80, ces collèges étaient au nombre de deux.

Les collèges de théologie défèrent des grades exclusivement en sciences religieuses et en théologie. En 1979-80, il existait 12 collèges de théologie indépendants décernant des grades. Il y en avait sept autres qui, tout en étant affiliés à des universités, conféraient leurs propres grades en théologie et sept autres, affiliés aussi à des universités, qui décernaient pas eux-mêmes de grades.

L'Université de Lethbridge (Alb.).

D'autres collèges spécialisés (quatre en 1979-80) offrent des programmes conduisant à des grades dans une seule discipline, par exemple en génie, en art ou en éducation.

Le ministère de la Défense nationale finance et administre trois établissements où l'enseignement est gratuit: le Royal Military College à Kingston (Ont.), le Royal Roads à Victoria (C.-B.) et le Collège militaire royal de Saint-Jean (Qué.), affilié à l'Université de Sherbrooke.

Pour entrer à l'université, il faut normalement un diplôme d'études secondaires et avoir obtenu en certaines matières des notes suffisantes. Cependant, la plupart des universités acceptent des «étudiants d'âge mûr» même s'ils ne satisfont pas à toutes les exigences habituelles.

Selon la province, il faut de trois à quatre années d'études pour obtenir un baccalauréat général en arts ou en sciences. Les candidats aux grades professionnels en droit, médecine, art dentaire, génie et autres disciplines analogues doivent normalement avoir satisfait en tout ou partie aux conditions requises pour le baccalauréat. La plupart des universités offrent des baccalauréats généraux et des baccalauréats spécialisés; ceux-ci nécessitent ordinairement une année d'études de plus, mais dans certains cas on peut obtenir un bac spécialisé en suivant des cours supplémentaires dans le domaine de spécialisation choisi.

Pour être admis à un programme de maîtrise, il faut normalement détenir un baccalauréat spécialisé ou l'équivalent. La plupart des programmes de maîtrise prévoient une ou deux années d'études supplémentaires, plus la soutenance d'une thèse. Pour postuler un doctorat, il faut avoir une maîtrise dans le domaine abordé.

Élèves d'une école primaire de Vancouver (C.-B.) qui n'oublieront pas la leçon de soins dentaires.

au niveau secondaire ressemble à celle observée au niveau primaire, mais avec un décalage de sept ou huit ans.

En 1979-80, les effectifs à temps plein au postsecondaire s'établissaient à 611,500, soit une diminution de 0.7% sur 1978-79. Les étudiants des universités formaient 60% du total, mais ces 10 dernières années le taux d'augmentation de cette catégorie a été inférieur à celui des élèves des établissements non universitaires, dont le nombre inscrit s'est accru de 63% passant de 142,700 en 1969-70 à 241,600 en 1979-80. Simultanément, les effectifs des universités ont augmenté de 26%, de 294,100 à 369,900.

Plus de 290,000 élèves ont reçu un diplôme d'études secondaires en 1978, soit une augmentation de 1%. Environ 60% s'inscrivent normalement dans des établissements postsecondaires.

En 1978, les universités ont conféré 89,300 baccalauréats et premiers grades professionnels, 12,600 maîtrises et 1,800 doctorats acquis. En outre, les établissements postsecondaires non universitaires ont décerné 62,400 diplômes.

Les dépenses d'enseignement de la maternelle aux études supérieures ont atteint $20 milliards en 1979-80 et, selon les estimations provisoires, elles seraient d'environ $22.5 milliards en 1980-81. Sur le montant total dépensé en 1979-80, $13.4 milliards étaient destinés à l'enseignement primaire-secondaire, $4 milliards aux universités, $1.6 milliard aux établissements non universitaires et $1.2 milliard à la formation professionnelle.

Les dépenses par habitant au titre de l'enseignement ont grimpé de $208 en 1966 à $852 en 1979, et par personne active, de $555 à $1,800. Néanmoins, d'autres indicateurs révèlent une réduction des dépenses à mesure que les effectifs diminuent. En 1970, année où les effectifs à temps plein ont atteint un sommet, le coût de l'enseignement équivalait à 8.8% du PNB et représentait 22% des dépenses publiques, soit une proportion plus élevée que pour tout autre grand secteur. En 1979, les dépenses d'enseignement ne représentaient plus que 8.4% du PNB, et le bien-être social absorbait déjà la plus grande proportion des ressources de l'État.

3. Dépenses au titre de l'enseignement, selon le niveau et la provenance des fonds, Canada, 1971-72 et 1979-80

(millions de dollars)

Niveau d'enseignement	Fédérale[1]	Provinciale[1]	Municipale	Droits et autres sources	Total
1971-72					
Primaire-secondaire					
Public[2]	203.1	3,201.2	1,694.8	141.4	5,240.5
Privé	0.1	27.2	13.8	107.7	148.8
Total partiel	203.2	3,228.4	1,708.6	249.1	5,389.3
Postsecondaire					
Non universitaire	51.3	427.0	3.8	47.9	530.0
Universitaire	244.9	1,204.2	1.1	414.3	1,864.5
Total partiel	296.2	1,631.2	4.9	462.2	2,394.5
Formation professionnelle	424.7	107.1	0.1	34.0	565.9
Total	924.1	4,966.7	1,713.6	745.3	8,349.7
Répartition en pourcentage	11.1	59.5	20.5	8.9	100.0
1979-80[3]					
Primaire-secondaire					
Public[2]	302.0	8,603.2	3,868.2	228.7	13,002.1
Privé	2.4	144.9	13.3	277.4	438.0
Total partiel	304.4	8,748.1	3,881.5	506.1	13,440.1
Postsecondaire					
Non universitaire	64.1	1,328.6	25.4	146.5	1,564.6
Universitaire	421.0	2,854.9	1.1	651.8	3,928.8
Total partiel	485.1	4,183.5	26.5	798.3	5,493.4
Formation professionnelle	864.6	286.4	0.1	72.8	1,223.9
Total	1,654.1	13,218.0	3,908.1	1,377.2	20,157.4
Répartition en pourcentage	8.2	65.6	19.4	6.8	100.0

[1] Les transferts fédéraux aux administrations provinciales ($988.3 millions en 1971-72 et $2,925.2 millions en 1979-80) sont inclus dans les contributions provinciales.   [2] Comprend les écoles fédérales.   [3] Chiffres provisoires.

A l'aide de mesures haute fréquence, des hydrotechniciens vérifient l'état du bobinage des transformateurs en service à la centrale nucléaire de Pickering.

Science et Technologie

Tout comme aux États-Unis, en France et au Royaume-Uni, l'aide aux sciences et à la technologie au Canada s'est nettement nivelée ces dernières années. Le taux d'accroissement des dépenses annuelles en recherche et développement (environ 18% au milieu des années 60), a fléchi de moitié au milieu des années 70.

En 1978, les dépenses brutes du Canada au titre de la R-D s'élevaient à quelque $2.4 milliards. Ce montant représentait 0.92% du produit national brut (PNB), soit beaucoup moins que dans tout autre pays membre de l'Organisation pour la coopération et le développement économiques (OCDE). L'intensification de la R-D demeure une priorité nationale, et l'objectif consistant à porter le ratio entre les dépenses brutes de R-D et le PNB à 1.5% a été réaffirmé. Pour atteindre ce but il faudra accroître considérablement les dépenses et les effectifs dans le domaine scientifique, et le principal artisan de cette expansion sera l'industrie.

En 1978, près de 26,000 scientifiques et ingénieurs effectuaient de la R-D au gouvernement, dans les entreprises et dans les universités, et la répartition de ce personnel était assez égale entre les trois secteurs.

Politique scientifique

L'OCDE affirmait en 1963, dans une de ses publications, qu'un pays a besoin d'une politique globale et cohérente s'il veut encourager et stimuler la science, car il existe plus de possibilités de faire avancer la science et la technologie qu'il n'y a de ressources pour les exploiter toutes. Les pouvoirs publics, qui sont constamment sollicités par l'industrie, les universités, les organismes scientifiques, les hommes de science, les étudiants et les organisations scientifiques internationales, ainsi que par les utilisateurs de la science au sein même des divers ministères et organismes publics, ont besoin d'être guidés dans la répartition de leurs fonds et de leur personnel spécialisé. L'objet d'une politique scientifique nationale est précisément de servir de guide.

Ministère d'État chargé des Sciences et de la Technologie

Créé en 1971, le ministère d'État chargé des Sciences et de la Technologie, encourage le développement et l'utilisation des sciences et de la technologie à l'appui des objectifs nationaux par l'élaboration et la formulation de politiques pertinentes. Le Canada a besoin de politiques scientifiques pour se doter de tous les moyens nécessaires. Les subventions à la recherche octroyées par le Conseil de recherches en sciences naturelles et en génie, le Conseil de recherches médicales et le Conseil de recherches en sciences humaines reflètent une politique scientifique qui vise à créer et à maintenir une activité de recherche à l'échelle nationale.

Il faut également des politiques régissant l'utilisation des outils scientifiques afin d'aider le Canada à atteindre des buts non scientifiques. La présence de laboratoires de recherche dans les ministères à base scientifique (Énergie, Mines et Ressources, Santé et Bien-être, Agriculture et Environnement) ainsi que la politique d'impartition reflètent cette nécessité.

L'intégration des sciences dans l'établissement des politiques gouvernementales est une innovation et constitue le troisième élément de la politique scientifique. Pour en arriver à insérer les sciences dans ses orientations, le gouvernement du Canada recrute des spécialistes des sciences naturelles et sociales en vue de les affecter comme fonctionnaires à l'élaboration des politiques désirées, et a recours à des mécanismes de consultation pour obtenir l'avis du milieu scientifique.

Le Conseil des Sciences du Canada

Le Conseil des sciences du Canada, organisme de recherche en politiques scientifiques, a pour mission de fournir au gouvernement et à la population des avis sur les problèmes à résoudre et les occasions à saisir dans le domaine de la science et de la technologie. Une fois rendus publics, les résultats de ses recherches dans les secteurs clés de la politique à long terme du Canada en matière de sciences et de technologie sont disséminés partout au pays pour l'information des décisionnaires de l'administration publique, de l'industrie et de l'enseignement, et, de plus en plus, pour l'information du grand public par la voie des médias. Le Conseil comprend 30 personnalités éminentes – pour la plupart des industriels ou des savants – nommés par décret du conseil, qui se réunissent quatre fois l'an afin de planifier et d'évaluer le programme du Conseil, dont l'exécution relève d'un personnel en poste à Ottawa. Jusqu'ici le Conseil a publié 31 exposés de principes, y compris ses plus récentes prises de position sur la stratégie industrielle, la politique nationale de l'énergie et l'état de la recherche universitaire. Ses études de fond s'élèvent au nombre de 45, dont des communications récentes touchant le rôle du Canada dans l'activité scientifique internationale et l'aide alimentaire, plus des notes sur les besoins de l'industrie manufacturière canadienne. Dans des recherches en cours, le Conseil se penche sur les systèmes de transport au Canada, la révolution des communications, les liens entre la science et le processus judiciaire; l'apport scientifique et technologique du Canada à l'alimentation mondiale; l'énergie, et l'enseignement des

Conseil national de recherches: soudure au faisceau électronique, procédé qui utilise un faisceau convergeant d'électrons de haute énergie pour joindre des pièces métalliques par fusion.

sciences. On peut se procurer un catalogue des documents du Conseil en s'adressant à son bureau de publications, 100, rue Metcalfe, Ottawa, K1P 5M1.

Science et technologie dans l'administration publique

Les dépenses du gouvernement du Canada au chapitre des sciences naturelles et humaines devaient atteindre $1.9 milliard en 1979-80, soit 4% de plus qu'en 1977-78. Les sciences humaines ont absorbé près du quart de cette somme, et les sciences naturelles le reste. Le ministère de l'Environnement et le Conseil national de recherches ont chacun dépensé 11% des fonds publics consacrés aux sciences, suivis de Statistique Canada avec 7%. Les principaux domaines d'expansion de l'activité scientifique étaient l'énergie et les communications.

Environ 36% de ces montants ont été dépensés extra-muros, dont $281 millions affectés à l'industrie et $259 millions aux universités. Ces dépenses représentent des augmentations de 10.5% et 5.7% respectivement par rapport à 1977-78.

Science et technologie dans l'industrie canadienne

Bien qu'il se soit produit une certaine augmentation de la part des dépenses totales au titre de la R-D absorbée par l'industrie canadienne (de 32.4% en 1971 à 33.9% en 1979) ainsi que de la proportion de R-D exécutée au Canada (de 41.4% en 1971 à 42.9% en 1979), le Canada se situe encore à un niveau inférieur à celui des autres grands pays industriels pour ce qui est du montant total consacré à la R-D. Dans la plupart de ces pays, le secteur commercial absorbe entre 40 et 50% des fonds de R-D et exécute entre 50 et 65% des travaux; la proportion de scientifiques et d'ingénieurs travaillant dans l'industrie y est également beaucoup plus élevée.

Les gouvernements fédéral et provinciaux sont d'avis que, si l'industrie canadienne veut contribuer comme il se doit à la croissance économique et exploiter les possibilités offertes dans les nombreux domaines nouveaux ouverts par la science, son aptitude à innover grâce à la recherche et au développement doit être élargie et consolidée. Vu cette nécessité, il se sont engagés à collaborer beaucoup plus étroitement en matière de politique scientifique et technologique, afin surtout de promouvoir la R-D industrielle en fonction des objectifs régionaux et nationaux.

Les serres du Conseil national de recherches, sur le campus de l'Université de la Saskatchewan, produisent des plantes servant à la culture des cellules.

Parmi les mesures prises par le gouvernement fédéral en vue d'atteindre le but de porter les dépenses brutes de R-D à 1.5% du PNB figurent: engagement à se servir du mécanisme d'approvisionnement fédéral pour stimuler la R-D industrielle; dégrèvement d'impôt de 50% pour un accroissement des dépenses de R-D sur une période de trois ans; la création dans les universités de centres de recherche et d'innovation industrielles dont le nombre pourrait aller jusqu'à cinq; aide fédérale pour l'aménagement de centres régionaux d'excellence axés sur les ressources naturelles et humaines de chaque région; expansion du Programme des laboratoires de recherche industrielle du Conseil national de recherches, qui a pour objet de faciliter le transfert des connaissances technologiques des laboratoires du CNRC vers l'industrie et d'étendre ce plan à d'autres organismes publics; expansion du Service d'information technique du CNRC; et accroissement des fonds consacrés à la recherche universitaire dans des domaines d'intérêt national.

Recherche universitaire

Le montant total de l'aide fédérale à l'activité scientifique dans les universités canadiennes devait atteindre $295 millions pour l'année financière terminée le 31 mars 1980. Sur ce total, l'activité rattachée aux sciences figurait pour $28 millions et le financement de la recherche et du développement dans les universités pour $231 millions, soit une augmentation de 6.7% par rapport à 1978-79. Au total, $203 millions ont été affectés aux sciences naturelles et $28 millions aux sciences humaines. L'aide fédérale versée aux universités relativement aux activités scientifiques connexes s'établissait à $14 millions pour les sciences naturelles et à autant pour les sciences humaines.

Les trois Conseils qui soutiennent la recherche universitaire, soit le Conseil de recherches en sciences naturelles et génie, le Conseil de recherches médicales et le Conseil de recherches en sciences humaines, ont distribué 80% des subventions fédérales à la recherche universitaire. Le reste, $53 millions, a été distribué par d'autres ministères et organismes fédéraux. Dans le but de répondre à l'intention du gouvernement d'accroître le soutien de la recherche universitaire, les trois Conseils en cause ont préparé des plans quinquennaux et le gouvernement propose de fortes augmentations de leurs budgets dans l'exposé budgétaire soumis au Parlement – soit des hausses de $42 millions (35%) pour le Conseil de recherches en sciences naturelles et génie, $10 millions (14%) pour le Conseil de recherches médicales, et $6 millions (16%) pour le Conseil de recherches en sciences humaines.

Le Conseil national de recherches du Canada

Le Conseil national de recherches du Canada (CNRC) est un organisme national fondé par le Parlement en 1916 en vue d'entreprendre, d'aider ou de promouvoir la recherche scientifique et technique dans le but de favoriser le développement économique et social du Canada. Le Conseil administre 11 divisions ainsi que l'Institut canadien de l'information scientifique et technique dont l'objectif fondamental est de faciliter l'utilisation de l'information scientifique et technique par le gouvernement et la population.

Bien qu'une forte proportion de la recherche en laboratoire soit concentrée à Ottawa, le Conseil compte de nombreuses installations de recherche scientifique et technique dans tout le pays, dont des souffleries, des accélérateurs de particules, des bassins d'essais des carènes et des téléscopes et des radiotélescopes, ainsi que l'unique base de lancement de fusées de recherche du pays. Des projets de recherche particuliers sont entrepris à la demande de l'industrie, des services d'utilité publique, des ministères fédéraux et provinciaux ou des municipalités ou en collaboration avec ces organismes.

Environ le quart des efforts en matière de recherche déployés par le CNRC porte sur la recherche fondamentale et exploratrice et vise l'acquisition de nouvelles connaissances, le perfectionnement des compétences ainsi que la découverte de nouvelles applications scientifiques qui pourraient présenter des avantages économiques et sociaux. La recherche à long terme portant sur des questions d'intérêt national vise la solution de problèmes dans des domaines comme l'énergie, l'alimentation, les transports, la construction et le bâtiment, tandis que la recherche sous forme d'appui technique pour la réalisation d'objectifs sociaux est axée sur des domaines tels que la santé, le droit, la sécurité publique, l'environnement et la qualité de vie des Canadiens.

Dans le cadre de l'appui direct à l'innovation et au développement industriels, des travaux de recherche sont entrepris dans des domaines prometteurs où interviennent de nouvelles technologies. Des méthodes efficaces de transfert de technologie à l'industrie sont créées et un appui technique et économique est apporté à ce secteur en vue de lui permettre de mener des projets de recherche et de développement particuliers jusqu'au stade de l'innovation industrielle.

Par ailleurs, plusieurs divisions se partagent la double responsabilité de l'entretien et du perfectionnement d'une variété d'étalons nationaux.

Activité scientifique

Recherche agricole

Plus de 50% de la recherche agricole au Canada est exécutée par Agriculture Canada, qui emploie quelque 900 scientifiques dans presque 50 établissements répartis dans tout le pays. Les départements d'agriculture des universités constituent le deuxième grand groupe de recherche. La contribution de l'industrie et des ministères provinciaux a toujours été minime, mais elle prend désormais de l'ampleur. L'ensemble des établissements concernés comptent probablement 2,000 scientifiques, mais un grand nombre d'entre eux ne consacrent qu'une partie de leur temps à la recherche agricole.

C'est sur les grands secteurs traditionnels, soit la culture, l'élevage et les sols, que porte surtout la recherche, mais on s'intéresse de plus en plus au conditionnement des aliments. En outre, les scientifiques agricoles font des recherches liées à la

Bovins de race Black Angus dans l'Ouest canadien.

protection de l'environnement, souvent en collaboration avec d'autres organismes provinciaux, fédéraux et internationaux.

On travaille beaucoup à la culture des plantes. Chaque année d'autres variétés sont choisies pour les avantages qu'elles offrent: rendement supérieur, meilleure qualité, résistance accrue à la maladie et aux insectes, et croissance plus rapide. En 1978-79, deux nouvelles variétés de blé de printemps, Vernon et Dundas, ont été homologuées en vue de leur exploitation dans l'est du pays, et Benito, blé roux de printemps, qui résiste mieux à la rouille que le Neepawa. On a également homologué un blé de pâtisserie, un blé panifiable et un blé durum. Ces trois variétés présentent des caractéristiques fort améliorées du point de vue qualité et rendement. La Bedford, nouvelle variété d'orge de provende a aussi été homologuée et se révèle particulièrement bien adaptée à l'est des Prairies où son rendement dépasse de 8% celui de Klondike.

Le colza est la principale culture oléagineuse. En 1978-79, on a identifié plusieurs lignées supérieures de *Brassica campestris*. Elles l'emportent sur les variétés courantes pour la résistance aux maladies et la qualité des semences. En outre, la moutarde d'Asie, Domo, a été homologuée, de même qu'une variété rechoisie de moutarde noire, Blaze.

De nouvelles variétés de soya font l'objet de recherches visant à améliorer leurs caractéristiques physiologiques et leur résistance à une ou plusieurs maladies. La maladie des plantes est une préoccupation majeure dans les travaux de culture sélective. Une méthode efficace d'essai en serre a été mise au point pour remplacer l'ancien système encombrant d'épreuve en champ.

Quant aux fourrages, 12 établissements ont poursuivi des programmes de culture expérimentale et d'évaluation d'herbages et légumes du point de vue de leur adaptation à l'environnement canadien et de leur rendement. Les variétés Elbe, blé-fourrage nordique dur et résistant à la sécheresse, et Nova, herbage dur d'hiver ont toutes deux été produites à Lethbridge, Salva, fléole précoce des prés améliorée, a été obtenue à Ottawa, et Cree, nouveau trèfle, à Saskatoon.

L'autre principale activité de recherche sur les cultures vise la protection contre les insectes, les maladies et les mauvaises herbes. Les pesticides chimiques sont l'un des principaux moyens de protéger les plantes, mais les scientifiques ont réduit le nombre de pulvérisations nécessaires en déterminant les périodes où le produit est le plus efficace. On a aussi mis au point des méthodes biologiques qui font appel à l'utilisation d'insectes pour lutter contre d'autres insectes et les mauvaises herbes, ainsi qu'aux phéromones et à la stérilisation des mâles pour empêcher la reproduction. L'intégration des moyens chimiques et biologiques abaisse les coûts et les risques inhérents à la pollution. De plus, les spécialistes ont mis au point des pulvérisateurs qui réduisent la dispersion du produit et permettent une application plus efficace.

En 1978-79 les recherches visant à améliorer le conditionnement des aliments ont porté sur les produits céréaliers et laitiers, les viandes, les fruits et les légumes. On a perfectionné le séchage de pâtes et appliqué à la fabrication du fromage de nouvelles cultures de démarrage, des substituts du caille-lait et des procédés nouveaux de maturation; à Summerland (C.-B.) un procédé servant à extraire la protéine des feuilles de céleri s'est avéré pratique.

A Winnipeg, le Laboratoire de recherche du Conseil canadien des grains évalue et contrôle la qualité des céréales et des oléagineux produits et vendus au Canada, et effectue des recherches sur la qualité des grains.

En ce qui concerne l'élevage, Agriculture Canada effectue la plus grande part des expériences de croisement des moutons, porcs, volailles et bovins, notamment un projet de recherche des plus importants au monde sur la possibilité d'exploiter les caractéristiques hybrides des bovins laitiers. A l'heure actuelle, l'industrie laitière repose en majeure partie sur une seule race, la Holstein.

La production de bœuf au Canada se fonde depuis longtemps sur trois races britanniques, Hereford, Angus et Shorthorn. Ces 10 dernières années, les éleveurs ont importé diverses autres races européennes pour faire des croisements. Agriculture Canada procède à de nombreuses expériences pour déterminer la valeur de ces croisements.

Engrangement du foin dans un ranch de l'Alberta.

Récolte du tabac en Ontario.

On a recours à la recherche sur la physiologie de la reproduction pour améliorer la productivité du bétail; Agriculture Canada ouvre actuellement des voies pouvant mener à des découvertes sans précédent en matière de reproduction animale.

Des recherches sur les maladies des animaux sont effectuées par la Division de la pathologie vétérinaire de la Direction générale de la production et de l'inspection d'Agriculture Canada, avec l'appui des scientifiques des trois collèges canadiens de sciences vétérinaires. Ces recherches visent à améliorer les techniques actuelles ou à mettre au point de nouvelles méthodes de diagnostic rapide et précis des maladies animales (indigènes ou étrangères) et pour déterminer la salubrité et la qualité des viandes et de leurs produits. Entre autres des études se poursuivent en vue d'établir des méthodes d'analyses plus précises pour diagnostiquer la paratuberculose et la brucellose chez les bovins, la fièvre catarrhale maligne chez les bovins et les moutons, la présence de métaux lourds dans les tissus des bovins, porcs et volailles, ainsi que des méthodes pour réduire l'incidence de la salmonelle aviaire et la contamination des carcasses de volaille.

La recherche sur les sols comprend des travaux de base sur les réactions des sols, une enquête sur les sols visant à produire des renseignements sur les ressources pédologiques du Canada et des études sur les engrais utilisés pour diverses cultures. Les études sur les aptitudes des sols prennent de plus en plus d'importance par suite de l'expansion urbaine qui s'approprie les meilleures terres agricoles et de la menace d'une famine mondiale.

L'assainissement du milieu constitue un nouvel objectif de la recherche agricole. Les scientifiques surveillent les cours d'eau et les lacs afin de dépister toute

Les fermes tapissent le vaste sol productif de la Saskatchewan. ➝

Vaporisation des pommes de terre dans l'Île-du-Prince-Édouard.

pollution causée par les fertilisants, les déchets animaux et les pesticides chimiques. Ils analysent soigneusement les produits alimentaires pour s'assurer qu'ils sont exempts de résidus chimiques. Le perfectionnement de la méthodologie analytique indispensable à ces contrôles se poursuit sans cesse.

La recherche environnementale

Le Service de la conservation de l'environnement (SCE) veille à l'utilisation judicieuse et avisée de la faune, de l'eau et des terres du Canada, et met de l'avant le potentiel économique de la gestion et de la valorisation des ressources renouvelables. Le Service se compose de trois directions générales décentralisées au niveau régional: Eaux intérieures, Faune et Terres. Une autre direction générale, Élaboration des politiques et des programmes, est responsable de la planification et de l'élaboration de politiques pour tout le Service; elle gère également plusieurs programmes nationaux auxquels participent plus d'un des secteurs opérationnels. Le SCE prend largement part à la recherche et à la surveillance relatives aux substances toxiques, élabore des plans d'aménagement des zones côtières avec les provinces, fournit des renseignements de base sur les grandes installations énergétiques et sur les effets des précipitations acides sur les systèmes aquatiques et la faune.

Le Service canadien des forêts (SCForêts) administre des programmes de gestion et de conservation de la ressource forestière et joue le rôle de leader fédéral en matière de foresterie. En plus de l'administration centrale, où on s'occupe surtout de politiques et d'économie, le Service compte deux instituts nationaux et six centres de recherche appropriés aux diverses possibilités régionales et conformes aux objectifs nationaux. Les principales recherches du SCForêts portent sur la régénération, y compris la reproduction des arbres, la compilation et l'analyse de données forestières nationales, la lutte contre la tordeuse des bourgeons de l'épinette, diverses techniques visant à tirer de l'énergie de la biomasse forestière, les substances toxiques, en particulier les insecticides chimiques, le transport à distance de polluants atmosphériques et la mise au point de méthodes de lutte biologique contre les ravageurs forestiers. Le SCForêts insiste sur la mise en pratique de la recherche et s'intéresse aux effets sur l'environnement des pratiques d'exploitation forestière. Il est également engagé dans des programmes avec Emploi et Immigration, Expansion économique régionale et des organismes provinciaux en vue d'établir des pratiques de gestion intensive des forêts.

Le *Service canadien de la faune* (SCFaune) administre des programmes visant à gérer et protéger les oiseaux migrateurs et leurs habitats au Canada et ailleurs. Les activités de développement économique croissantes qui menacent les habitats, et l'intérêt grandissant du public pour la faune représentent des défis à relever dans l'exécution des responsabilités fédérales en matière d'oiseaux migrateurs. Le SCFaune contrôle et réglemente la chasse aux oiseaux aquatiques au Canada et s'occupe aussi de la conservation des populations d'oiseaux non considérées comme gibier tels que les oiseaux de mer, de rivage et chanteurs. Les programmes entrepris récemment comprennent: efforts accrus de recherche sur les oiseaux de mer des côtes atlantique et pacifique; études sur les oiseaux de rivage de la baie James; inventaires et recherche sur le grand héron et le cormoran à aigrettes au Québec; études sur l'écologie alimentaire et les besoins de nidification de la sterne commune dans les Grands lacs, et l'élaboration de stratégies de développement et de gestion de régions comme celle du Lac de la Dernière-Montagne (Saskatchewan) et les refuges

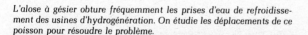

*L'alose à gésier obture fréquemment les prises d'eau de refroidisse-
ment des usines d'hydrogénération. On étudie les déplacements de ce
poisson pour résoudre le problème.*

d'oiseaux migrateurs des Territoires du Nord-Ouest. Afin de protéger les habitats des oiseaux migrateurs, le SCFaune a déjà créé plus de 40 réserves nationales de faune dans tout le Canada et projette d'en établir d'autres.

De plus, le SCFaune exécute des recherches sur des animaux d'intérêt national, autres que les oiseaux migrateurs, s'occupe de la préservation des habitats et assiste les provinces et les Territoires dans leurs efforts de conservation de la faune. Parmi les secteurs d'intérêt, on compte les espèces rares et menacées, les populations internationales et interprovinciales, la faune sur les terres fédérales, et la santé des animaux, en particulier la parasitologie, la pathologie et les répercussions des contaminants de l'environnement. Des programmes récemment entrepris comprennent un plan de gestion de la population de castors de la réserve nationale de faune du cap Tourmente (Québec), des études sur les animaux à fourrure et les cerfs des parcs nationaux en Ontario, la réintroduction du bison des bois dans les provinces de l'Ouest et des travaux de recherche coopérative sur la harde de caribou au Yukon, ainsi que des négociations pour la création d'une entente internationale en vue de la gestion de ce cervidé.

Le programme de recherche de la *Direction générale des eaux intérieures* (DGEI) est exécuté surtout par l'Institut national de recherche sur les eaux à Burlington (Ont.), et par l'Institut national de recherche hydrologique dans la région de la capitale nationale. De petits groupes de recherche travaillent également à Winnipeg, Calgary et Vancouver.

La recherche sur la qualité de l'eau sert de base à l'établissement des objectifs à cet égard et permet de fixer des mesures pour la gestion du milieu aquatique au Canada. Les projets portent entre autres sur le mouvement des contaminants toxiques, les changements écologiques découlant de l'activité humaine et la compréhension des mécanismes à l'origine de ces changements, et le rôle des sédiments dans le contrôle de la qualité de l'eau.

La recherche quantitative sur l'eau est fondée sur le besoin de résoudre des problèmes pratiques qui exigent une compréhension et une quantification des processus concernant l'hydrologie des eaux de surface, le transport des sédiments, l'hydrologie de la neige et de la glace et l'hydrogéologie.

La DGEI a mis au point des modèles de prédiction de l'écoulement qui peuvent être manipulés pour faire des expériences au sujet des processus hydrologiques comme l'évapotranspiration, la fonte des neiges et des glaciers, l'humidité du sol, et la mécanique du mouvement des eaux souterraines. Des recherches portent sur l'hydrologie des environnements du Nord et les effets de l'activité humaine comme la construction de pipelines et de routes, le rôle des glaciers à titre de réservoirs naturels et variables d'eau, et les processus hydrogéologiques qui déterminent le mouvement des contaminants souterrains provenant par exemple des remblais, des sels routiers et des déchets radioactifs.

La *Direction générale des terres* effectue des recherches importantes sur la classification des terres et l'analyse des causes et des implications des changements dans leur utilisation. On vise à établir de meilleures méthodes de relevé et de classification en fonction de caractéristiques écologiques, des possibilités d'utilisation et de l'utilisation actuelle. Ces techniques sont employées dans les études sur les ressources pour déterminer les possibilités d'aménagement des terres et les besoins en matière de gestion de l'environnement. Dans les relevés des ressources et les systèmes de contrôle de l'utilisation des terres, on a amplement recours aux images transmises par satellite et à la photographie aérienne à haute altitude. Les études actuelles portent notamment sur les possibilités d'utilisation des terres,

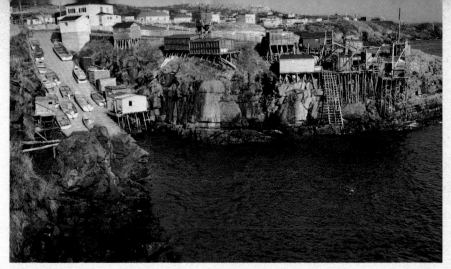

Pouch Cove (T.-N.).

l'impact des programmes fédéraux sur les terres; l'emploi de nouvelles techniques de planification, l'analyse des changements autour des centres urbains et l'établissement de cartes des zones critiques.

La Direction s'occupe également de l'élaboration d'une politique fédérale concernant l'utilisation des terres et représente Environnement Canada auprès du Comité consultatif de la gestion des terres fédérales du Conseil du Trésor. Parmi les services de planification figurent les conseils dispensés aux organismes provinciaux et fédéraux au sujet des revendications territoriales des autochtones, l'information sur l'utilisation des terres dans le Nord et la planification des terres en fonction des ressources. Des conseils et de l'aide sont également dispensés à d'autres pays en matière de politiques et d'études sur l'utilisation des terres.

Le **Service de l'environnement atmosphérique** (SEA) s'occupe surtout de météorologie, la science de l'atmosphère. Il fournit un service national de météorologie et de climatologie à l'intention du public et d'utilisateurs particuliers. Depuis 1958 il détermine l'état des glaces pour aider la navigation dans les eaux intérieures, les eaux côtières et l'archipel de l'Arctique. Il effectue aussi de la recherche météorologique, de la recherche relative aux effets des polluants sur l'atmosphère terrestre, et met au point des instruments.

La recherche porte surtout sur des polluants comme les fréons qui modifient la stratosphère, en particulier la couche d'azone, et risquent d'avoir des effets nuisibles sur l'homme, les animaux et les plantes. Les constituants importants de la stratosphère sont actuellement mesurés par le SEA afin de déterminer l'équilibre photochimique de la stratosphère non perturbée et de vérifier les taux de réaction photochimique nécessaires pour la construction de modèles de comportement. Ces modèles indiquent que les effets de la pollution ne sont pas négligeables.

Les tendances et les variations climatiques qui peuvent sensiblement modifier l'énergie de production agricole, et d'autres facteurs écologiques ayant une influence sur le bien-être de l'homme, sont analysées afin de déterminer les processus physiques de base en vue de prédictions à long terme des conditions météorologiques et climatiques. Le SEA porte une attention particulière au problème de la croissance des concentrations d'anhydride carbonique (CO_2) dans l'atmosphère et de leurs effets possibles sur le climat. Il déploie en outre des efforts spéciaux pour aider l'industrie canadienne à se procurer des données et des services de consultation au sujet du climat.

La mise au point d'un système global de prédictions environnementales à l'appui de nombreuses activités dans l'Arctique, notamment des forages pétroliers dans la mer de Beaufort, se poursuit. De nouvelles techniques d'assimilation des données et de prédiction numérique sont mises en application, et d'autres sont en voie d'élaboration au Centre canadien de météorologie. Grâce à des méthodes informatiques perfectionnées de traitement des données fournies par satellite. Le SEA obtient des photographies des systèmes météorologiques de très haute qualité, qu'utilisent les principaux centres de météorologie du Canada.

Un important programme du ministère vise à établir les causes et les effets des précipitations acidiques dans l'Est du Canada; d'après certaines études, l'emploi de combustibles fossiles est l'une des principales sources de pollution. C'est pourquoi on en évalue les répercussions possibles sur l'écosystème des lacs et des forêts du Canada. Des négociations se poursuivent avec les États-Unis en vue de diminuer les effets des précipitations acidiques.

Le Service de la protection de l'environnement (SPE) élabore des directives, fixe des exigences et promulgue des règlements relatifs à la protection de l'environnement, de concert avec les provinces et l'industrie. Il s'occupe de pollution de l'air et de l'eau, de gestion des déchets (y compris les déchets dangereux), de conservation des ressources, de contaminants, de contrôle et d'évaluation des incidences environnementales et d'urgences environnementales. Le Service fait des évaluations, s'occupe de surveillance, mène des négociations et applique les mesures nécessaires au respect des lois fédérales relatives à la protection de l'environnement et ce, de concert avec les provinces; il identifie et résout les problèmes de pollution, élabore et expose aux intéressés des techniques anti-pollution et tient lieu de lien central avec les autres ministères et organismes fédéraux et le grand public pour ce qui est des questions de protection de l'environnement. Les problèmes nouveaux des années 80, comme la limitation des substances toxiques, le transport à distance de polluants atmosphériques et la gestion des déchets dangereux, font partie des priorités non seulement du SPE mais du ministère en général.

Au SPE, c'est la *Direction générale de l'assainissement de l'air* qui s'occupe de pollution atmosphérique. Dans ce domaine, l'un des problèmes les plus pressants que doit affronter le Canada est le transport à distance de polluants atmosphériques, qui donne lieu à des précipitations acides. Ce phénomène, aussi connu sous le nom

Technicien en foresterie collectant des insectes d'arbres à des fins de recherche.

Tulipes le long de la Promenade à Ottawa.

de pluies acides, a des effets nuisibles sur les lacs, les cours d'eau, les forêts, les terres agricoles et les constructions. Un comité fédéral-provincial a été formé dans le but de prévoir, d'élaborer et d'évaluer des stratégies de lutte.

Parmi les activités de la Direction générale dans le domaine de l'avancement et de la diffusion technologique, citons: administration de programmes à frais partagés avec l'industrie canadienne pour la création et la démonstration de nouvelles techniques anti-pollution; élaboration et certification de techniques analytiques nécessaires à l'appui des règlements et directives; rédaction de documents normalisés de référence destinés aux laboratoires analytiques de tout le Canada; prestation d'un service informatisé de renseignements techniques portant sur la lutte contre la pollution de l'air; et formation et accréditation d'inspecteurs, d'analystes et d'agents de contrôle nommés en vertu de la Loi sur la lutte contre la pollution atmosphérique.

La *Direction générale du contrôle des incidences environnementales* est responsable de la lutte contre les contaminants, des interventions d'urgence environnementale et de la gestion des déchets.

La Direction des contaminants de l'environnement classe et évalue les produits chimiques nouveaux et existants afin de déterminer si leur utilisation aura des effets nuisibles sur la santé de l'homme et le milieu; elle s'occupe aussi de la conception des instruments de lutte, en vertu de la Loi sur les contaminants de l'environnement qui est appliquée de façon conjointe avec le ministère de la Santé nationale et du Bien-être social. De plus, la Direction fournit au ministère des Transports un service de consultation technique pour l'élaboration de codes et de directives applicables au transport de matières dangereuses.

Champ de fleurs sur l'île Herschel dans l'Ouest arctique.

La Direction des interventions d'urgence voit à prévenir les déversements accidentels d'hydrocarbures et d'autres substances dangereuses, à élaborer des plans d'urgence en cas de tels déversements, à créer des techniques nouvelles de lutte ou de nettoyage et à gérer un réseau national d'alerte assurant une réaction efficace et rapide en cas de danger. Elle s'occupe également de coordonner, s'il y a lieu, les actions des gouvernements fédéral et provinciaux et de l'industrie face aux urgences, grâce à l'équipe nationale des interventions d'urgence.

La Direction des déchets veille à la gestion des déchets solides et dangereux et à la conservation des ressources. Elle administre, avec les provinces, l'industrie et le public, un programme national de gestion intégrale des déchets dangereux.

La *Direction générale de la pollution des eaux* gère un programme national visant à nettoyer les plans et cours d'eau déjà pollués et à freiner l'avancement de la pollution afin d'assurer une qualité de l'eau qui convienne à la vie aquatique et à certains autres usages. On y met sur pied des programmes concernant le progrès technologique, dans le but de concevoir des méthodes nouvelles ou améliorées de traitement des eaux usées afin de résoudre certains problèmes de lutte contre la pollution ou de réduire les frais des activités anti-pollution, de mettre au point des techniques et équipements canadiens nouveaux, ou encore d'adapter à la situation canadienne des techniques créées à l'étranger.

Compte tenu de l'étude en cours sur le rôle du gouvernement fédéral dans le domaine de la protection de l'environnement, l'orientation future du Programme national de la pollution de l'eau sera modifiée et portera de façon plus directe sur la limitation de certaines substances toxiques, la mise au point de dispositifs anti-pollution propres à certains endroits précis en rapport avec toute une gamme de responsabilités fédérales, y compris celles ayant trait aux questions internationales et interprovinciales, et l'intensification de la collaboration et de la coordination entre les différents organismes et industries œuvrant dans le domaine du développement technologique.

Énergie, mines et ressources

Le ministère de l'Énergie, des Mines et des Ressources est le principal organe fédéral chargé de la formulation des politiques et de la recherche sur les ressources énergétiques et minérales. A ces activités sont associés les levés et la cartographie, la télédétection des terres et des eaux canadiennes au moyen d'aéronefs et de satellites et les efforts en vue de protéger l'environnement, ainsi que la santé et la sécurité des Canadiens qui travaillent dans les mines et domaines connexes.

L'activité est répartie entre trois secteurs: Politique énergétique, Politique minérale et Sciences et Technologie. Les deux premiers s'occupent surtout d'études, d'analyses et de recommandations en matière de politiques dans leurs domaines respectifs; le troisième, où certaines directions existent depuis des dizaines d'années, s'occupe surtout de recherche scientifique et technique ainsi que de levés et de cartographie.

Depuis la crise pétrolière de 1973-74, au cours de laquelle les prix du pétrole ont subitement quadruplé et l'incertitude quant aux approvisionnements futurs en pétrole s'est accrue, les programmes énergétiques du ministère de l'Énergie, des Mines et des Ressources sont axés sur un objectif national de sécurité des approvisionnements en énergie. Le ministère a reçu pour mandat d'élaborer et de proposer des programmes qui contribuent à atteindre cet objectif, notamment à accroître la disponibilité intérieure d'énergie, à accélérer le remplacement du pétrole comme source d'énergie par des ressources plus abondantes et à mettre en place des programmes d'économies d'énergie. Des mesures très précises ont été adoptées afin de permettre l'implantation de la politique du prix uniforme du pétrole d'un bout à l'autre du pays, le niveau des prix étant fixé selon la conjoncture canadienne.

Un certain nombre d'initiatives ont été annoncées en avril 1980, au début de la nouvelle session parlementaire, et le ministère travaille depuis lors à les mettre à exécution. Voici certaines des mesures préconisées: établissement d'un nouveau prix combiné du pétrole qui absorbera progressivement le coût du Programme d'indemnisation des importateurs de pétrole tout en maintenant un prix unique au pays, et en protégeant le droit qu'ont les provinces productrices et les sociétés pétrolières d'obtenir un rendement équitable de leurs ressources et de leur investissement; création d'une Agence de surveillance des prix du pétrole qui enquêtera et fera rapport sur les coûts, les bénéfices, les frais d'immobilisation et le degré de propriété canadienne des sociétés pétrolières; création de nouveaux programmes d'économies d'énergie dans les secteurs industriel et résidentiel et le secteur du transport; incitation des consommateurs à se servir du gaz naturel ou de l'électricité au lieu du pétrole et mise en œuvre de projets visant à approvisionner l'Est du Québec et les provinces Maritimes en gaz naturel; élargissement du rôle tenu par Petro-Canada à titre de société à caractère national, de façon à lui confier la responsabilité de négocier des achats de pétrole et de conclure des accords avec des fournisseurs étrangers; rédaction d'une nouvelle Loi sur le pétrole et le gaz canadiens de façon à prévoir de nouveaux droits préférentiels pour Petro-Canada et d'autres sociétés canadiennes sur des terres de la Couronne et à établir une réglementation plus rigoureuse des travaux d'exploration et d'exploitation dans les régions pionnières prometteuses; création d'une Société des énergies de substitution afin de stimuler l'exploitation de nouvelles sources d'énergie et de sources d'énergie renouvelables, en remplacement du pétrole; adoption d'un objectif spécial qui consiste à assurer la propriété canadienne à 50% au moins de l'industrie pétrolière d'ici 1990.

La crise du pétrole de 1973 a entraîné des changements dans l'organisation industrielle mondiale et dans les courbes du commerce international. Le Secteur de la politique minérale, en fonction de ses rôles de coordination et d'élaboration de politique, et le sous-secteur de l'analyse économique et politique, en raison de son rôle analytique, cherchent, de concert avec les gouvernements provinciaux et l'industrie, à trouver des solutions qui permettraient d'aider l'industrie minière à s'adapter à cette nouvelle conjoncture internationale, tout en améliorant les conditions de vie et de travail dans les collectivités minières du Canada. Afin de contribuer à la découverte et à la mise en valeur de gisements miniers et à la création d'emplois, le Secteur de la politique minérale gère (en collaboration avec le MEER) les accords d'exploitation minière passés avec plusieurs provinces.

Le Secteur des sciences et de la technologie du ministère comporte les directions suivantes: Commission géologique du Canada, Centre canadien de la technologie des minéraux et de l'énergie (CANMET), Direction de la physique du globe, Centre canadien de télédétection, Direction des levés et de la cartographie, Direction des explosifs, Étude du plateau continental polaire, Centre canadien des données géoscientifiques et Bureau de recherche et de développement énergétiques.

La Commission géologique a pour tâche principale d'évaluer les ressources minérales et énergétiques; elle mène donc des études scientifiques à ce sujet. Des travaux sur le terrain sont effectués dans la plupart des régions, mais plus particulièrement dans les régions septentrionales et au large des côtes. Outre les études visant à mieux comprendre l'évolution et la composition de la croûte terrestre en sol canadien, les géologues ont entrepris des évaluations du potentiel pétrolier et gazier du Canada, qui tiennent notamment compte de considérations relatives aux coûts.

D'importants progrès dans l'application de techniques géophysiques et géochimiques de recherche de minerais métalliques ont culminé en la publication d'un rapport de 800 pages utilisé dans de nombreux pays. Des études de la côte du Labrador ont permis d'en déterminer la perturbabilité, dans le cas d'une fuite de pétrole, des études d'autres terres, particulièrement dans le Nord, ont permis d'établir la résistance du sol aux pressions créées par la construction de pipelines et d'autres installations de transport. La Commission géologique a également poursuivi son étude des gisements d'uranium et d'autres dépôts métallifères afin de fournir un meilleur cadre national de recherche des richesses minérales.

CANMET effectue ses recherches dans des laboratoires et des usines pilotes, dans la région d'Ottawa, à Elliot Lake (Ont.), à Calgary et à Edmonton. Depuis quelques années, la Direction a pour objectif premier d'assurer des approvisionnements suffisants en énergie et en minéraux et une utilisation efficace de ces ressources au pays. Le charbon, les sables bitumineux et les pétroles lourds ont fait l'objet d'une attention particulière. Des progrès ont été faits dans l'étude de la combustion du charbon en suspension dans du pétrole, la combustion du charbon sur lit fluidisé et la transformation de charbon en pétrole et en gaz. Afin d'aider l'industrie minière du Canada à diminuer ses coûts et à améliorer la sécurité de l'extraction minière à ciel ouvert, CANMET a publié un manuel complet traitant des bancs de carrières. La santé et la sécurité des mineurs ont été améliorées grâce à la recherche de CANMET en vue de détecter et d'éliminer les poussières et les gaz nocifs et d'améliorer le contrôle du sol dans les mines souterraines.

Des considérations environnementales ont mené aux études sur les moyens d'éliminer l'acidité et les métaux lourds des résidus des mines de minerai sulfureux, le radium des résidus des mines d'uranium d'Elliot Lake et la cyanure des résidus des usines de broyage de l'or. Le but de réduire la consommation d'essence des automobiles par la fabrication de voitures plus légères, tout en prolongeant leur vie, est à l'origine d'un programme de CANMET visant à mettre à l'épreuve l'aluminium et les alliages plus légers et plus résistants qui pourraient servir à la fabrication des carrosseries.

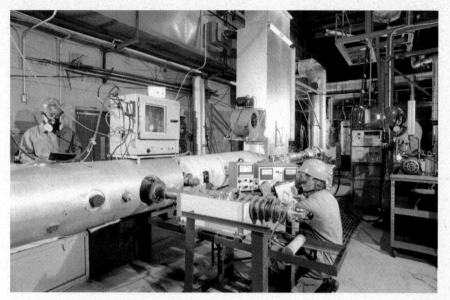

Techniciens du ministère de l'Énergie, des Mines et des Ressources testant du matériel employé dans l'étude de la pollution atmosphérique causée par la combustion.

Les géophysiciens du ministère effectuent de la recherche sur les particularités sismiques, géothermiques, géomagnétiques, gravitationnelles et géodynamiques du sol canadien. De nouvelles techniques de détection des tremblements du sol ont été mises à l'essai au large de la côte Ouest du Canada, et des études en cours en Colombie-Britannique et en Alberta devraient permettre de déterminer le potentiel d'énergie géothermique de ces régions. D'autres études géophysiques portent sur la répartition et l'épaisseur du pergélisol dans l'Arctique, la dérive du continent, la structure du fond océanique au large des côtes du Canada, l'exploitation géophysique du bassin de l'Arctique et des observations gravimétriques.

Le Centre canadien de télédétection est chargé de la mise au point et de la démonstration de systèmes, de méthodes et d'instruments d'acquisition, d'analyse et de communication de données de télédétection par aéronef et satellite, et de contribuer à l'élaboration de systèmes efficaces de gestion des ressources et de communication de données ayant trait au sol et aux océans canadiens. Les applications sont nombreuses: agriculture, génie forestier, géologie, océanographie, génie, gestion des ressources hydrauliques et détection des glaces. Sous l'égide du Comité inter-organisme sur la télédétection du gouvernement fédéral, le Centre dessert les ministères et organismes fédéraux et provinciaux, les organismes régionaux, l'industrie, les universités et le grand public. Par ailleurs, par la voie du Comité consultatif canadien sur la télédétection, le Centre coordonne les travaux de télédétection dans tout le pays. Il préconise aussi la coopération internationale pour l'utilisation de la technologie spatiale à des fins pacifiques.

La Direction des levés et de la cartographie compile, imprime et distribue des cartes topographiques, aéronautiques et spécialisées, par exemple des cartes de circonscriptions électorales, des limites territoriales, et des cartes à caractère général. Elle établit et maintient les grilles de levés de contrôle géodésique fondamental, gère et réglemente l'arpentage des terres de la Couronne, et collabore avec les États-Unis à l'entretien de la frontière internationale. Elle produit des répertoires de noms géographiques et l'Atlas du Canada.

L'Étude du plateau continental polaire assure le soutien logistique de communications et de l'hébergement, à l'appui des recherches et levés dans le Nord de l'Arctique. Durant les dernières années, elle a mis à l'épreuve le milieu arctique, pour connaître sa réaction à l'activité industrielle, telle que l'exploration pétrolière et la construction de pipelines.

Le Bureau de recherche et de développement énergétiques a pour mission principale de coordonner et de stimuler une gestion améliorée de tous les travaux de recherche et de développement fédéraux en matière d'énergie.

Recherche médicale et sanitaire

La recherche biomédicale au Canada s'effectue surtout dans les laboratoires des universités et dans les hôpitaux qui leur sont affiliés. La majeure partie du soutien financier des coûts d'exploitation directs de la recherche est accordée par le gouvernement fédéral sous forme de subventions ou contributions aux chercheurs, dont les salaires proviennent essentiellement des fonds universitaires. Les organismes bénévoles comme l'Institut national du cancer du Canada, la Fondation canadienne des maladies du cœur, la Société canadienne contre l'arthrite et le rhumatisme, et d'autres qui se procurent des fonds au moyen de campagnes publiques, contribuent de plus en plus au soutien de la recherche sanitaire. La participation des gouvernements provinciaux s'est également accrue ces dernières années.

En 1979, plus de 2,500 chercheurs ont reçu des subventions de recherche. L'éventail de leurs travaux allait de la mise au point de méthodes pour la lecture automatisée des rayons X et les essais cliniques de médicaments pour la prévention des congestions cérébrales jusqu'à la recherche fondamentale sur l'immunologie en transplantation. Les deux principaux organismes fédéraux chargés de la recherche sanitaire sont le Conseil de recherches médicales, qui subventionne surtout la recherche dans les universités, et la Direction du Programme de recherche et développement du ministère de la Santé nationale et du Bien-être social, qui s'intéresse particulièrement à la biologie des populations, à l'administration des soins sanitaires et à la modification des habitudes de vie afin de prévenir la maladie.

Caribous en migration dans l'Arctique.

Campement de scientifiques à Cunningham Inlet, île Somerset (T.N.-O.).

Le ministère de la Santé nationale et du Bien-être social effectue également des travaux de recherche dans ses propres laboratoires. On peut mentionner entre autres la mise au point d'une préparation pour l'absorption lente de la médication anti-tuberculeuse isoniazide, ce qui permet d'administrer des doses plus élevées aux Inuit, qui sont très fortement exposés. On a fait de grands progrès dans les essais cliniques des vaccins contre la rubéole, et on observe une activité accrue du côté des problèmes de réadaptation mentale et physique.

Recherches sur le Nord

Depuis longtemps le Canada reconnaît la contribution des recherches au développement socio-économique du Nord. En plus, cette région présente certaines caractéristiques d'un intérêt particulier pour la communauté scientifique.

Cela étant, le ministère des Affaires indiennes et du Nord canadien a conçu certaines mesures à long terme pour encourager et soutenir la recherche dans le Nord. Il subventionne la formation de certains étudiants du deuxième cycle. De plus, dans le cadre de son Programme de centres de ressources scientifiques du Nord, il exploite le Centre de ressources scientifiques de l'ouest de l'Arctique à Inuvik, ainsi que celui de l'est de l'Artique à Igloolik, afin d'y accueillir des scientifiques venant des services gouvernementaux, de l'université et de l'industrie. Il projette de créer d'autres centres semblables à Whitehorse (Yukon) et à Yellowknife (T.N.-O.).

Pourtant ces initiatives ne pourront pas combler les besoins du ministère en ce qui touche les recherches indispensables pour soutenir ses programmes d'expansion ou pour obtenir certaines données nécessaires à l'exécution de son mandat sur le plan administratif et de la réglementation. A ces fins, il a adopté d'importants programmes à court terme de recherches appliquées, dont le Programme socio-environnemental, celui des pipelines dans le Nord, le projet de la mer de Beaufort, des études sur les déversements d'hydrocarbures et sur l'évacuation des déchets, ainsi que d'autres de nature socio-économique régionale.

Récemment, le ministère a pris diverses mesures en vue d'établir un nouveau cadre de travail et de recherche scientifiques dans le Yukon et les Territoires du Nord-Ouest, de manière à ce que les sciences et la recherche répondent mieux aux besoins et aux intérêts du Nord.

Communications

La révolution des télécommunications

D'un océan à l'autre, du nord au sud, voire de la surface de la Terre à la limite de l'Espace, le Canada est servi par un vaste réseau de télécommunications constitué de câbles souterrains, sous-marins et terrestres, de lignes aériennes, de pylônes à hyperfréquences et d'une série de satellites sur orbite. Ensemble, ces éléments relient les Canadiens à presque tous les postes téléphoniques, tant à l'intérieur du pays qu'à l'échelle du monde industrialisé, et leur permettent l'accès à toute une gamme d'installations radiophoniques, télévisuelles et informatiques.

Dès la fin des années 70, ces systèmes avaient réduit la planète à un immense village électronique. La plupart des techniques ayant été mises au point, on peut rêver du jour où un écran de télévision transformera le salon en salle de conférence, en bureau, en bibliothèque et même en clinique médicale ou centre commercial.

Les systèmes de ce genre ont franchi l'étape de la conception théorique. En 1978, le ministère fédéral des Communications faisait la démonstration du Télidon, système de télévision bilatérale qu'il a mis au point. A partir de leur salon ou de leur bureau, les utilisateurs du Télidon peuvent communiquer directement avec des bases de données, à l'aide d'un téléviseur ordinaire légèrement modifié, pour recevoir au petit écran textes et images graphiques.

Le système Télidon, compatible avec la transmission téléphonique, la câblodistri-

Grâce à sa technique avancée, le Télidon peut transmettre électroniquement une vaste gamme de dessins.

bution, la radiodiffusion et la télécommunication par satellite, est mis à l'essai par Bell Canada (qui a recours aux techniques du Télidon pour son système vidéotex Vista), la Manitoba Telephone Company, l'Alberta Government Telephones, la New Brunswick Telephone Company, l'Office de la télécommunication éducative de l'Ontario et Télécâble-Vidéotron de Montréal. En 1980-81, 1,500 terminaux de Télidon étaient affectés à des expériences pilotes dans 21 villes et localités du Canada.

Dans les années 70, des découvertes effectuées dans trois importants domaines de la technologie ont contribué à la révolution des télécommunications: les micro-ordinateurs, fibres optiques et satellites de télécommunication. Dans un avenir prévisible, ces découvertes pourront amener des téléviseurs d'une capacité de 200 canaux, le courrier électronique, les vidéophones et une gamme de services à domicile (impression mécanographique, journaux, patrons de vêtements, recettes de cuisine, etc.).

La nouvelle génération des petits ordinateurs peu coûteux qui ont envahi le marché au cours de cette décennie a permis de transmettre par voie numérique moins chère, plus rapide et plus précise, les signaux de téléphone, d'images et de données autrefois acheminés en mode analogique. (Les messages transmis en mode analogique sont reconstitués sous forme «d'images» électroniques analogues aux messages initiaux, mais ceux transmis par voie numérique ne le sont pas.)

Les fibres optiques, technique nouvelle de communications, permettront aux télécommunicateurs d'accroître considérablement leur capacité de transmission d'information à bien meilleur prix. Cette technique utilise des impulsions lumineuses injectées dans des fibres de verre de la dimension d'un cheveu, à la place des signaux de communication électrique classiques. On peut ainsi transmettre mille fois plus de données qu'au moyen des câbles téléphoniques ordinaires en cuivre.

Les méthodes de la transmission sur fibres optiques font déjà l'objet d'expériences pilotes. En février 1979, le ministère fédéral des Communications et l'Association canadienne des entreprises de télécommunications (ACET) ont signé une entente en vue de la réalisation d'une expérience conjointe d'une valeur de $6.1 millions à Elie, petite ville du Manitoba, au cours des cinq années ultérieures.

Le premier essai à être effectué en conditions réelles au Canada a commencé en octobre 1977, lorsque la société Bell Canada et sa filiale, les Recherches Bell Northern, ont installé un câble souterrain de fibres optiques de 1.42 km entre deux centres de commutation à Montréal. En décembre 1978, Bell Canada a entrepris une deuxième expérience pilote à Yorkville (Toronto) – la première à utiliser les fibres optiques pour le service téléphonique résidentiel. De 1980 à 1982, Bell Canada prévoit que les progrès techniques et l'aspect économique de ce système en justifieront l'emploi massif dans les réseaux de communication urbains.

Dans le cadre d'un programme visant à relier certaines localités de la Saskatchewan par un réseau de fibres optiques à large bande d'ici 1984, la Saskatchewan Telecommunications a accordé un contrat à la Northern Télécom (Canada) Limitée, pour l'achat de câbles de fibres optiques et de matériel connexe. Pour réaliser ce projet, la Northern Télécom construit une usine de fabrication de fibres optiques de $11 millions à Saskatoon.

La technologie des satellites est le troisième domaine dont l'évolution aura des répercussions sur les télécommunications des années 80. Ils nous relient au reste du globe. Comme de gigantesques pylônes à hyperfréquences placés sur orbite autour de la Terre, ils assurent l'acheminement des signaux téléphoniques, d'images et de données. De plus, les coûts de transmission par satellite entre Montréal et Toronto sont les mêmes qu'entre Montréal et Vancouver. Les projets pilotes d'Anik B font l'essai d'applications nouvelles telles que la télémédecine, le téléenseignement et l'interaction communautaire.

Le Canada est à l'avant-garde de la technologie des satellites depuis 1962, date du lancement d'Alouette I, et il compte neuf satellites sur orbite et plusieurs autres à l'état de projet. Anik I, premier satellite commercial national de télécommunication au monde, a été lancé en 1972 et les satellites de réserve Anik II et III, lancés en 1973 et en 1975, ont une vie utile de sept ans. Jusqu'au milieu de la présente décennie, la nouvelle génération de satellites, Anik B, C et D, aura entièrement remplacé la série Anik A avec un rayonnement beaucoup plus étendu. Le premier de la nouvelle série, Anik B de Télésat Canada, a été lancé en 1978.

En outre, un satellite de grande puissance *Hermès* a été lancé en 1976. Précurseur des satellites de radiodiffusion directe et résultat d'un programme conjoint du ministère des Communications et de la NASA, *Hermès* a été conçu et fabriqué au

Les fournisseurs canadiens d'information destinée au Télidon, système vidéotex et télétext conçu au Canada, ont constaté que ce dernier est supérieur pour la production, le traitement et le stockage des graphiques et textes.

Canada puis lancé par les États-Unis. La durée de vie utile de *Hermès*, estimée au départ à deux ans, a pratiquement doublé et on a réussi à l'exploiter jusqu'au 24 novembre 1979.

Le Conseil des Sciences du Canada a résumé dernièrement en ces termes l'importance des satellites du genre *Hermès:* «Il est probable que les communications interurbaines seront acheminées par des satellites de puissance connectant des stations terrestres de faible puissance, relativement peu coûteuses. Au Japon, on fabrique déjà des antennes réceptrices paraboliques, qui se vendront moins de \$200.» Le Canada exerce un rôle de premier plan dans le domaine des techniques de radiodiffusion directe. De petites antennes paraboliques d'à peine un mètre de diamètre, conçues au Canada, sont déjà exploitées dans quelque 45 foyers et collectivités des régions éloignées, pour recevoir les signaux des stations de télévision canadiennes transmis par Anik B. Avant longtemps, des antennes communautaires ou des récepteurs installés sur le toit des maisons permettront peut-être de capter directement les signaux transmis par satellite.

La multiplicité des prodiges de la télécommunication dissimule peut-être bien des surprises. Déjà, les sociétés canadiennes de télécommunication, de radiodiffusion et de câblodistribution s'interrogent sur leur rôle futur. En 1979, le Comité consultatif sur les répercussions des télécommunications en ce qui a trait à la souveraineté canadienne fait la mise en garde suivante: «Il n'est plus possible de distinguer, comme on le faisait il y a 10 ou 15 ans, entre les technologies de la télégraphie, de la téléphonie, de la radiocommunication et de l'informatique. Elles interviennent toutes, à des degrés divers, dans presque chaque mode de télécommunication, soit en combinaison, soit en concurrence; ce qui sape à la base la structure des télécommunications instaurée au cours des 130 dernières années.»

Règlements et services du gouvernement fédéral

Le ministère fédéral des Communications, créé en 1969, est chargé d'assurer à tous les Canadiens le meilleur accès possible à une vaste gamme de services de télécommunication, à un prix raisonnable. Il lui incombe de veiller à l'adoption, à la mise au point et à la vérification des nouvelles techniques d'information, particulièrement du point de vue de leur incidence sur l'économie et les valeurs sociales et culturelles du Canada et sur la qualité de vie au pays. Le ministère est réparti en quatre grands secteurs: politiques; programme spatial; recherche; gestion du spectre et des télécommunications gouvernementales.

Secteur des politiques

Le secteur des politiques s'intéresse particulièrement aux effets à long terme de la révolution de l'information qui se prépare. Parmi les questions étudiées dernièrement, mentionnons le droit d'accès à la communication; les conséquences des systèmes informatisés sur la vie privée des citoyens; les répercussions des techniques nouvelles sur l'industrie canadienne et le milieu de travail; la portée de la nouvelle technologie sur les sphères de compétence fédérale et provinciale en matière de télécommunication; le rôle et la structure que l'avenir réserve aux télécommunicateurs, câblodistributeurs, sociétés de radiodiffusion et autres éléments du réseau de télécommunications; et l'instauration de la télévision à péage au Canada. Le secteur des politiques exerce également un rôle important en tant que coordonnateur de la planification des télécommunications dans le Nord, ce qui englobe l'étude des meilleurs moyens d'assurer des communications efficaces pour l'exploration pétrolière dans le plateau continental du Grand Nord, particulièrement par satellite. Le secteur s'occupe de nos relations internationales dans le domaine des télécommunications.

Secteur du programme spatial

Le secteur du programme spatial veille à l'exploitation des satellites scientifiques canadiens (ISIS); met en œuvre des programmes tels que *Hermès*, et celui de la série Anik B; effectue des travaux de R-D; parraine le transfert de la technologie à l'industrie; fournit l'aide technique aux activités de commercialisation à l'échelle internationale. En outre ce secteur assure la gestion d'installations auxquelles l'industrie canadienne peut recourir pour l'intégration, l'essai et l'évaluation de la fiabilité des composantes spatiales, des sous-systèmes et des engins spatiaux intégraux. Il mène des études sur les systèmes à satellites destinés à assurer les services de radiocommunications mobiles, de télévision et de radiodiffusion.

Il collabore également à la réalisation d'un programme conjoint (Canada-France–États-Unis) visant à mettre au point et à évaluer un système de recherche et de sauvetage (SARSAT) exploité à l'aide d'un satellite. Depuis qu'il a conclu une entente avec l'Agence spatiale européenne (ASE) en décembre 1978, le Canada contribue au programme d'études générales de l'Agence et à la définition de L-SAT, programme de grand satellite de télécommunication de l'ASE.

Secteur de la recherche

Ce secteur du ministère des Communications effectue des travaux de recherche dans de nombreux domaines de la télécommunication, tant à l'aide de ses ressources internes qu'en adjugeant des contrats aux universités. Il favorise la mise au point de nouveaux systèmes de communication et fournit au ministère des conseils scientifiques. L'installation principale de recherches est le Centre de recherches sur les communications, situé en banlieue d'Ottawa. En 1977-78, le secteur de la recherche a fait la démonstration de la première liaison de fibres optiques entièrement bidirectionnelle, réalisation importante qui permettra de réduire les coûts. Il est également à l'origine de Télidon, système de télévision bilatérale généralement reconnu comme supérieur à tout autre du genre au monde. Ces dernières années, le secteur a effectué des recherches dans les domaines suivants: moyens de transmission et de distribution, communications optiques, programmes spatiaux, télécommunications rurales et à grande distance, télécommunications dans le Nord et nouveaux services résidentiels et commerciaux.

Gestion du spectre et de télécommunications gouvernementales

Le **Service de la réglementation des télécommunications** planifie et applique des règlements relatifs au spectre des fréquences radioélectriques, délivre les licences de station radio (autres que les stations de radiodiffusion), établit et fait passer les examens à l'intention des opérateurs radio, réglemente l'utilisation des fréquences radioélectriques, élabore des normes visant à réduire le brouillage de la réception de la radio et de la télévision et rédige des cahiers des charges techniques. Le Service vérifie et homologue le matériel de télécommunication employé au Canada et délivre aux stations de radiodiffusion les certificats techniques de construction et de fonctionnement. Le ministère des Communications compte à cette fin cinq bureaux régionaux et 43 bureaux de district à l'échelle du Canada.

La radiodiffusion à Inuvik (T.N.-O.).

L'**Agence des télécommunications gouvernementales** est chargée de la coordination et de la planification générales des services de télécommunication à l'usage du gouvernement fédéral et de ses organismes.

Le **Conseil de la radiodiffusion et des télécommunications canadiennes** (CRTC) veille à la réglementation du réseau canadien de la radiodiffusion, de la télévision et de la câblodistribution en vertu de la Loi sur la radiodiffusion. Il délivre les licences de radiodiffusion et tient des audiences publiques afin d'étudier les demandes relatives à l'exploitation d'entreprises de radiodiffusion et aux questions de politiques et de réglementation. A l'occasion de ces audiences, le public est invité à faire des observations ou à intervenir à propos de demandes ou de questions précises. Le CRTC réglemente aussi les télécommunicateurs canadiens assujettis à l'autorité fédérale, y compris Téléglobe Canada, la British Columbia Telephone Company et les Télécommunications CNCP.

Services internationaux

Téléglobe Canada, société de la Couronne, fournit aux Canadiens une gamme complète de services de télécommunication à l'étranger: téléphone, télégraphe, télex, radio, télévision, circuits loués et téléinformatique. Elle exploite un réseau mondial d'installations de télécommunication, y compris des câbles et des circuits de transmission par satellite trans-marins. Téléglobe assure la coordination des services canadiens de télécommunication à l'étranger avec ceux d'autres pays.

Statistiques sur les communications dans les années 70

Télécommunicateurs

Les télécommunicateurs canadiens exploitent un vaste réseau en pleine expansion. En 1978, cette industrie avait déjà placé $17 milliards en installations et matériel et agrandi au rythme de plus de $2 milliards par année. En 1979, ses immobilisations à ce titre totalisaient $2.2 milliards.

Les installations d'appel direct augmentent au point que 80% des abonnés devraient pouvoir établir eux-mêmes des communications transocéaniques d'ici à 1984: près de 90% des communications internationales seront alors acheminées automatiquement. En 1979, les Canadiens ont passé 114.2 millions de minutes à des conversations téléphoniques avec l'étranger, soit 29.2% de plus qu'en 1978.

Par ailleurs, le Programme fédéral d'aide aux télécommunications dans le Nord, amorcé en 1977, est en passe d'atteindre son objectif, à savoir: fournir à chaque collectivité des Territoires du Nord-Ouest, dès 1982, un service de base local et interurbain. Depuis 1977, 10 collectivités bénéficient déjà d'un tel service. Bell Canada sert l'est des Territoires du Nord-Ouest jusqu'au cercle arctique, ainsi que le nord du Québec. En février 1980, elle a mis en service à Broughton Island, petit village près du cercle arctique, un système de commutation numérique entièrement électronique. Dans l'ouest de l'Arctique, 96.2% des abonnés de Northwest Tel (filiale du Canadien National) peuvent faire des appels interurbains directs. A la fin de 1979, Northwest Tel avait installé 63 centrales téléphoniques, dont une centrale numérique, et 37,736 téléphones dans les Territoires du Nord-Ouest et le Yukon, à l'ouest du 102e parallèle, et dans le nord de la Colombie-Britannique.

Données générales

Téléphone: De 1977 à 1978, le nombre de téléphones en service est passé de 14.5 millions à 15.2 millions, atteignant une proportion de 64 appareils pour 100 personnes. Plus de 10.6 millions sont des téléphones privés et environ 4.5 millions sont utilisés pour des raisons d'affaires. Pour le nombre de téléphones par habitant, l'Alberta vient en tête, comptant 72.7 appareils pour 100 personnes, suivie de l'Ontario et de la Colombie-Britannique, où la proportion est respectivement de 68.5 et de 66.3. En 1978, il y a eu au Canada une moyenne de 1,020 appels par personne. Les recettes des compagnies de téléphone ont plus que doublé entre 1973 et 1978, passant en gros de $2.2 milliards à $4.6 milliards. La valeur nette des installations a passé de $6.5 milliards à $11.7 milliards. Le nombre d'employés à temps plein est passé de 75,407 à 92,873.

Télécommunications. Les recettes annuelles d'exploitation des services, autres que téléphoniques, offerts par le CN, le CP, Téléglobe, Télésat et d'autres télécommunicateurs, s'élevaient à $191 millions en 1973 et à $348 millions en 1978. Le nombre de télégrammes acheminés annuellement décroît, passant de 3.5 millions en 1973 à 2.35 millions en 1978. Par contre, le nombre de câblogrammes, y compris les messages radio et les messages télex transatlantiques, a augmenté, passant de 7.4 millions en 1973 à 11.2 millions en 1978. En 1979-80, Téléglobe Canada a acheminé plus de 5 millions de messages outre-mer par télex et par téléscripteur à commutation automatique (TWX). Télex, le premier service de téléscripteur automatique offert en Amérique du Nord, a été lancé au Canada en 1956 par les Télécommunications du CNCP. En 1979, il reliait environ 42,000 appareils au Canada et quelque 500,000 dans le monde entier. Le Service de téléscripteur à commutation automatique (TWX) du Réseau téléphonique transcanadien, compte environ 5,000 abonnés, qui peuvent communiquer avec 119,000 utilisateurs du TWX et du télex aux États-Unis.

Radiocommunications. La délivrance de licences radio, autres que de radiodiffusion, et toutes les questions techniques du domaine de la radio, y compris la télévision, sont régies par la Loi sur la radio. Cette loi assujettit les stations radio composant une entreprise de radiodiffusion (radio MA et MF et télévision) à une attestation d'acceptabilité technique, mais leur exploitation et celle des systèmes de

Établie en 1891, la British Columbia Telephone Company dessert 97% des résidents et du territoire de la province.

câblodiffusion sont autorisées par le Conseil de la radiodiffusion et des télécommunications canadiennes (CRTC), en vertu de la Loi sur la radiodiffusion.

En vertu de la Loi sur la marine marchande du Canada et de la Loi sur l'aéronautique, le ministre des Transports est autorisé à faire des règlements radio portant sur la sécurité des navires et des aéronefs.

A la fin de mars 1980, le nombre de licences radio en vigueur se chiffrait à 1,300,572, soit 8% de moins que l'année précédente. Cette baisse est attribuable surtout à une diminution des licences du Service radio général (SRG) (820,952 en 1980 comparativement à 951,849 en 1979) et à la suppression de certaines classes de certificats d'immatriculation pour les voyageurs des États-Unis qui apportent du matériel radio au Canada. Les stations mobiles, les stations d'aéronefs exceptées, ont augmenté considérablement, passant de 300,467 en 1979 à 334,617 en mars 1980. Montréal, Toronto, Vancouver et les régions pétrolières, comme Edmonton, Calgary et Grande-Prairie connaissent le plus grand essor dans ce secteur. Des licences radio sont délivrées aux stations exploitées par des organismes fédéraux, provinciaux et municipaux, à celles qui sont installées à bord de navires ou d'aéronefs immatriculés au Canada et dans des véhicules terrestres pour des fins publiques ou privées, ainsi qu'aux stations du SRG.

Radiodiffusion. Les Canadiens sont de grands amateurs de radio et de télévision. En mai 1979, environ 98% des foyers avaient une radio et 86% une radio MF. Près de 98% des foyers canadiens comptent au moins un téléviseur, dont 76.6% un téléviseur couleur et 35.5% plus d'un téléviseur. En mars 1980, les Canadiens écoutaient les émissions de 737 stations MA autorisées et 470 stations MF et ont regardé 1,100 stations de télévision (stations réémettrices comprises); ils sont reliés à 562 réseaux de télévision par câble et à 31 réseaux de radio et de télévision.

La Société Radio-Canada offre la radio MA, à l'échelle nationale, en français et en anglais, et les émissions de ses réseaux MF sont diffusées dans presque tout le pays. Aucun réseau MA ou MF d'un organisme commercial privé n'est exploité à temps plein, bien que 55 stations privées sont associées au réseau anglais ou français de

Dans une école de Vancouver, un élève de première année écoute une histoire sur laquelle la classe travaillera.

Radio-Canada. Beaucoup de réseaux régionaux à temps partiel sont constitués de stations privées qui offrent des services d'émissions particulières telles que le reportage détaillé des rencontres sportives.

Les réseaux de télévision sont plus répandus. Ainsi, Radio-Canada exploite deux chaînes nationales, l'une en français, l'autre en anglais. Il existe en outre deux grands réseaux commerciaux: le réseau CTV, qui diffuse des émissions de langue anglaise d'un bout à l'autre du Canada, et le réseau de télévision TVA, qui diffuse en français dans tout le Québec. La chaîne privée Global Communications Ltd. sert le sud de l'Ontario, et les gouvernements de l'Ontario, du Québec et de l'Alberta exploitent aussi leur propre réseau de télévision éducative.

En 1977, environ 73% des Canadiens avaient accès à au moins un canal américain de télévision. Quelque 62% pouvaient capter les émissions de trois réseaux américains et 57%, les émissions du *Public Broadcasting Service* des États-Unis. Plus précisément, 62% des Canadiens anglais avaient accès à quatre canaux américains, tandis que seulement 46% pouvaient recevoir les émissions de quatre canaux canadiens. Au Québec, 49% de la population pouvaient capter les émissions d'au moins un canal américain. Malgré les règlements du CRTC au sujet de la télévision par câble et de la présentation d'émissions canadiennes, l'accessibilité des canaux américains a amené les Canadiens à regarder un très grand nombre d'émissions venant des États-Unis. En 1978, environ 70% de toutes les émissions anglaises regardées au Canada étaient produites à l'étranger. Pour ce qui est des émissions de variétés et de sport, le pourcentage était de 86.5.

La télévision par câble a pris beaucoup d'ampleur depuis 1968. Cette dernière année, le câble était accessible à 29.9% des foyers au Canada, mais seulement 13.2% étaient abonnés. En 1979, il était accessible à 78% des foyers environ et 52.5% y étaient abonnés. En janvier 1980, 54% des Canadiens recevaient la télévision par câble, faisant du réseau de câblodiffusion l'un des plus vastes du monde.

Radio-Canada International (RCI), service transocéanique à ondes courtes de Radio-Canada, dont le siège social se trouve à Montréal, diffuse chaque jour dans 11 langues et distribue gratuitement des enregistrements d'émissions canadiennes à des radiodiffuseurs de divers pays. RCI essaie de faire le reportage objectif des nouvelles canadiennes et mondiales et fait connaître la position du Canada quant à diverses questions d'intérêt national et international. En 1973-74, 42,000 disques et bandes ont été envoyés dans le monde entier; en 1979-80, ce nombre s'élevait à 112,158. Radio-Canada estime que le service à ondes courtes de RCI atteint plusieurs millions d'auditeurs par semaine, en URSS, aux États-Unis, en Afrique, en Europe et en Amérique latine.

La Société Radio-Canada

Radio-Canada est une société d'État établie par la Loi sur la radiodiffusion pour assurer le service national de radiodiffusion au Canada. Créée en novembre 1936, elle est comptable au Parlement par l'entremise du secrétaire d'État, mais la responsabilité de ses politiques et de ses programmes incombe à ses administrateurs et agents. Elle se finance au moyen de crédits que le Parlement lui vote chaque année, auxquels s'ajoutent les recettes de la publicité commerciale—surtout à la télévision puisque son service de radio est presque entièrement libre d'annonces.

Radio-Canada a son siège social à Ottawa. Le centre d'exploitation de ses services de langue anglaise se trouve à Toronto; la Société compte en outre divers centres régionaux de production répartis dans tout le pays. A ses services de langue française, centralisés à Montréal, s'ajoutent des stations locales installées dans d'autres villes du Québec et dans la plupart des autres provinces.

La Société exerce son activité de l'Atlantique au Pacifique et jusqu'aux confins du cercle arctique; elle exploite des réseaux français et anglais, à la télévision et à la radio MA et MF stéréophonique. Un service de radio destiné au Nord diffuse des émissions en français, en anglais, en diverses langues indiennes et en inuktitut, langue des Inuit; le Service du Nord commence aussi à produire des émissions de télévision en inuktitut.

Terre Humaine, *feuilleton de Radio-Canada décrivant les joies, les passions et conflits de la vie quotidienne.*

Les réseaux de radio et de télévision de Radio-Canada se composent des stations de la Société, qui offrent le programme national, et de certaines stations privées affiliées qui diffusent un nombre convenu d'émissions de Radio-Canada. Dans maintes petites localités, des stations de relais diffusent le programme national, mais ne possèdent ni personnel ni studios pour produire des émissions locales. Les méthodes de transmission comprennent la location de canaux du satellite Anik.

Radio-Canada International, service à ondes courtes de Radio-Canada, diffuse quotidiennement en 11 langues et distribue gratuitement des émissions enregistrées à l'intention des radiodiffuseurs étrangers. Sur le plan international, Radio-Canada vend diverses émissions à d'autres pays, remporte souvent des prix et fait partie de plusieurs organismes internationaux de radiodiffusion. Elle a des bureaux à Londres, Paris, New York et Washington, et des services d'informations en Extrême-Orient, à Moscou et à Bruxelles.

La programmation de Radio-Canada est variée, conformément aux principes énoncés dans la Loi sur la radiodiffusion: «le service national de radiodiffusion devrait être un service équilibré qui renseigne, éclaire et divertisse des personnes de tous âges, aux intérêts et aux goûts divers, et qui offre une répartition équitable de toute la gamme de la programmation». Les émissions de R.-C. sont en majeure partie canadiennes—dans la proportion d'environ 70% à la télévision et davantage à la radio—mais la programmation comprend aussi un choix d'émissions étrangères.

Radio-Canada encourage les artistes et exécutants canadiens en diffusant des œuvres canadiennes de musique, de théâtre et de poésie, en commandant des œuvres spéciales, en parrainant des concours d'artistes amateurs et en présentant des films canadiens. Elle produit, à partir de certaines de ses émissions, des livres, enregistrements et films à caractère éducatif.

Scène de A Gift to Last, *feuilleton de la chaîne anglaise de télévision de Radio-Canada qui raconte l'histoire d'une famille.*

Observateurs surveillant le mouvement du courrier à l'aide d'un circuit fermé de télévision et d'imprimés d'ordinateur au centre de contrôle du terminal de la manutention.

Le service postal

A la fin de l'année financière 1978-79, on dénombrait au pays 8,230 établissements postaux, 6,210,500 points de remise, 13,875 itinéraires de facteur à temps plein et 570 à temps partiel et 282 bureaux de poste offrant un service de distribution par facteur. Les Postes canadiennes s'efforcent constamment d'améliorer la fréquence et la qualité du service dans les coins les plus reculés du pays où le courrier est habituellement acheminé par avion.

Le but du programme de codage et de mécanisation amorcé en 1972 est d'en arriver à un meilleur traitement du courrier. L'équipement électronique automatisé permet de trier le courrier de première classe portant le code postal à un rythme de 20,000 à 30,000 envois l'heure. A la fin de 1979, la mécanisation de 27 des 29 établissements visés par le programme était achevée.

De nouvelles machines pouvant trier jusqu'à 6,000 grands objets plats ou envois surdimensionnés à l'heure ont été mises en service. Comme les colis et les petits paquets de la première classe sont déjà triés mécaniquement, c'est dire que les envois de presque toutes les catégories et classes peuvent maintenant être triés à la machine.

Les Postes possèdent un parc de 3,765 véhicules motorisés pour le transport du courrier urbain, le courrier interurbain étant acheminé par avion, train, camion ou bateau par des entreprises privées.

Le Musée national des Postes a enrichi sa collection de nombreux articles philatéliques et d'intérêt historique. En 1979, 26,500 personnes ont visité le musée; la clientèle se compose généralement de groupes d'adultes, de touristes et d'écoliers. La popularité du bureau de poste d'antan s'accroît sans cesse, comme en témoigne son chiffre d'affaires. En outre, de nombreux philatélistes, écrivains et historiens fréquentent la bibliothèque du musée. Ce dernier, qui a déménagé au centre-ville d'Ottawa dans des locaux beaucoup plus spacieux, pourra dorénavant organiser des réunions et des conférences à l'intention du public.

Loisirs

Au Canada l'industrialisation et les conquêtes de la technologie se sont traduites par une semaine de travail plus courte, des vacances payées plus longues, une retraite plus précoce et un temps accru pour les loisirs et divertissements.

Les définitions des loisirs sont nombreuses et véhiculent tout un éventail de points de vue. Par loisirs, on peut tout simplement entendre le faisceau d'activités «hors travail». On a également assimilé les loisirs à l'ensemble des activités auxquelles une personne s'adonne de son plein gré; il peut s'agir de se reposer, de s'amuser, de parfaire ses connaissances ou ses aptitudes, d'améliorer sa santé physique et mentale par la pratique des sports et l'exercice d'activités culturelles, ou encore d'œuvrer bénévolement dans l'intérêt commun. Toutefois, de nombreuses définitions des loisirs excluent des activités comme le sommeil, le manger, les déplacements entre le domicile et le lieu de travail, les travaux ménagers et les soins personnels. On peut percevoir les programmes officiels d'éducation permanente comme un épanouissement personnel ou un besoin, de la même manière que le sommeil ou le manger, de sorte qu'il est possible de les exclure aussi des loisirs. On peut prétendre par ailleurs que le partage du temps en dehors du travail est laissé à la discrétion de chacun et que tout ce temps libre peut être consacré aux loisirs. Néanmoins, la majorité des gens s'accorderont à dire que le sommeil, le manger et les soins personnels demandent un minimum de temps qui ne peut en aucun cas être considéré comme disponible pour les loisirs.

On ne s'entend donc pas toujours sur ce que recouvre le terme «loisirs», mais on s'accorde volontiers pour y rattacher certaines activités, nommément celles qui procurent un plaisir à celui qui les exerce, par exemple jouer au tennis ou écouter

Conservatoire Muttart à Edmonton. La province d'Alberta a célébré son 75ᵉ anniversaire en 1980.

Préparation du repas au camp lors d'un voyage en radeau dans la Colombie-Britannique.

des disques. Il arrive que d'ingrats travaux ménagers deviennent parfois une source de divertissement, par exemple tondre la pelouse, cuisiner, coudre ou repeindre la maison. Récréation et loisirs sont donc des termes qualitatifs dont la nuance diffère selon les goûts et les penchants de chacun. Ceux-ci peuvent varier d'une personne à l'autre, et aussi selon les circonstances pour une même personne.

Travail et loisirs présentent un lien de réciprocité. Quand le travail augmente, les loisirs diminuent. Lorsque la durée du premier s'allonge, le revenu augmente, mais un accroissement de la durée des loisirs se traduit habituellement par une augmentation des dépenses. Théoriquement, le partage du temps entre travail et loisirs est une question de choix. Toutefois, dans la pratique, la plupart des salariés ne peuvent personnellement déterminer que dans une certaine mesure quelle sera la durée de leur travail. Au Canada, les jours ouvrables et les jours chômés sont habituellement fixés par les employeurs ou dans le cadre de la négociation collective conformément aux lois en vigueur et aux normes adoptées; par conséquent, les travailleurs canadiens sont le plus souvent tenus de travailler un nombre fixe d'heures par jour et de jours par semaine.

La semaine normale de travail au Canada compte entre 35 et 40 heures, réparties sur cinq jours de travail. La plupart des salariés ont droit à au moins 10 jours fériés par an ainsi qu'à un congé annuel de deux semaines, ou de trois ou quatre semaines ou plus après un certain nombre d'années au service d'un même employeur. Compte tenu des week-ends, des jours fériés et des congés annuels, la majorité des salariés canadiens disposent d'au moins 124 jours libres de travail par an. Le temps libre à la disposition des Canadiens dépend aussi du pourcentage de la population qui fait partie de la population active et de la répartition de ce pourcentage entre occupés et chômeurs en quête de travail. Par définition, les inactifs ne travaillent pas et ont donc plus de temps libre à leur disposition. C'est le cas des gens qui ont pris une retraite précoce et des personnes âgées.

Manifestations et attractions

Chaque année, manifestations et attractions dans toutes les régions du Canada attirent un grand nombre de vacanciers et de touristes en quête de divertissements, de sensations fortes ou de repos. Des manifestations comme le Carnaval d'hiver de Québec et le Stampede de Calgary sont centrées sur des faits historiques, sociaux ou culturels. Par ailleurs, les attractions peuvent être soit des éléments naturels soit des créations de l'homme qui présentent un caractère permanent et se distinguent par des traits architecturaux ou géographiques ou par l'usage récréatif ou culturel auxquels ils se prêtent. Les musées, les parcs, les montagnes et la vie nocturne des villes font partie de cette catégorie. A titre d'exemple, on peut citer un phénomène naturel comme les chutes Niagara ou une réalisation de l'homme comme Lower Fort Garry à Selkirk (Man.).

Des manifestations marquantes ont lieu dans chaque province et territoire. Parmi les plus anciens événements sportifs en Amérique du Nord figurent les régates annuelles à Saint-Jean (T.-N.). Charlottetown, capitale de l'Île-du-Prince-Édouard, organise les Journées paysannes et la Semaine du Bon Vieux Temps, offrant au programme de la musique, des expositions agricoles et artisanales, des courses d'attelages et des parades. En Nouvelle-Écosse ont lieu les Jeux écossais dans les villes du Cap-Breton, et au Nouveau-Brunswick diverses réjouissances sont organisées en rapport avec les activités de pêche dans la province, comme par exemple le Festival du Homard à Shediac et le Festival du Saumon à Campbellton.

Au Québec, il y a Terre des Hommes, l'exposition culturelle et ethnique permanente de Montréal, et le Festival des Cantons à Sherbrooke, dont le

Artisan du Craft Village, près de Fredericton (N.-B.).

Joyeuses glissades à Québec.

programme comprend des spectacles québécois, du tir de chevaux, des soirées et de la cuisine gastronomique. En Ontario, il existe notamment les festivals d'art dramatique de Stratford et de Niagara-on-the-Lake.

Dans l'Ouest canadien, les manifestations reflètent la diversité culturelle et un héritage qui remonte aux temps de la colonisation. A mentionner le Festival national des Ukrainiens à Dauphin (Man.), un «Oktoberfest» à Vancouver (C.-B.). La Saskatchewan et l'Alberta ont toutes deux monté une série d'événements en 1980 afin de marquer leur 75e anniversaire comme provinces.

Des activités spéciales ont lieu chaque été dans le Nord. A Yellowknife (T.N.-O.), un Tournoi de golf de minuit est organisé chaque année, à la fin de juin. A Dawson City, au Yukon, la découverte d'or en 1896 est célébrée le Jour de la Découverte, en août, par des courses de radeaux sur la rivière Klondike et par des danses, événements sportifs et divertissements d'époque.

Étudiants en art à l'œuvre dans Québec.

Pêche dans le Yukon.

Récréation

La nature des activités de loisir auxquelles les gens s'adonnent est fonction de l'âge, du sexe, du revenu et de la profession. Les activités récréatives physiques et sportives les plus répandues comprennent: la natation, le patinage sur glace, le tennis, le golf et le hockey sur glace. Depuis quelques années, le ski de fond est de plus en plus pratiqué par les adultes et les familles dans de nombreuses régions du Canada.

D'après les résultats d'une enquête, menée en février 1978, les activités les plus populaires comprenaient l'écoute de la télévision, de la radio, l'audition d'enregistrements sur bande magnétique ou sur disque, et la lecture des journaux et revues. Parmi les autres activités figurent la fréquentation des librairies, des bibliothèques, des cinémas, et des spectacles sportifs.

Bal de Neige à Ottawa.

Programmes des administrations publiques

Tous les échelons de l'administration publique cherchent à enrichir les loisirs des Canadiens. Plusieurs organismes fédéraux ont établi des programmes importants à cette fin, notamment la Direction générale de la santé et du sport amateur du ministère de la Santé nationale et du Bien-être social. Cette dernière s'occupe surtout des activités récréatives et du conditionnement physique et exécute un certain nombre de programmes visant à encourager les Canadiens à participer, quel que soit leur âge, à des activités de conditionnement physique; elle aide financièrement et conseille des organismes récréatifs comme le YMCA, les clubs de garçonnets et de fillettes, les scouts, les guides et les auberges de jeunesse; elle aide aussi les autochtones du Canada à participer davantage aux sports et aux activités récréatives. L'Office de tourisme du Canada soutient la publicité, au Canada et à l'extérieur, concernant les manifestations et attractions. Les Musées nationaux du Canada stimulent l'intérêt et la prise de conscience à l'égard du patrimoine canadien et de la diversité régionale par l'entremise des musées nationaux, des musées associés et des programmes d'aide aux musées. Le mandat de Pêches et Océans Canada et d'Environnement Canada comprend des programmes récréatifs portant sur la pêche sportive, la protection des oiseaux migrateurs, la mise en place de centres d'information sur la faune et la construction et l'entretien de quais pour petits bateaux de plaisance.

Dans la région d'Ottawa–Hull, la Commission de la capitale nationale joue un rôle important de conservation et d'aménagement dans le domaine des loisirs de plein air. Les aménagements qu'elle offre comprennent le parc de la Gatineau, qui s'étend sur 357 km² (kilomètres carrés) et se compare aisément à un parc national ou provincial, un réseau de promenades panoramiques et de pistes cyclables et une zone de verdure en demi-cercle au sud d'Ottawa où tous peuvent s'ébattre; l'hiver, la Commission entretient la plus longue patinoire extérieure au monde sur le canal Rideau, et l'été elle loue des lopins de terre pour le jardinage dans la zone de verdure.

Parc national de Banff en Alberta.

Parcs Canada

Parcs nationaux

Le réseau des parcs nationaux du Canada a commencé avec une réserve de terres de 26 km² autour des sources thermales dans ce qui est aujourd'hui le parc national de Banff. De ce petit noyau, le réseau est passé à 28 parcs nationaux qui préservent plus de 129 500 km² de régions naturelles du Canada.

Les parcs nationaux du Canada reflètent l'étonnante diversité géographique du pays. Le programme s'étend actuellement du parc national de Terra Nova, situé sur la côte est accidentée de Terre-Neuve, au parc national de Pacific Rim, où les vagues frappent la magnifique Long Beach sur la côte ouest de l'île Vancouver; de Pointe Pelée, point le plus au sud de la partie continentale du Canada, au parc national d'Auyuittuq dans l'île Baffin.

Il existe au moins un parc national dans chaque province et territoire. Les parcs de montagne de la Colombie-Britannique et de l'Alberta, parmi les plus anciens du réseau, sont connus pour leurs cimes pointues, leurs lacs et prés alpins, leurs glaciers et sources thermales.

Dans le parc national des lacs Waterton, qui forme avec le parc américain Glacier un parc international, les montagnes s'élèvent brusquement au-dessus de la plaine, sans la transition habituelle. Les forêts de peupliers et d'épinettes font contraste

avec les prairies avoisinantes du parc national d'Elk Island, en Alberta. Le parc
national Prince-Albert (Sask.), renferme trois zones de végétation: la forêt boréale,
la savane-parc où pousse le tremble et la prairie; on y trouve en plus des centaines
de lacs, ruisseaux, étangs et marais. Dans le parc national du Mont Riding, au
sommet de l'escarpement manitobain, les forêts de l'est et du nord et les prés de
l'ouest forment un paysage diversifié qui abrite toute une gamme d'essences
végétales et d'animaux.

L'Ontario compte quatre parcs nationaux: les îles de la baie Georgienne, Pointe
Pelée, les Îles du Saint-Laurent et Pukaskwa. La Mauricie, dans les Laurentides, et
Forillon, dans la péninsule historique de Gaspé, sont situés au Québec.

Sept parcs nationaux des provinces de l'Atlantique préservent des régions de forêt
acadienne et boréale, des zones de la côte accidentée, des plages sablonneuses et la
zone parsemée de lacs à l'intérieur de la Nouvelle-Écosse.

Il existe actuellement quatre parcs nationaux situés partiellement ou entièrement
au nord du 60e parallèle. Le parc national de Wood Buffalo chevauche les limites de
l'Alberta et des Territoires du Nord-Ouest, et sert d'habitat au plus grand troupeau
de bisons du continent. Kluane, au Yukon, renferme le mont Logan, la plus haute
cime du Canada, tandis que dans le parc national de Nahanni (T.N.-O.), les
spectaculaires chutes Virginia de la rivière Nahanni-Sud plongent dans la vallée
située à 90 m (mètres) plus bas. Dans l'île Baffin, Auyuittuq, qui signifie en inuit
«l'endroit qui ne fond pas», est le premier parc national au-delà du cercle arctique.

Les paysages magnifiques et les nombreuses possibilités de loisirs qu'offrent les
parcs nationaux attirent des visiteurs toute l'année, que ce soit pour faire du
camping, des excursions à pied, de l'alpinisme, de la natation, de la pêche, du ski ou
de la raquette. Des programmes d'interprétation, qui comprennent des visites
commentées, des expositions, des films et des brochures, expliquent l'histoire
naturelle des diverses régions.

Champs de glace du parc national de Kluane au Yukon.

Parcs et lieux historiques nationaux

Afin de préserver le passé du Canada, la Direction des parcs et lieux historiques de Parcs Canada perpétue le souvenir de personnes, événements et lieux historiques qui ont joué un rôle important dans l'évolution du pays. Depuis 1917, date à laquelle Fort Anne, en Nouvelle-Écosse, est devenu le premier parc historique national, 55 parcs et lieux importants et plus de 700 plaques et monuments sont venus marquer un moment d'histoire. Environ 30 nouveaux lieux sont en voie d'aménagement.

Les lieux sont choisis pour leur importance culturelle, sociale, politique, économique, militaire ou architecturale et englobent des grandes découvertes archéologiques, dont le cimetière indien de Port-aux-Choix et la colonie scandinave de l'Anse-aux-Meadows, à Terre-Neuve, établie vers l'an 1000.

Bon nombre de lieux et parcs historiques rappellent les débuts de l'exploration du Canada et les combats pour sa possession. Le parc Cartier-Brébeuf à Québec marque l'endroit où Jacques Cartier passa son premier hiver dans le Nouveau Monde, ainsi que l'emplacement de la première résidence des Jésuites au Canada.

La recherche de fourrures a conduit à une exploration poussée du Canada et à la construction de nombreux postes et forts en vue d'étendre et de protéger la traite des pelleteries. Ces postes comprennent Port-Royal, la plus ancienne colonie française au nord de la Floride; le fort Témiscamingue, poste de traite stratégique dans la partie supérieure de la vallée de l'Outaouais; et le fort Prince-de-Galles, le fort de pierre le plus septentrional en Amérique du Nord. Lower Fort Garry, près de Winnipeg, a été restauré pour recréer un poste du XIXᵉ siècle de la Compagnie de la Baie d'Hudson; on peut y voir des femmes qui cuisent le pain et qui tissent dans la «grande maison», un forgeron à l'œuvre dans son atelier, et des fourrures, autrefois le pilier de l'économie canadienne, qui pendent dans le grenier du magasin général bien garni, centre d'activité du fort.

Restauration du parlement à Charlottetown (Î.-P.-É.).

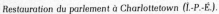

Parc national Prince Albert (Sask.). En 1980, la province de Saskatchewan fêtait son 75e anniversaire.

Les fortifications militaires protégées à titre de lieux historiques nationaux comprennent d'abord la solide forteresse de Louisbourg dans l'île du Cap-Breton, construite par les Français au XVIIIe siècle pour protéger leurs possessions coloniales en danger, puis une série de postes français et anglais le long du Richelieu et du Saint-Laurent, pour se terminer par le fort Rodd Hill dans l'Île Vancouver, emplacement de trois postes de défense côtière britanniques de la fin du XIXe siècle.

Les postes de traite des fourrures de Rocky Mountain House en Alberta, le fort St. James dans le nord de la Colombie-Britannique et le fort Langley (C.-B.), où a commencé l'industrie d'exportation du saumon de la province, rappellent l'expansion du commerce et la colonisation de l'Ouest. Cette dernière s'est effectuée pacifiquement grâce entre autres à la Police montée du Nord-Ouest, qui est commémorée à Fort Walsh (Sask.), premier quartier général de ce corps.

La principale voie de la ruée vers l'or du Klondike est marquée et protégée par le parc historique international du même nom. A Dawson City, ville qui a connu un essor extraordinaire en 1898, le Palace Grand Theatre, la hutte du poète Robert Service et le bateau à roue à aubes *S.S. Keno* ont été restaurés, et d'autres bâtiments sont en voie de l'être.

Province House, lieu historique national situé à Charlottetown (Î.-P.-É.), continue d'abriter les assemblées législatives de la province. Les maisons d'enfance de deux premiers ministres canadiens, Sir Wilfrid Laurier et William Lyon Mackenzie King, sont également des lieux protégés. Le parc historique national de la villa Bellevue à Kingston, superbe exemple du style architectural toscan, fut autrefois occupée par Sir John A. Macdonald.

Accords sur la récréation et la conservation

Les accords sur la récréation et la conservation (ARC), ont été inaugurés par Parcs Canada en 1972 pour répondre aux demandes croissantes de conservation des lieux historiques et d'aménagement de loisirs en plein air. Le programme repose sur le principe de concertation fédérale-provinciale en matière de planification, d'aménagement, d'exploitation et de gestion des zones renfermant des ressources patrimoniales importantes.

L'ARC comprend trois volets: canaux patrimoniaux, zones coopératives patrimoniales et le réseau proposé de rivières d'intérêt pour le patrimoine canadien.

Canaux anciens. Au Canada, les canaux ont été construits pour les besoins de la défense ou du commerce afin de desservir un pays nouveau. A la Confédération, ils sont passés sous l'autorité du gouvernement fédéral en raison de leur importance pour le réseau de transports du pays.

Certains de ces canaux, dont l'utilité commerciale avait diminué relèvent maintenant de Parcs Canada. L'État exploite et entretient les canaux du Canada en tant qu'exemples de la technogénie des premiers temps de notre histoire. Ces canaux servent aussi à illustrer comment l'homme a adapté terres et cours d'eau à ses besoins en fait de transport et de communication. De plus ils offrent des occasions exceptionnelles d'utiliser, à des fins de loisirs, d'importants ouvrages anciens conservés et protégés pour les générations actuelles et futures.

Zones patrimoniales coopératives. On appelle zone patrimoniale une région qui renferme des ressources naturelles ou culturelles importantes pour le pays, à cause de leur qualité ou de leur nombre. Lorsque divers organismes possèdent, dirigent et entretiennent pareilles ressources collectivement en vertu d'un ARC, la région devient une zone patrimoniale coopérative. Cette concertation permet d'établir des programmes complets de protection, de présentation et d'utilisation récréative du patrimoine qui seraient hors de la portée d'un seul organisme agissant de manière unilatérale. Grâce au concours des autorités provinciales et d'autres pouvoirs publics, ressources et savoir-faire peuvent être combinés en vue de la mise sur pied de programmes plus vastes et plus efficaces aboutissant à la présentation intégrale d'une zone donnée.

Les zones patrimoniales coopératives peuvent prendre plusieurs formes. Parfois, il peut s'agir de ressources naturelles et culturelles diverses concentrées dans un même lieu, et dont l'ensemble revêt une certaine importance pour la nation. En d'autres cas, il peut s'agir d'un type particulier de ressources patrimoniales d'importance nationale (par exemple les voies terrestres ou fluviales historiques des paysages ruraux évocateurs du passé) dont la préservation exige une action concertée. Pour le moment, «zone patrimoniale historique» est un terme général qui s'applique à toute zone dont la protection et la présentation des ressources importantes exigent une action concertée.

Cours d'eau historiques. Le fédéral propose d'établir un réseau de cours d'eau historiques à travers le pays. Le Canada est doté de multiples voies fluviales qui constituent une partie importante de son patrimoine naturel et culturel dont certains exemples méritent d'être protégés. La direction des ARC consulte actuellement les provinces et les territoires afin de mettre en place les rouages qui permettront à Parcs Canada d'entreprendre un programme commun d'établissement de semblable réseau. La nature du réseau à l'étude est un système conjoint en vertu duquel la sélection et l'aménagement des cours d'eau choisis resteraient entièrement à la charge du palier de gouvernement responsable, selon la Constitution, de la ressource en question (e.g. le provincial pour les cours d'eau provinciaux; le fédéral dans les parcs nationaux; et le fédéral, de concert avec les administrations territoriales du Yukon et des Territoires du Nord-Ouest, pour les cours d'eau des Territoires).

Parcs provinciaux

La plupart des provinces ont soustrait à l'emprise de la civilisation de vastes étendues où elles veillent à conserver l'environnement naturel pour le plaisir des Canadiens et des touristes. Ensemble, la superficie des parcs provinciaux (environ 298 600 km²) et celle des parcs nationaux offrent plus de 1.6 ha (hectare) par résident du Canada.

Parmi les premiers parcs du Canada, certains ont été créés par les provinces. En 1895, le souci du gouvernement québécois d'assurer la survivance du caribou a entraîné la création du parc des Laurentides, qui jouxte la ville de Québec au nord à une distance d'à peine 48 km. En Ontario, le premier parc a été le parc Algonquin, établi en 1897. D'une superficie de 7 540 km², il s'étend jusqu'en deçà de 240 km des limites des villes de Toronto et d'Ottawa. A l'instar de nombreux autres parcs de l'Ontario et des autres provinces, il se prête au camping, au canotage et à la pêche sportive.

Les gouvernements provinciaux assurent en outre une gamme de programmes récréatifs, gèrent les ressources naturelles, la chasse et la pêche et mettent en place des aménagements, soit directement, soit par le biais de programmes municipaux.

Le parc provincial Dinosaur, site d'intérêt mondial en Alberta.

Tourisme

Le tourisme influence la vie de tous les Canadiens. Il se répercute sur le style de vie et modifie le rythme imposé par les pressions sociales contemporaines. Il contribue également à l'unité nationale en favorisant une meilleure compréhension entre les habitants des différentes régions du pays.

Le tourisme constitue pour le Canada une source importante de devises, en même temps qu'il stimule la dépense intérieure. Ses répercussions sur la consommation, l'investissement et l'emploi sont considérables, et il représente une importante source de recettes fiscales pour les gouvernements. Les avantages qui en découlent profitent à l'ensemble du Canada, ainsi joue-t-il un rôle de premier plan dans la réduction des disparités socio-économiques régionales.

Selon l'Organisation mondiale du Tourisme (montants exprimés en dollars américains), le tourisme en 1979 enregistrait au total 270.2 millions d'arrivées internationales (4.2% de plus qu'en 1978), et ces voyageurs ont dépensé environ $75 milliards dans les pays visités (15.4% de plus qu'en 1978). Dans le contexte mondial, le Canada se classait au neuvième rang en 1978 pour les recettes provenant des voyages internationaux et au sixième rang pour les dépenses de ses résidents au titre des voyages internationaux. Le tourisme a rapporté au Canada $12.3 milliards en 1979, ce qui représente environ 5% du produit national brut. Les dépenses des Canadiens voyageant au Canada ont totalisé près de $9.4 milliards. Les $2.9 milliards restants, provenant des dépenses des visiteurs étrangers au Canada, constituaient la sixième source de devises après les automobiles et leurs pièces, le bois d'œuvre, le papier journal, la pâte de bois et le gaz naturel.

Peggy's Cove (N.-É.).

Ontario Place à Toronto (Ont.).

En 1979, le nombre de visiteurs en provenance des États-Unis s'est établi à 31.2 millions, soit 1.3% de moins qu'en 1978. Le nombre de visiteurs en provenance de pays autres que les États-Unis s'est élevé à 2 millions, soit 20.1% de plus qu'en 1978. Sur ce nombre, 1,315,595 venaient d'Europe et 516,438 du Royaume-Uni, principale source touristique après les États-Unis. Parmi les visiteurs en provenance des autres principaux pays, 234,954 venaient de la République fédérale d'Allemagne, 158,582 du Japon, 127,568 de la France, 100,979 des Pays-Bas, 51,348 de l'Australie et 61,400 de l'Italie.

La valeur des dépenses touristiques au Canada ne doit cependant pas être estimée uniquement en fonction des $12.3 milliards imputés directement aux dépenses de voyage. Des flux de dépenses secondaires se ramifient dans toute l'économie et engendrent des activités additionnelles.

Par exemple, lorsqu'un voyageur loue une chambre d'hôtel, il contribue en premier lieu au bénéfice brut du propriétaire de l'hôtel. Une partie de ce bénéfice sert à rémunérer les employés. Ces salaires sont ensuite dépensés et profitent peut-être au dépanneur, puis au grossiste qui lui fournit les marchandises, et enfin au manufacturier canadien qui à son tour achète probablement ses matières premières à une autre société canadienne, et ainsi de suite. Compte tenu de cet effet «multiplicateur», il se peut que les $12 milliards engendrés par le tourisme en 1979 aient atteint quelque $20.5 milliards, soit 7.9% du PNB.

Recettes et dépenses au titre des voyages entre le Canada et les autres pays, 1974-79

Pays	1974	1975	1976	1977	1978	1979
			(millions de dollars)			
États-Unis						
Recettes........................	1,328	1,337	1,346	1,525	1,650	1,881
Dépenses.......................	1,196	1,587	1,956	2,280	728	1,006
Solde...........................	+132	−250	−610	−755	2,378	2,887
Autres pays						
Recettes........................	366	478	584	500	2,553	2,457
Dépenses.......................	782	955	1,165	1,386	1,531	1,498
Solde...........................	−416	−477	−581	−886	4,084	3,955
Ensemble des pays						
Recettes........................	1,694	1,815	1,930	2,025	−903	−576
Dépenses.......................	1,978	2,542	3,121	3,666	−803	−492
Solde...........................	−284	−727	−1,191	−1,641	−1,706	−1,068

Le tourisme a aussi créé l'équivalent d'un million d'emplois dans l'ensemble du Canada en 1979, ou occupé environ 8.7% de la population active. Il fait appel à tous les échelons de gouvernement et à près de 100,000 entreprises privées de toutes sortes: sociétés de transport, services d'hébergement, restaurants, grossistes et exploitants de voyages à forfait, agents de voyage, organisateurs d'activités et d'attractions et associations commerciales.

Plage du lac Kalamalka à Vernon (C.-B.).

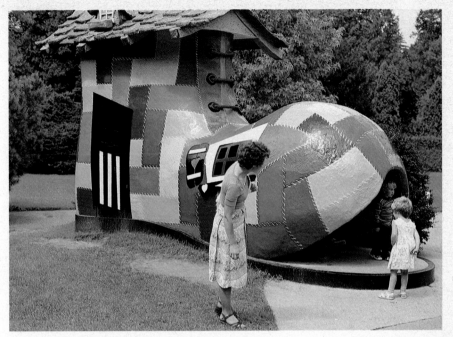

Story Book Park à London (Ont.).

Un autre aspect important de la consommation touristique au Canada est la faible part que y prennent les importations. Étant donné la prédominance des services dans le tourisme, les dépenses de voyage portent surtout sur des biens et services dans lesquels le contenu de main-d'œuvre canadienne est assez prononcé. De plus, les biens qu'achètent les touristes sont généralement fabriqués au pays, exemple les aliments et boissons produits par les agriculteurs et conditionneurs canadiens et les souvenirs, par les artisans canadiens.

L'essor du tourisme au Canada n'est pas un effet du hasard. Le Canada possède de nombreux avantages touristiques. Sis au carrefour de l'hémisphère nord et à proximité du marché touristique le plus prospère au monde, il jouit d'une situation enviable. Il regorge d'espaces libres qui seront de plus en plus recherchés à l'échelle mondiale. Ses territoires nordiques constituent l'une des rares zones excentriques qui subsistent au monde. Il possède d'immenses réserves d'une ressource récréative des plus précieuses—l'eau—et d'une ressource des plus prometteuses—la neige. Sa faune se compare avantageusement avec celle de n'importe quel pays du point de vue de la variété, de la quantité et de la qualité. La diversité de son paysage, de sa culture et de son ethnie ajoute à ses attraits touristiques, tout comme ses bâtiments historiques et les attractions qui se multiplient sans cesse dans les grandes villes.

Le principal attrait du Canada demeure cependant l'amabilité et l'hospitalité qu'on y trouve et qui lui ont valu une renommée mondiale. L'essor touristique reflète également les efforts déployés par les 10 ministères du Tourisme des provinces et les deux ministères du Tourisme des territoires, les services et le travail de promotion de milliers d'entreprises intéressées par le tourisme canadien, et l'activité de l'Office de tourisme du Canada.

L'économie

Performance économique du Canada, 1979-80

Selon les premières estimations, le produit national brut (PNB) a augmenté dans l'ensemble de 2.9% en 1979, poursuivant le rythme de croissance relativement modéré qui caractérise l'économie canadienne depuis 1977. Si l'on fait abstraction des dépenses publiques finales en biens et services (y compris l'investissement des administrations), le PNB réel a crû de près de 4%. Cependant, même la performance du secteur privé a été variable, les dépenses en capital fixe des entreprises affichant une certaine vigueur, la demande des consommateurs augmentant modérément et la construction résidentielle étant en baisse. Le secteur du commerce international, facteur important de croissance en 1977 et 1978, a été une force négative en 1979, la balance du commerce des biens et services en termes réels s'étant détériorée.

Parmi les éléments de la demande finale, la formation fixe de capital des entreprises a été marquée d'une vigueur particulière. Après trois ans de croissance à peu près nulle, les dépenses des entreprises en usines et matériel ont commencé à s'affermir au milieu de 1978, à la faveur d'une augmentation des bénéfices des sociétés et du relèvement des taux d'utilisation de la capacité dans un bon nombre d'industries. Cette vigueur s'est maintenue en 1979, avec un accroissement réel de plus de 10% de la formation finale de capital des entreprises et des progrès semblables du côté des dépenses en machines et matériel et en construction non résidentielle.

Le ralentissement de la construction d'habitations s'est toutefois poursuivi en 1979. Il y a eu 198,000 logements mis en chantier au cours de l'année, à comparer à

234,000 en 1978, 244,000 en 1977 et 277,000 en 1976. La chute de la valeur réelle des dépenses des entreprises au titre de la construction résidentielle en 1979 a été plus faible (7.4%) que la diminution des mises en chantier, en raison surtout du maintien d'une tendance marquée vers les logements unifamiliaux au détriment des logements multiples.

Les dépenses en biens et services de consommation ont augmenté de 2.3% en 1979, soit le taux annuel de croissance le plus faible depuis 1970. La principale raison de la léthargie de dépenses de consommation a été la faible croissance du revenu personnel disponible réel, qui n'a monté que de 2.6% en 1979 à comparer à une augmentation moyenne de plus de 5.5% par an pour les années 70. Par ailleurs, les effets de l'inflation ne sont pas étrangers à la croissance modeste du revenu personnel disponible réel en 1979. Pour la deuxième année d'affilée, la rémunération n'a pas suivi l'inflation, les gains hebdomadaires moyens dans le secteur industriel tombant de 0.5% en 1979.

Le commerce international, élément de vigueur relative de l'économie canadienne en 1977 et 1978, a été une force négative en 1979, du moins dans ses répercussions sur l'activité économique en général. La croissance rapide du volume des exportations qui s'était manifestée au cours des deux années précédentes a ralenti en 1979, les exportations de marchandises en termes réels ne montant que de 2.6%.

Regina (Sask.).

Sudbury (Ont.).

Le ralentissement de la croissance des exportations a été plus évident dans le domaine des véhicules automobiles et de leurs pièces, dont les exportations ont diminué de près de 14% par suite d'un affaiblissement du marché américain de l'automobile et des répercussions des pénuries d'essence aux États-Unis au deuxième trimestre. Par contraste avec le ralentissement de la croissance des exportations, les importations de marchandises se sont accélérées en 1979, augmentant de 9.2% en termes réels (4.5% en 1978). Dans une large mesure, cela traduisait l'augmentation des dépenses des entreprises canadiennes au titre des machines et du matériel, dont une bonne partie sont produits ailleurs qu'au Canada.

En dépit d'un élargissement du déficit du Canada au titre du commerce international des biens et des services, mesuré en dollars constants, le déficit au compte courant de la balance des paiements internationaux s'est en fait quelque peu rétréci, à $3.3 milliards. Le solde du commerce des marchandises, mesuré en dollars courants, a profité d'une amélioration des termes de l'échange, car les prix à l'exportation ont progressé plus vite que les prix à l'importation, et il a affiché un excédent inattendu de $4 milliards pour l'ensemble de l'année. Le déficit au titre des invisibles a continué à s'accentuer, comme les années précédentes, bien qu'à un rythme légèrement plus lent. Une des principales raisons de la réduction de la croissance du déficit au titre des services en 1979 a été la stabilisation du déficit du Canada au titre des voyages internationaux, qui, lui, s'explique par les répercussions de la chute de la valeur internationale du dollar canadien, alliée à une lente croissance du revenu réel des consommateurs canadiens.

Les dépenses du gouvernement en biens et services finals (y compris les dépenses d'investissement du gouvernement) ont diminué de près de 1% en termes réels en 1979. La faiblesse des dépenses a été évidente à tous les paliers de gouvernement et traduit les récentes restrictions. Elle s'inscrit dans la série ininterrompue des diminutions de la croissance des dépenses publiques qui caractérisent l'économie canadienne depuis cinq ans. Le déficit global du secteur des administrations publiques sur la base des comptes nationaux est passé de $8.9 milliards à $5.8 milliards en 1979. Cependant, on s'attendait que la position budgétaire du secteur public se détériore sensiblement en 1980, notamment au niveau fédéral.

Une augmentation marquée de la constitution des stocks a caractérisé l'économie tout au long de 1979. L'augmentation de la mise en stocks a commencé au quatrième trimestre de 1978 et s'est poursuivie pendant toute l'année qui a suivi. Pour l'ensemble de 1979, la mise en stocks a dépassé $2 milliards de 1971 ($500 millions en 1978), et est intervenue pour plus de la moitié de l'augmentation des dépenses nationales brutes réelles. Il s'en est suivi un ratio stocks-ventes sensiblement supérieur à sa tendance à long terme en fin d'année, et cela laissait prévoir une correction des stocks en 1980.

L'inflation est restée élevée pendant toute l'année 1979, et s'est même accélérée, selon plusieurs mesures. L'indice des prix à la consommation (IPC) a augmenté de 9.1% pour l'ensemble de 1979, soit un peu plus qu'en 1978 (8.9%). A la fin de 1979, cependant, les prix à la consommation dépassaient de 9.5% leur niveau d'un an plus tôt. L'indice implicite des prix de la dépense nationale brute, qui est une mesure plus large, a augmenté de près de 10% en 1979 contre seulement 6.4% en 1978. L'augmentation des prix à l'exportation a représenté une part importante de cet accroissement, ayant monté de 19% en 1979 contre 8% en 1978, mais il y a également eu d'autres accélérations importantes des déflateurs pour les éléments de la demande intérieure.

Étant donné les taux élevés d'inflation, la croissance des gains des travailleurs au Canada de 1978 à 1979 a été modérée. Les gains hebdomadaires moyens pour l'ensemble de l'industrie ont diminué au cours de six des huit trimestres se terminant avec le quatrième trimestre de 1979, et ont aussi diminué dans l'ensemble de chacune des deux années. La seule autre période prolongée de régression des gains hebdomadaires réels au Canada au cours des 20 dernières années a été en 1973-74. En 1973, les gains réels avaient diminué pendant trois trimestres consécutifs, tandis qu'en 1974, les gains avaient à peine suivi l'inflation. Cette période a été suivie d'une accélération marquée des règlements salariaux et des gains en valeur nominale du fait que les travailleurs ont cherché à reprendre le terrain perdu: en 1975, les gains réels ont monté de 3% suivis d'une autre progression de 4.3% en 1976.

Bien qu'il y ait eu des indices, au début de 1980, d'une accélération des gains en valeur nominale, il était peu probable que l'expérience du milieu des années 70 se reproduise. Un vif rebondissement des gains réels semblait peu probable et l'on prévoyait que la courbe des gains réels resterait essentiellement plate en 1980, ce qui laissait supposer que les dépenses de consommation resteraient faibles en raison de la croissance lente du revenu des ménages.

Vers la fin de 1979, tout indiquait l'imminence d'une régression cyclique de l'économie. L'économie des États-Unis était à la veille d'une récession, ce qui entraînerait une autre chute des marchés pour les exportations canadiennes. On prévoyait que les exportations d'automobiles canadiennes diminueraient de nouveau en 1980. Les mises en chantier d'habitations aux États-Unis, soit le

Ville de Québec (Qué.).

principal déterminant de la demande d'exportations de bois d'œuvre du Canada, devaient diminuer de plus de 600,000 logements. Ces deux facteurs faisaient prévoir que les exportations diminueraient de plus de 2% en termes réels en 1980.

Par ailleurs, on prévoyait que la vigueur de l'inflation aux États-Unis exercerait une pression constante pour faire monter les niveaux des prix au Canada, ce qui limiterait sérieusement la croissance du revenu disponible réel et, partant, les dépenses de consommation au Canada. Le Canada est très sensible à l'inflation étrangère, vu qu'environ 40% des prix canadiens sont déterminés à l'extérieur du pays (essentiellement aux États-Unis), étant donné un taux de change constant. On prévoyait que les prix à la consommation au Canada progresseraient d'environ 10% en 1980, avec une possibilité de taux d'inflation encore plus élevé, selon la date et l'ampleur d'une accélération du redressement des prix du pétrole.

Enfin, afin de prévenir une autre dévaluation du dollar canadien, les décideurs ont réagi à l'augmentation marquée des taux d'intérêt aux États-Unis depuis l'automne de 1979 en permettant une augmentation des taux d'intérêt au Canada. A la fin de 1979, les taux d'intérêt réels (après correction des effets de l'inflation) étaient élevés au Canada et on s'attendait qu'ils le restent jusqu'à la fin de 1980, malgré la chute des taux d'intérêt nominaux au printemps. On prévoyait que les niveaux élevés des taux d'intérêt freineraient progressivement la croissance économique réelle et, notamment, qu'ils nuiraient aux secteurs de l'économie qui sont particulièrement sensibles aux taux d'intérêt. Les secteurs les plus durement touchés seraient les achats de maisons neuves et les achats de gros articles de consommation durables, comme les automobiles. Les entreprises seraient également touchées, vu l'augmentation marquée du coût du maintien de stocks excédentaires.

Camions-citernes chargeant de l'engrais à base d'azote dans le sud de l'Alberta.

Dans l'ensemble, on s'attendait que ces facteurs négatifs feraient que l'année 1980 ne connaîtrait aucune croissance économique réelle. On prédisait que la croissance des dépenses de consommation serait encore plus lente qu'en 1979, et que la construction résidentielle diminuerait encore davantage. Les dépenses publiques devaient également diminuer, en termes réels. On prévoyait que les dépenses en capital des entreprises en usines et matériel continueraient d'être une source de vigueur relative dans une économie par ailleurs faible, mais que leur taux de croissance ne serait pas aussi bon qu'en 1979. Enfin, on ne prévoyait aucune mise en stocks nette en 1980, étant donné que les ratios stocks-ventes ont été ramenés à un niveau normal après celle de 1979.

Les piètres perspectives économiques pour 1980 impliquaient une stabilisation de l'emploi, qui avait connu une croissance rapide en 1978 et 1979. On prévoyait que la croissance de l'emploi ralentirait à 2%, contre 4% en 1979, et que le taux de chômage monterait tout au long de 1980 à un rythme moyen d'environ 7.8% (7.5% en 1979). On s'attendait qu'à la fin de 1980 le taux de chômage dépasserait 8% encore une fois.

Pour 1981, il se dégage peu de facteurs de vigueur dans l'économie, de sorte qu'une forte récupération cyclique semble peu probable. Cela dépendra beaucoup de la performance de l'économie des États-Unis, car les meilleures chances de récupération sont dans la croissance liée aux exportations. Outre cette possibilité, le moteur le plus probable est l'investissement dans l'énergie. Cependant, il pourrait bien y avoir une période prolongée de faiblesse avant que l'économie canadienne ne reprenne le sentier d'une croissance vigoureuse.

CHARLES A. BARRETT

Richesses naturelles

Agriculture

Revenu, dépenses et investissement agricoles

Bien que l'agriculture se pratique dans toutes les provinces, 79% des terres agricoles du Canada sont dans les Prairies et, en 1979, 55% de l'ensemble des revenus agricoles sont allés aux provinces des Prairies. En 1979, le revenu agricole net total s'est chiffré à environ $4,105 millions, soit: Colombie-Britannique, $124 millions; provinces des Prairies, $2,250 millions; Ontario, $1,044 millions; Québec, $562 millions; provinces Maritimes, $124 millions.

Les recettes monétaires provenant de la vente de cultures ont atteint $5.9 milliards en 1979, soit à peu près 42% du total des recettes monétaires agricoles. Le blé reste la culture qui a la plus grande valeur économique, les recettes au titre du blé et des paiements de la Commisson du blé ayant atteint une valeur estimative de $2.4 milliards en 1979.

Les Prairies renferment 79% des terres arables du Canada.

Récolte du concombre en Ontario.

Pour ce qui est des dépenses, les frais d'amortissement constituent toujours le poste le plus important des dépenses agricoles; ils sont suivis de près par les dépenses pour les provendes et les intérêts; les engrais, les produits pétroliers, les réparations et les pièces de machines, et les salaires de la main-d'œuvre agricole représentent les autres grands postes de dépenses agricoles.

Alors que le nombre de fermes est en lente régression, l'augmentation de la taille moyenne des fermes et la mécanisation ont fait passer les immobilisations agricoles de $24 milliards en 1971 à plus de $84 milliards en 1979. La valeur totale moyenne en capital par ferme en 1979 était de $256,316, dont $190,222 en terres et bâtiments, $38,951 en machines et matériel et $27,143 en bétail et volaille.

Grandes cultures

Les céréales et les oléagineux occupaient environ 22 348 300 ha (hectares) en 1979, soit à peu près 50% de l'ensemble des terres agricoles améliorées au Canada.

Chez les grandes cultures, c'est le blé qui domine pour ce qui est de la superficie occupée et du volume et de la valeur des céréales et des exportations. Le blé de printemps est un élément important de l'économie de l'ouest canadien; en 1979, il a occupé environ 10 199 000 ha dans les provinces des Prairies. En règle générale, c'est l'Ontario qui produit le gros du blé d'hiver, mais en 1978 elle a été surpassée par l'Alberta. La production des céréales de provende, particulièrement l'avoine et l'orge dans les provinces des Prairies et le maïs en Ontario, est indispensable à l'industrie canadienne du bétail. L'importance de l'avoine dans l'Ouest, cependant, a diminué avec les années, les 1 335 000 ha ensemencés en avoine dans les provinces des Prairies en 1979 constituant un creux sans précédent. La production des grandes cultures tend à être plus diversifiée en dehors des provinces des Prairies, où l'on accorde plus d'importance à la production laitière et à l'élevage, ce qui fait qu'on y consacre une

1. Superficie et production des grandes cultures du Canada, 1978 et 1979

Détail	Superficie		Production	
	1978	1979	1978	1979
	(milliers d'hectares)		*(milliers de tonnes)*	
Blé d'hiver..............	298.0	311.0	809.4	909.2
Blé de printemps..........	8 809.0	9 056.9	17 483.7	15 037.7
Blé durum	1 477.0	1 133.0	2 852.2	1 798.9
Total...................	10 584.0	10 500.9	21 145.3	17 745.8
Avoine de provende.......	1 828.9	1 541.1	3 620.5	2 977.9
Orge de provende.........	4 258.6	3 724.3	10 387.4	8 460.1
Total...................	318.1	330.0	605.4	524.7
Graine de lin.............	526.0	927.0	571.5	835.7 .
Graine de colza..........	2 825.0	3 439.0	3 497.1	3 560.7
Maïs de provende.........	783.0	891.0	4 032.5	4 963.3
Soya	285.0	283.0	515.6	671.7
Graine de moutarde	98.0	62.0	103.3	53.3
Graine de tournesol.......	91.5	164.0	120.2	220.9
Foin cultivé..............	5 607.0	5 514.0	26 911.7	26 461.2
Maïs de fourrage	496.0	486.0	14 135.9	14 467.6

plus grande proportion des terres aux cultures fourragères, pâturages et provendes. En Ontario, le maïs grain est une culture importante pour l'alimentation du bétail ainsi que pour l'industrie; en 1979, la production en a été de 4 298 100 t (tonnes), soit plus de 85% du total pour l'ensemble du Canada. Le Québec a produit 457 100 t de maïs grain et 3 528 700 t de maïs fourrager en 1979.

Les oléagineux – le colza, le lin, le soya et la graine de tournesol – sont un élément important de la production des grandes cultures au Canada. Le colza, en particulier, est maintenant une exportation agricole importante. Sur le plan intérieur, les oléagineux servent à la production d'huiles végétales pour consommation humaine ou pour usage industriel et à la production de tourteaux à haute teneur en protéines pour l'alimentation des animaux. Le colza, le lin et la graine de tournesol sont produits surtout dans les provinces des Prairies, tandis que le soya se cultive en Ontario. En 1979, la superficie ensemencée en ces cultures a augmenté de façon spectaculaire par rapport à 1978, par suite de l'augmentation des prix et des bonnes perspectives du marché. Le colza est la troisième culture pour ce qui est de la superficie ensemencée annuellement au Canada: les 3 439 000 ha ensemencés en 1979 constituent un record. En 1979, on a cultivé 927 000 ha de lin, 283 000 ha de soya et 164 000 ha de tournesol.

Le tabac est une grande culture dont la valeur marchande est relativement forte. Le gros de la production de tabac du Canada est concentré dans le sud de l'Ontario, bien qu'on en produise aussi au Québec et dans les provinces Maritimes.

Horticulture

La production de fruits et de légumes constitue une part importante de l'agriculture canadienne. Le Canada cultive commercialement plus de 30 sortes de fruits et de légumes, qui ont une valeur agricole annuelle de plus de $460 millions.

La production de fruits et légumes constitue une partie importante de l'agriculture canadienne.

La pomme demeure le fruit le plus répandu. Deux variétés populaires sont la McIntosh et la Delicious, qui représentent 42% et 25% respectivement de la production totale. Il y a des pommeraies dans tout l'est canadien et en Colombie-Britannique. Les pêches, les cerises et le raisin ne se cultivent que dans la région du Niagara dans le sud de l'Ontario et dans la vallée de l'Okanagan en Colombie-Britannique. Ces dernières années, la culture de baies – fraises, bleuets et framboises – a augmenté graduellement. On en trouve des plantations commerciales dans les Maritimes, au Québec, en Ontario et en Colombie-Britannique.

En 1978, la valeur à la production des pommes de terre représentait, à $178 millions, 63% de l'ensemble des revenus agricoles provenant de la vente de légumes, ce qui faisait de la pomme de terre le légume le plus important du Canada. Les provinces Maritimes sont reconnues comme la première région de culture de la pomme de terre au pays. La production en 1978 a été de 2 495 000 t.

L'industrie canadienne des champignons prend de l'ampleur. La production intérieure en 1978 a été de 20.6 millions de kilogrammes (kg) et, par suite de récentes modifications de taux tarifaires et d'une augmentation des investissements, la production doit continuer à monter pendant quelques années.

L'industrie du conditionnement des aliments consomme d'immenses quantités de fruits et de légumes, surtout pour la mise en conserve et la congélation. Les pois, le maïs, les haricots et les tomates sont les principaux légumes préparés, tandis que les principaux fruits sont les pommes, le raisin et les baies. Un grand nombre des produits sont cultivés sous contrat pour le compte d'entreprises de conditionnement; cependant, la proportion cultivée selon ce régime diminue.

En 1978, 1,575 serres produisaient des produits de floriculture et des légumes au Canada. Malgré l'augmentation du coût des intrants et le maintien de niveaux élevés d'importations, les ventes des serres ont atteint un record de $181.4 millions. Les roses, les chrysantèmes et les œillets demeurent les fleurs coupées les plus en demande chez les Canadiens. Les ventes des 539 pépinières canadiennes ont atteint un record de $150.9 millions en 1978. En Ontario, qui a toujours été le premier producteur, on exploitait 56.1% des 22 572 ha consacrés aux pépinières.

Environ 70% du sirop d'érable du monde entier sont produits dans quatre provinces canadiennes (Québec, Ontario, Nouvelle-Écosse et Nouveau-Brunswick). Le Québec, particulièrement dans les Cantons de l'est et la Beauce, a les meilleures érablières du monde, la croissance des arbres étant favorisée par un climat avantageux. Ces dernières années, les tubes de plastique et les pompes aspirantes ont remplacé les seaux traditionnels pour la cueillette de l'eau d'érable sur environ 25% des arbres entaillés. Le nouveau système exige une mise de fonds importante, mais il est efficace, plus hygiénique, coûte moins cher en main-d'œuvre et augmente

Le Canada compte plus de 1,500 exploitations de serres.

Culture commerciale de jonquille à Bradner (C.-B.).

les rendements sans ralentir la croissance des arbres. L'eau d'érable ramassée entre dans la production de divers produits, dont le sirop, le sucre, la tire et le beurre d'érable. Le Canada exporte d'importants volumes de ces produits, surtout vers les États-Unis.

Avec 30 585 t de miel en 1978, le Canada se classe parmi les 10 premiers pays producteurs de miel au monde. Il se fait une production commerciale de miel dans toutes les provinces sauf Terre-Neuve, bien que le gros de la récolte vienne des trois provinces des Prairies. Le nombre d'apiculteurs continue à augmenter, sous la poussée de la demande des consommateurs: plus de 0.9 kg par personne par année.

Bétail

Au 1er janvier 1980, on estimait à 12,403,000 le nombre total de gros bovins et de veaux dans les fermes au Canada (sans Terre-Neuve, qui en avait 6,300 au 1er juillet 1979), soit 1% de plus qu'au 1er janvier 1979 (12,328,000). C'était là le premier indice d'une augmentation de la population bovine depuis le sommet de 1975. Le nombre de gros bovins abattus dans des établissements inspectés en 1979 est tombé à 2,954,317, soit 14% de moins qu'en 1978, tandis que le nombre de veaux abattus a été de 324,890, soit 34% de moins. Le poids chaud moyen par carcasse d'animal abattu était de 273.5 kg en 1979, par rapport à 262.3 kg en 1978. Le prix moyen pondéré par 100 kg des bouvillons A1 et A2 pesant 453.6 kg et plus à Toronto était de $176.88 en 1979 ($136.84 en 1978). Les exportations de bovins pour l'abattage aux États-Unis en

Conduite du bétail en route vers les pâturages printaniers des collines Porcupine, dans le sud de l'Alberta.

1979 se sont chiffrées à 199,286, soit 28% de moins qu'en 1978 (275,733). La même tendance s'est manifestée dans les importations en provenance des États-Unis, qui ont été au nombre de 19,142 en 1979, soit une diminution importante par rapport à 1978 (47,541).

2. Production et disparition estimatives de viandes, 1978 et 1979

Animal	Année	Animaux abattus	Production	Importa-tions	Exporta-tions	Disparition intérieure
			t	t	t	t
Bœuf..........	1978	3,987,900	1 022 795	97 565	44 609	1 075 092
	1979	3,431,500	917 243	83 193	52 035	948 017
Veau..........	1978	736,100	37 338	4 747	399	41 474
	1979	518,000	28 763	4 104	527	32 880
Porc	1978	10,026,600	619 600	54 345	56 592	615 382
	1979	12,216,000	749 904	33 535	79 673	703 850
Mouton et agneau	1978	221,100	4 284	16 572	62	19 848
	1979	211,700	4 188	21 293	270	25 003
Abats	1978	...	61 830	5 299	39 659	28 471
	1979	...	61 126	6 261	47 335	19 932

[1] Comprend les abattages inspectés par le fédéral, les autres abattages commerciaux et les abattages à la ferme. Source: Division du commerce extérieur, Statistique Canada.   ...Sans objet.

Le 1er janvier 1980, il y avait 9,096,000 porcs au Canada (sans Terre-Neuve, qui en avait 16,200 au 1er juillet 1979), soit 14% de plus qu'au 1er janvier 1979. Cette augmentation s'inscrit dans la remontée cyclique amorcée au deuxième semestre de 1975. Le nombre de porcs abattus dans des établissements inspectés par le gouvernement fédéral en 1979 a monté à 11,030,840, soit 23% de plus qu'en 1978 (8,934,470). Le poids chaud moyen par carcasse en 1979 était de 77.1 kg, soit à peu près le même qu'en 1978, soit 77.2 kg. L'augmentation des abattages a fait tomber le prix pondéré moyen à Toronto pour les porcs d'indice 100 de $153.88 les 100 kg en 1978 à $141.43 en 1979. Les importations de porc en 1979 se sont chiffrées à 33 535 000 kg, soit 38% de moins qu'en 1978, tandis que les exportations ont atteint 79 673 000 kg, soit 41% de plus qu'en 1978.

Le nombre de moutons a connu une augmentation appréciable, passant du chiffre estimatif de 430,000 animaux au 1er janvier 1979 à 480,800 au 1er janvier 1980, soit 12% de plus. L'estimation de 1979 était la première augmentation du nombre de moutons depuis 1957. Terre-Neuve, qui n'était pas comprise au 1er janvier 1980, avait 10,700 moutons et agneaux au 1er juillet 1979. En 1979, 92,825 moutons et agneaux ont été abattus dans des établissements inspectés par le gouvernement fédéral, soit 5% de moins qu'en 1978. Cela a fait monter le prix à Toronto des agneaux pesant 36.3 kg et plus à $191.84 les 100 kg en 1979 à comparer à $174.45 en

Ferme près de Wainwright (Alb.).

1978. En 1979, les 17,667 moutons et agneaux ont été importés, soit 39% de moins qu'en 1978, et les importations de viande de mouton et d'agneau ont été de 21 293 000 kg, soit 28% de plus que l'année précédente.

3. Inventaire de certaines catégories de bétail élevé dans les fermes du Canada, 1er janvier 1974-80

Année	Total, toutes catégories	Vaches et génisses laitières	Vaches et génisses de boucherie	Porcs, total	Moutons, total
			(milliers)		
1974	13,481.0	2,546.4	5,333.9	6,972.0	529.4
1975	14,278.0	2,560.6	5,691.5	6,030.5	497,1
1976	14,048.0	2,541.4	5,576.7	5,692.1	458.3
1977	13,709.5	2,455.1	5,467.0	6,154.5	410.1
1978	12,869.5	2,410.3	5,019.3	6,652.8	388.9
1979	12,328.0	2,334.4	4,827.7	8,009.0	430.0
1980	12,403.0	2,350.2	4,849.6	9,096.0	480.8

[1] Terre-Neuve exceptée.   [2] Sujets de 1 an et plus.

4. Lait et crème vendus à la ferme, par région, 1978 et 1979

Région	Année	Ventes à la ferme			
		Pour consommation	Pour transformation		Total des ventes à la ferme
			Livré comme lait	Livré comme crème	
			(kilolitres)		
Maritimes	1978	184 884	135 501	27 537	347 922
	1979	191 956	147 219	27 186	366 361
Québec et Ontario	1978	1 563 345	3 449 468	104 706	5 117 519
	1979	1 589 909	3 421 709	93 731	5 105 349
Prairies................	1978	431 674	385 438	167 901	985 013
	1979	458 111	381 718	140 868	980 697
Colombie-Britannique...	1978	281 305	130 768	1 420	413 493
	1979	294 836	141 180	1 318	437 334
Total, Canada	1978	2 461 208	4 101 175	301 564	6 863 947
	1979	2 534 812	4 091 826	263 103	6 889 741

[1] Le lait écrémé à la ferme est exprimé en équivalent de lait.

Production laitière

En 1979, les fermes ont vendu 6 889 741 kL (kilolitres) de lait, dont 74% en Ontario et au Québec. Trente-sept pour cent de ce lait étaient destinés à la consommation, tandis que les autres 63% étaient destinés à la transformation. La valeur à la production du lait vendu par les fermes en 1979, y compris les paiements supplémentaires, a été de $1,978,340,000, soit 11% de plus qu'en 1978. Il y a 96,900 fermes qui ont déclaré des vaches laitières lors du recensement de 1976, à comparer à 145,300 en 1971. Sur ces fermes, 91,300 ont eu des revenus de plus de $1,200 en 1976, à comparer à 129,800 en 1971.

Volaille et œufs

L'aviculture se caractérise aujourd'hui par un degré élevé de spécialisation et de concentration, notamment pour ce qui est des œufs, du poulet de gril et du dindon dont les producteurs sont assujettis aux contraintes de programmes de gestion de l'offre administrés par les offices provinciaux de commercialisation. L'activité des producteurs d'œufs et de dindons au niveau provincial est coordonnée par des organismes nationaux (l'Office canadien de commercialisation des œufs et l'Office canadien de commercialisation des dindons) régis par des chartes fédérales.

Fourrures

On recueille et publie des statistiques annuelles sur les fourrures depuis 1920. La valeur des peaux d'animaux sauvages a été de $81,747,855 en 1978-79, soit 65% de la valeur de l'ensemble des peaux; la valeur des peaux provenant des fermes d'élevage est passée de $25,544,687 à $43,539,362 pour la saison 1978-79.

Élevage des dindons à Beiseker (Alb.).

Récolte du céleri, des tomates et des oignons.

Depuis quelques années les consommateurs achètent davantage de la volaille et du porc à la place du bœuf.

Consommation alimentaire par habitant

La consommation apparente totale de fruits au Canada est demeurée stable en 1978, se situant à 102.1 kg par personne. L'augmentation la plus importante est celle de la disparition des jus, qui a augmenté de 2.1 kg par rapport à 1977, surtout à cause du volume des importations des jus d'agrumes. Les tomates, les agrumes et les pommes sont demeurés les fruits préférés des Canadiens.

La consommation apparente de légumes a connu une augmentation de plusieurs kilogrammes par personne en 1978. Les principaux éléments de cette augmentation ont été les carottes, le chou, les haricots verts et les haricots jaunes, en raison de l'augmentation de la production intérieure de ces cultures. Une bonne récolte de pommes de terre blanches ainsi qu'un niveau élevé des stocks d'ouverture a fait monter de 3.6 kg la disparition des pommes de terre en 1978, ce qui l'a portée à 74.9 kg, malgré la hausse des quantités destinées aux usines de transformation.

Les consommateurs ont remplacé le bœuf par la volaille et le porc en 1978, car le cycle du bœuf a commencé sa phase de régression, ce qui explique la diminution des abattages de bovins. A 46.5 kg, la disparition de bœuf en était à son niveau le plus bas depuis 1974. L'expansion continue de l'industrie du porc a contribué à maintenir les approvisionnements de porc.

L'augmentation de 2.4 L de la disparition du lait de consommation partiellement écrémé en 1978 a été légèrement compensée par une diminution de la consommation apparente de lait entier. La disparition de lait écrémé de consommation et de boissons au chocolat a augmenté marginalement. Le lait de consommation partiellement écrémé a affiché la consommation apparente la plus forte.

La disparition de fromage a augmenté encore une fois en 1978, par suite de l'accroissement de la demande de fromages fondus et de fromages fins. La consommation apparente de fromage cheddar a continué à régresser, tombant à 1.3 kg, soit le niveau le plus faible depuis 1966.

La disparition de café a augmenté en 1978 après avoir connu des faibles niveaux en raison de la mauvaise récolte au Brésil et de l'augmentation des prix en 1977. La disparition de thé a diminué légèrement, les consommateurs ayant remplacé le thé par le café. La consommation apparente de cacao a également diminué légèrement, en raison surtout du faible niveau des stocks d'ouverture.

Port d'expédition à Vancouver (C.-B.). La forêt est l'une des plus importantes ressources renouvelables du Canada; un emploi sur 10 en dépend.

Forêts

Les forêts canadiennes comptent parmi les principales ressources renouvelables du pays. Allongées d'un océan à l'autre en une bande ininterrompue de 500 à 2 100 km de largeur, elles alimentent en matières premières les grandes industries des sciages, des pâtes et papiers et du contre-plaqué ainsi que les autres industries du bois, essentielles à l'économie du pays. Un emploi sur 10 au Canada dépend de cette ressource, qui intervient également pour plus de $10,448 millions dans la balance du commerce de 1979 au titre du bois, des produits du bois et du papier. De plus, elles régularisent le ruissellement et empêchent l'érosion, abritent et alimentent la faune, et offrent des possibilités sans pareil pour les loisirs.

Les terres forestières pouvant produire du bois utilisable s'étendent sur plus de 1 635 000 km² (kilomètres carrés). On estime à 17 230 millions de m³ (mètres cubes) le volume total de bois qu'elles contiennent. Les conifères en constituent les quatre cinquièmes et les feuillus, le reste.

La forêt boréale représente 75% de la superficie forestière productive du Canada; elle commence sur le littoral de l'Atlantique et se déroule en une large ceinture vers l'ouest, puis vers le nord-ouest jusqu'à l'Alaska. Dans cette zone, les conifères prédominent, les essences les plus répandues étant l'épinette, le sapin baumier et le pin. La forêt boréale compte aussi de nombreux feuillus, notamment le peuplier et le bouleau blanc.

Les régions Grands Lacs – Saint-Laurent et Acadienne sont au sud de la région boréale. Les peuplements y sont mixtes et on y trouve de nombreuses essences. Les principaux conifères sont le pin blanc et le pin rouge, la pruche, l'épinette, le cèdre blanc et le sapin; le merisier, l'érable, le chêne et le bois blanc dominent chez les feuillus.

La région côtière de la Colombie-Britannique présente un aspect totalement différent. Ses forêts se composent exclusivement de conifères et, en raison du climat doux et humide et des fortes précipitations, les arbres de très grande taille – 60 m de hauteur et plus de 2 m de diamètre – y abondent. Cette région représente moins de 2% de la superficie forestière du pays, mais produit presque le quart du bois abattu. Les principales essences sont le cèdre de l'Ouest, la pruche, l'épinette, le sapin et le sapin de Douglas.

Les forêts de conifères des régions montagneuses de l'Alberta et de l'intérieur de la Colombie-Britannique sont mixtes; la répartition et les caractéristiques des essences dépendent du climat local, qui varie du sec au très humide. Par suite de l'implantation de nombreuses nouvelles usines de pâtes et papiers, la production dans cette région a pris une expansion rapide ces dernières années.

Les seules forêts canadiennes composées essentiellement de feuillus occupent une superficie relativement restreinte dans l'extrême sud de l'Ontario, où l'agriculture prédomine.

Empilage de copeaux de bois à l'usine de pâtes et papiers de Le Pas (Man.).

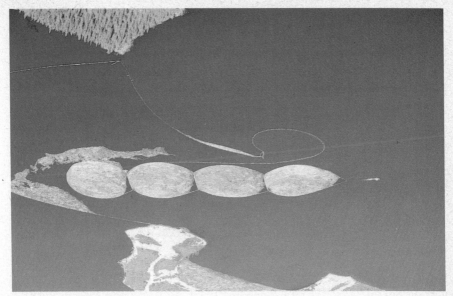

Transport du bois par flottage au Québec.

Appartenance et administration des forêts

Quatre-vingt dix pour cent des forêts productives du Canada sont du domaine public. En vertu de l'Acte de l'Amérique du Nord britannique, les gouvernements provinciaux jouissent du droit exclusif de légiférer en matière d'administration et de vente des terres publiques, forêts et bois compris, situées sur leur territoire. Dans le Nord, qui ne contient qu'environ 5% des terres forestières productives du pays, les forêts sont administrées par le gouvernement fédéral.

Pendant longtemps, les gouvernements fédéral et provinciaux ont eu pour politique de conserver au domaine public les terres non agricoles. Toutefois, dans certaines régions peuplées tôt, une forte proportion des terres sont de propriété privée, notamment dans les trois provinces Maritimes, où près de 64% des forêts productives appartiennent à des particuliers ou à des entreprises. L'administration et la protection de la majeure partie des régions forestières productives du Canada incombent donc aux divers gouvernements provinciaux, qui mettent les forêts à la disposition de l'industrie au moyen de baux à long terme ou selon d'autres modalités.

Industries forestières

Ce groupe d'industries comprend l'exploitation forestière, les industries de première transformation du bois et du papier, dont la matière première est surtout le bois rond, et les industries secondaires du bois et du papier, qui transforment le bois d'œuvre, la pâte de bois, le papier de base et d'autres matières en une foule de produits. Il figurait pour environ 18.1% de l'ensemble des exportations totales du Canada en 1978, contre 17.8% en 1977; l'augmentation est surtout attribuable à l'accroissement sensible de la quantité et de la valeur des produits de bois et de papier exportés aux États-Unis.

5. Statistiques principales de l'industrie des pâtes et papiers, 1975-78

Détail		1975	1976	1977	1978
Établissements	nombre	147	147	145	144
Effectifs........................	nombre	84,046	86,995	84,533	85,601
Traitements et salaires	$ milliers	1,091,675	1,415,843	1,541,355	1,696,769
Valeur des expéditions de produits de propre fabrication	$ milliers	5,122,093	5,992,723	6,636,533	7,648,960
Valeur ajoutée-activité manufacturière................	$ milliers	2,569,650	2,845,278	3,056,481	3,503,545
Pâte expédiée	milliers de t	5 649	6 768	7 066	8 021
	$ milliers	1,982,617	2,254,714	2,270,938	2,461,919
Papier et carton expédiés	milliers de t	9 891	11 341	11 880	13 167
	$ milliers	2,861,471	3,383,315	3,964,571	4,729,638
Papier journal exporté..........	milliers de t	6 348	6 997	7 266	7 868
	$ milliers	1,741,990	1,997,371	2,381,265	2,886,214

Exploitation forestière. La production de billes de sciage, de placages, de bois à pâte, de poteaux et d'autres produits en bois rond a grimpé de 145 262 000 m³ en 1977 à 156 745 000 m³ en 1978. La production de billes de sciage est passée de 103 707 000 m³ en 1977 à 112 386 000 m³ en 1978; pendant cette même période, on a observé une augmentation de la production de bois à pâte à l'est des Rocheuses, qui est passée de 36 732 000 m³ à 38 832 000 m³. La Colombie-Britannique a connu la plus forte augmentation de la production globale (69 971 000 m³ en 1977 à 75 164 000 m³ en 1978).

Matériel de récolte du bois en service au Canada.

Reboisement au Canada. Les incendies ont ravagé 240 686 ha de forêt canadienne en août 1980.

La valeur des exportations de bois rond a diminué d'environ 9%, passant de $71 millions en 1977 à $67 millions en 1978. Les exportations de billes de sciage, de billes et de billots ont diminué de 28% en quantité et 18% en valeur en 1978.

La valeur des expéditions de l'industrie de l'exploitation forestière en 1978 a été de $4,046 millions, par rapport à $3,498 millions l'année précédente, en raison de l'augmentation des valeurs unitaires ainsi que des quantités expédiées.

En 1978, l'exploitation forestière occupait 45,944 personnes, soit environ 10% de plus qu'en 1977; la masse salariale en 1978 était de $808 millions, contre $693 millions en 1977.

Scieries et ateliers de rabotage. Cette industrie est particulièrement sensible à la conjoncture économique du pays et à l'état des marchés étrangers, notamment du marché américain. Grâce à la grande vigueur de la construction résidentielle au Canada, et particulièrement aux États-Unis, le marché du bois d'œuvre a progressé de façon soutenue pendant 1977 et 1978. La production canadienne de bois d'œuvre s'est accrue de 7.8% pour s'établir à 44 887 000 m³ en 1978, contre 41 633 000 m³ en 1977. Les exportations ont progressé de 9.1%, passant de 29 059 000 m³ en 1977 à 31 713 000 m³ en 1978. La tendance à long terme à l'agrandissement et à l'automatisation des scieries se poursuit, surtout à l'intérieur de la Colombie-Britannique, où l'industrie des sciages s'intègre de plus en plus à celle des pâtes et papiers.

Pâtes et papiers. La fabrication des pâtes et papiers est la deuxième industrie du Canada pour ce qui est de la valeur des expéditions. Toutefois, elle conserve toujours le premier rang pour ce qui est de l'emploi, des traitements et salaires et de la valeur ajoutée par l'activité manufacturière. La valeur ajoutée par cette seule industrie en 1978 représentait 1.5% du PNB total du Canada, intervenant pour 10.9% dans la valeur totale des exportations canadiennes (11.4% en 1977). Le Canada est le deuxième producteur de pâte de bois au monde (20 152 457 t en 1978), après les États-Unis (46 000 000 t), et le premier exportateur. Il est de loin le plus grand

Chargement de pâte au Québec.

producteur de papier journal (8 739 405 t en 1978, soit près de 33% de la production mondiale).

L'industrie des pâtes et papiers fabrique surtout des pâtes de bois et des papiers et cartons de base, mais elle produit également des papiers et cartons façonnés et même des produits chimiques, de l'alcool et d'autres sous-produits. Environ 60% des pâtes fabriquées en 1978 ont été transformées au Canada en d'autres produits, surtout en papier journal; 90% du reste ont été exportés.

Le Québec domine l'industrie des pâtes et papiers du Canada; en 1978, on lui attribuait 33% de la valeur totale de la production. Il est suivi de la Colombie-Britannique (27%) et de l'Ontario (20%).

Industries de la transformation du papier. Ce groupe comprend les fabricants de papier-toiture asphalté, de boîtes et sacs en papier et d'autres produits de la transformation du papier. En 1978, il comptait 555 établissements (502 en 1977), employait 41,182 personnes (39,930 en 1977) et a versé $585 millions en traitements et salaires ($538 millions en 1977); la valeur des expéditions a atteint un nouveau sommet de $2,548,325,000 ($2,301,149,000 en 1977). Contrairement à l'industrie des pâtes et papiers de base, les industries de la transformation du papier sont essentiellement tributaires du marché intérieur.

Autres industries du bois. Ce groupe comprend les usines de bardeaux, de placages et contre-plaqués et de panneaux de particules qui, comme les scieries et les usines de pâtes et papiers, comptent parmi les industries de première transformation du bois. Il englobe également les industries secondaires du bois qui transforment le bois d'œuvre, le contre-plaqué et les panneaux de particules en planchers, portes, châssis, produits lamellaires, bâtiments préfabriqués, caisses, tonneaux, cercueils et ustensiles. En 1978, l'industrie des placages et contre-plaqués, la plus importante du groupe, a expédié des produits de propre fabrication d'une valeur de $844,457,000, soit 30.6% de plus qu'en 1977 ($646,779,000).

Morue salée séchant au soleil à Dildo (T.-N.).

Calmars laissés en séchage dans l'île Fogo (T.-N.). Le calmar séché est exporté au Japon.

Pêches

Les prises de poisson au Canada en 1979 ont poursuivi la tendance à la hausse des dernières années, confirmant la perspective d'une reprise de la plus ancienne industrie primaire du pays.

En 1979, les débarquements au Canada se sont chiffrés à 1 402 414 t, à comparer à 1 375 000 t en 1978. La valeur au débarquement s'est élevée à $858 millions, soit $167 millions de plus que l'année précédente.

Île du Cap-Breton (N.-É.).

La valeur des exportations canadiennes de produits de la pêche a continué à progresser pour s'établir à $1.32 milliard en 1979, soit $189 millions de plus qu'en 1978. Suivant la tendance des années précédentes, environ 49% des exportations canadiennes sont allées aux États-Unis et 25% aux pays d'Europe.

Pêcherie de thon près de l'Île-du-Prince-Édouard.

Le bateau de pêche Arctic Harvester, possédé et exploité par la bande indienne de Sechelt, revient à Colombie-Britannique chargé de 235 tonnes de poisson, après une campagne de huit jours.

Le Canada a continué à jouer un rôle important dans les négociations sur le droit de la mer aux Nations Unies, cherchant à rallier d'autres pays au projet de modification au droit de la mer. Le 1er janvier 1977, le Canada a officiellement porté à 200 milles au large des côtes est et ouest sa limite de pêche extraterritoriale. Les débarquements sur la côte de l'Atlantique se sont chiffrés en 1979 à 1 171 100 t, c'est-à-dire 18 000 t de plus que l'année précédente. La valeur au débarquement sur cette côte s'est établie à $476.5 millions, soit $60 millions de plus qu'en 1978. Une augmentation importante de la valeur des prises de hareng a contribué à l'accroissement marqué des valeurs au débarquement sur la côte du Pacifique. Les 171 300 t débarquées en 1979, soit 72 000 t de plus que l'année précédente, ont représenté une augmentation de $94.5 millions de la valeur au débarquement pour les pêcheurs de la côte du Pacifique, pour un total de $346.6 millions. La valeur marchande de l'ensemble des produits de la pêche du Canada en 1979 était estimée à $1,642 millions, soit environ $85 millions de plus qu'en 1978.

Il y avait environ 73,500 pêcheurs commerciaux au Canada, dont 67% sur la côte de l'Atlantique et 23% sur la côte du Pacifique; les autres pêchaient dans les eaux intérieures. La flottille de pêche maritime comptait environ 38,000 bateaux.

Minéraux et énergie

Minéraux

La valeur de la production minérale au Canada s'est chiffrée à $26,098 millions en 1979, contre $20,261 millions en 1978 et $18,473 millions en 1977. En 1979, les minéraux métalliques représentaient 31% de cette valeur. Les principaux sont, par ordre d'importance, le minerai de fer, le cuivre, le zinc, le nickel, l'uranium, l'or, l'argent et le plomb. Les combustibles minéraux, pétrole brut et gaz naturel en tête, figuraient pour 56% de la valeur totale de la production, et les minéraux non métalliques et les matériaux de construction pour 14%. Les principaux matériaux de construction sont le ciment, le sable et le gravier, et la pierre; dans le groupe des minéraux non métalliques, la potasse domine, suivie de l'amiante. En 1979, le principal produit minéral a été le pétrole brut, dont la production a atteint en valeur $7,611 millions au lieu de $5,811 millions en 1978 et $423 millions en 1960.

En 1979, la production de nickel au Canada s'est chiffrée à 131 579 t d'une valeur de $826 millions, ce qui représente une augmentation par rapport aux 128 310 t d'une valeur de $635 millions produites en 1978. La majeure partie provenait des mines exploitées dans la région de Sudbury (Ont.) par l'INCO Limited et la Falconbridge Nickel Mines Limited.

La production de cuivre en 1979 s'est élevée à 643 754 t d'une valeur de $1,515 millions; les chiffres correspondants pour 1978 étaient 659 380 t et $1,084 millions. Les principales provinces productrices ont été la Colombie-Britannique (286 509 t), l'Ontario (184 888 t) et le Québec (80 663 t).

Usine de traitement du gaz à Carstairs (Alb.). Le gaz naturel doit être transformé avant sa mise en marché.

L'usine de traitement du gaz de Wapiti, dans le profond bassin de l'Ouest albertain, a été officiellement ouverte en novembre 1979.

La production de minerai de fer en 1979 a atteint 60 185 000 t ($1,889 millions); en 1978, elle était de 42 930 803 t ($1,222 millions). La production de zinc se chiffrait à 1 148 498 t ($1,107 millions) en 1979 contre 11 066 902 t ($818 millions) en 1978.

La production d'amiante se chiffrait en 1979 à 1 501 000 t d'une valeur d'environ $641 millions. Le Québec figurait pour 89% de cette production, le reste provenant de la Colombie-Britannique et de Terre-Neuve. Le Canada est le deuxième producteur d'amiante, fournissant plus de 25% de la production mondiale.

Le ciment est le principal matériau de construction produit au Canada; les deux tiers environ proviennent de l'Ontario et du Québec.

La potasse, le molybdène et le charbon comptent parmi les minéraux auparavant de moindre importance et dont la production s'est beaucoup accrue au cours de ces dernières années.

6. Valeur de la production minérale par catégorie, 1967-79

Année	Métaux	Minéraux non métalliques	Combus- tibles fossiles	Matériaux de construction	Total
		(millions de dollars)			
1967	2,285	406	1,234	455	4,380
1968	2,493	447	1,343	440	4,722
1969	2,378	450	1,465	443	4,736
1970	3,073	481	1,718	450	5,722
1971	2,940	501	2,014	507	5,963
1972	2,956	513	2,368	571	6,408
1973	3,850	615	3,227	678	8,370
1974	4,821	896	5,202	835	11,753
1975	4,795	939	6,653	959	13,347
1976[r]	5,315	1,162	8,109	1,107	15,693
1977[r]	5,988	1,362	9,873	1,249	18,473
1978	5,698	1,478	11,578	1,508	20,261
1979	8,000	1,833	14,529	1,737	26,098

[r] Chiffres rectifiés.   Les chiffres ayant été arrondis, le total peut ne pas correspondre à la somme des éléments.

7. Production minérale, par province, 1977-79

Province ou territoire	1977[r] Valeur	%	1978 Valeur	%	1979[1] Valeur	%
	$ milliers	%	$ milliers	%	$ milliers	%
Terre-Neuve	867,146	4.7	675,028	3.3	1,100,152	4.2
Île-du-Prince-Édouard ..	1,863	- -	2,068	- -	2,200	- -
Nouvelle-Écosse.	159,426	0.9	210,659	1.0	208,718	0.8
Nouveau-Brunswick	289,393	1.6	339,610	1.7	529,926	2.0
Québec.	1,674,927	9.1	1,796,050	8.9	2,247,850	8.6
Ontario.	2,980,082	16.1	2,697,852	13.3	3,271,369	12.5
Manitoba	563,733	3.1	459,636	2.3	585,438	2.2
Saskatchewan.	1,207,562	6.5	1,581,850	7.8	1,814,743	7.0
Alberta.	8,576,327	46.4	10,087,206	49.8	12,884,740	49.4
Colombie-Britannique...	1,686,511	9.1	1,882,652	9.3	2,741,467	10.5
Yukon	209,898	1.1	218,804	1.1	299,564	1.2
Territoires du Nord-Ouest	255,659	1.4	309,639	1.5	412,100	1.6
Total.	18,472,528	100.0	20,261,053	100.0	26,098,267	100.0

[r] Chiffres rectifiés   [1] Estimations provisoires.   - -Nombres infimes.
Les chiffres ayant été arrondis, le total peut ne pas correspondre à la somme des éléments.

La valeur de la production canadienne de potasse est passée de moins de $1 million en 1960 à $695 millions en 1979, plusieurs mines ayant été ouvertes en Saskatchewan entre 1962 et 1970. Environ 95% de la potasse produite dans le monde sert d'engrais.

Le Canada n'est surclassé que par les États-Unis comme producteur de molybdène. La valeur de la production est passée de $1 million en 1960 à $330

Usine de traitement du gaz naturel à Taylor Flats (C.-B.).

millions en 1979. Plus de 90% de la production canadienne vient de la Colombie-Britannique.

La production de soufre élémentaire a augmenté, passant de 5 752 000 t en 1978 à 6 718 000 t en 1979, et la valeur s'est établie à $145 millions au lieu de $101 millions. Le gaz naturel étant la principale source de soufre élémentaire au Canada, la production de ce minéral est directement liée à celle du gaz naturel quel que soit le prix du soufre. Presque tout le soufre est transformé en acide sulfurique, dont la moitié sert à la fabrication d'engrais.

Bien que la production d'or ait diminué pour s'établir à 49 175 kg en 1979 (53 967 kg en 1978), sa valeur a atteint $543 millions contre $382 millions en 1978 par suite de la hausse des prix mondiaux.

Pétrole et gaz naturel

En raison de la hausse constante des prix des produits énergétiques, il est manifeste que l'on perçoit de plus en plus le secteur de l'énergie comme un facteur déterminant du bien-être économique. Le Canada est privilégié parmi les pays industrialisés du fait qu'il possède d'importantes réserves de la plupart des formes d'énergie bien que ses réserves prouvées d'hydrocarbures ne représentent que relativement peu d'années de production de pétrole et de gaz.

En 1979, l'industrie pétrolière a extrait des hydrocarbures pour une valeur d'environ $13,671 millions, soit une avance de 26.6% par rapport à 1978. L'accroissement de la valeur provient surtout de la hausse des prix, la production de pétrole brut n'ayant augmenté que de 17.0% pour se fixer à 89 320 000 m³ (mètres cubes) et celle de gaz naturel de 6.2% pour s'établir à 94 116 000 000 m³. La production de gaz liquéfié a progressé de 18.2% pour atteindre 19 290 000 m³.

8. Production minérale, par genre, 1977-79

Minéraux	Unité	1977[r]	1978	1979[1]
		(milliers)		
Métalliques				
Antimoine..................	kg	..	..	..
Argent	kg	1 314	1 267	1 184
Bismuth	kg	165	145	112
Cadmium...................	kg	1 185	1 151	1 256
Calcium	kg	491	575	477
Cobalt.......................	kg	1 485	1 234	1 381
Columbium (Cb$_2$O$_5$)..........	kg	2 509	2 473	2 406
Cuivre	kg	759 423	659 380	643 754
Étain........................	kg	328	360	362
Fer refondu	t	..	..	..
Indium	kg	1	4	..
Magnésium	kg	7 633	8 309	9 172
Minerai de fer	t	53 621	42 931	60 185
Molybdène..................	kg	16 568	13 943	11 187
Nickel.......................	kg	232 512	128 310	131 579
Or	kg	54	54	49
Platinides...................	kg	14	11	6
Plomb.......................	kg	280 955	319 809	315 751
Sélénium	kg	161	122	107
Tantale (Ta$_2$O$_5$)	kg	..	..	..
Tellure......................	kg	35	31	33
Tungstène (WO$_3$)............	kg	2 284	2 886	..
Uranium (U$_3$O$_8$)	kg	6 824	8 211	6 956
Zinc	kg	1 070 515	1 066 902	1 148 498
Non métalliques				
Amiante....................	t	1 517	1 422	1 501
Azote	m^3	..	..	..
Barytine....................	t	..	..	..
Bioxyde de titane, etc.	t	..	..	..
Dolomie et brucite	t	..	..	..
Gypse......................	t	7 234	8 074	8 105
Pierre gemme	kg	..	..	
Potasse (K$_2$O)	t	5 764	6 344	7 046
Pyrite, pyrrhotine............	t	24	9	31
Quartz	t	2 317	2 165	2 246
Sel..........................	t	6 039	6 452	6 672
Soufre, gaz de fonderie	t	736	676	605
Soufre élémentaire...........	t	5 207	5 752	6 718
Spath fluor..................	t	..	—	—
Stéatite, talc, pyrophyllite	t	72	62	88
Sulfate de sodium............	t	395	377	452
Syénite néphélinique.........	t	575	599	617
Tourbe mousseuse	t	386	435	409
Combustibles				
Gaz naturel	m^3	91 517 960	88 610 000	94 116 000
Houille.....................	t	28 520	30 477	33 019
Pétrole brut	m^3	76 579	76 348	89 320
Sous-produits du gaz naturel	m^3	16 703	16 313	19 290

8. Production minérale, par genre, 1977-79 (fin)

Minéraux	Unité	1977[r]	1978	1979[1]
		(milliers)		
Matériaux de construction				
Chaux.....................	t	1 900	2 034	2 092
Ciment....................	t	9 640	10 558	11 835
Pierre	t	120 163	122 144	114 989
Produits argileux (briques, tuiles, etc.)........		..	..	..
Sable et gravier.............	t	262 905	272 092	275 127

[r] Chiffres rectifiés.   [1] Estimations provisoires.   .. Chiffres non disponibles.

Raffineries de pétrole à Oakville (Ont.).

Mineurs attendant de descendre dans les galeries d'un gisement d'or de Yellowknife (T.N.-O.).

Les ventes intérieures de produits pétroliers raffinés se sont chiffrées à 102 460 000 m³ en 1979: 38 285 000 m³ d'essence à moteur, 30 715 000 m³ de distillats moyens, 15 932 000 m³ de mazout lourd et 17 528 000 m³ d'autres produits.

En 1978, $3,917 millions ont été investis afin de mettre en valeur de nouvelles réserves pour remplacer les sources d'approvisionnement en voie de s'épuiser. Sur ce montant, 72% ont été dépensés en Alberta, ce qui reflète l'activité croissante de l'industrie dans les zones excentriques. L'Alberta figurait pour 90% de la valeur de production du pétrole, du gaz naturel et des sous-produits du gaz naturel. Outre ses réserves classiques, le Canada possède un volume considérable de sables bitumineux. Selon une évaluation récente les réserves récupérables de pétrole brut synthétique de tous les gisements bitumineux de l'Alberta s'élèvent à 40 000 000 000 m³, dont 4 200 000 000 jugés récupérables au moyen de procédés analogues à ceux qu'utilisent les deux usines situées près de Fort McMurray. Pour le reste, il faudra recourir à d'autres techniques.

La plateforme de forage Gulftide a servi à la découverte d'un nouveau champ de gaz au large de la rive est de Sable Island (N.-É.). Placés sur un vérin, les pieds du dispositif reposent au fond de la mer tandis que la plateforme même est soulevée au-dessus des eaux.

9. Production de charbon, par province, 1977-79

Province	Genre de charbon	1977	1978	1979
		(milliers de tonnes)		
Nouvelle-Écosse..........	Bitumineux	2 165	2 650	2 157
Nouveau-Brunswick.............	Bitumineux	277	315	310
Saskatchewan............	Lignite	5 479	5 058	5 013
Alberta.................	Sub-bitumineux	7 725	8 278	9 575
	Bitumineux	4 289	5 115	5 349
	Total, Alberta	12 014	13 393	14 924
Colombie-Britannique............	Bitumineux	8 585	9 061	10 616
Total...................		28 520	30 477	33 019

Charbonnage à ciel ouvert dans le sud-est de la Colombie-Britannique. Une fois le charbon extrait, on réensemence ces aires de gazon et on y plante des arbres. Le charbon est exporté au Japon.

Houille

La production houillère du Canada est passée de 30 476 846 t en 1978 à 33 018 960 t en 1979. Selon les estimations provisoires, la valeur de la production en 1979 a atteint $858 millions contre $780 millions en 1978. Les sidérurgistes japonais — principaux clients du Canada — absorbent environ 77% de toutes les exportations.

Électricité

Au Canada, la capacité de production totale a grimpé de 133 MW (mégawatts) en 1900 aux environs de 74 507 MW en 1978.

Bien que l'énergie hydraulique ait été de tout temps la principale source d'électricité du Canada, et le demeure, les ressources thermiques voient leur importance s'accroître, et on prévoit que cette tendance persistera. Le choix entre l'implantation d'une usine hydroélectrique et la construction d'une centrale thermique doit s'appuyer sur un certain nombre de considérations complexes, dont les plus importantes sont d'ordre économique. Il est vrai que la construction d'une centrale hydroélectrique exige des investissements très élevés, mais en revanche les frais d'entretien et d'exploitation sont de beaucoup inférieurs à ceux d'une centrale thermique. La longue durée de la centrale hydroélectrique ainsi que la sécurité et la souplesse de son fonctionnement militent également en sa faveur, sans compter que l'eau est une ressource renouvelable; par contre, la centrale thermique peut être construite à proximité de la région à desservir, ce qui réduit les frais de transport de l'électricité; on s'inquiète cependant des problèmes de pollution que pose ce type de centrale.

La tendance marquée vers la construction de centrales thermiques qui s'est dessinée dans les années 50 provient dans une certaine mesure du fait que dans bien des régions du Canada, et pour des raisons d'économie, la plupart des emplacements hydroélectriques assez rapprochés des centres de distribution étant déjà aménagés, les promoteurs ont dû trouver d'autres sources d'énergie électrique. Bien que les progrès récents des techniques de transport du courant à très haute tension aient encouragé la construction d'usines hydroélectriques à des endroits considérés auparavant comme trop éloignés, l'avenir appartient probablement aux centrales thermiques.

Ressources et aménagements hydrauliques. Les ressources hydrauliques sont exploitées dans toutes les provinces sauf l'Île-du-Prince-Édouard, où il n'existe pas de grands cours d'eau. La centrale hydroélectrique des chutes Churchill au Labrador, dotée d'une puissance installée de 5 225 MW, est la plus grande centrale au monde. Cependant, la province de Québec est la mieux pourvue en ressources hydrauliques avec plus de 37% du total national, et possède la plus forte puissance installée. Ce volume, si impressionnant soit-il, doublera lorsque les projets d'aménagement de certaines rivières se déversant dans la baie James se concrétiseront, ce qui pourrait donner lieu à un accroissement de 10 000 MW.

Barrage hydroélectrique sur le lac Saint-Jean (Qué.).

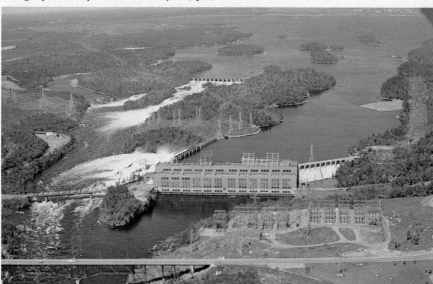

Énergie thermique classique. L'Île-du-Prince-Édouard, la Nouvelle-Écosse, le Nouveau-Brunswick, l'Ontario, la Saskatchewan, l'Alberta et les Territoires du Nord-Ouest dépendent surtout des centrales thermiques pour leur approvisionnement en énergie. L'abondance des ressources hydrauliques du Québec a jusqu'ici limité à des fins locales l'utilisation de l'énergie thermique, et l'aménagement de la baie James maintiendra la puissance hydroélectrique au premier rang. Le Manitoba et la Colombie-Britannique disposent d'une puissance thermique appréciable, mais l'accent porte encore sur les installations hydroélectriques.

Énergie thermonucléaire. La production commerciale d'énergie électrique à l'aide des centrales utilisant la chaleur produite par réaction nucléaire constitue l'un des principaux apports du Canada à la technologie des ressources énergétiques. L'expérience s'est concentrée sur le réacteur CANDU alimenté à l'uranium naturel et ralenti à l'eau lourde; l'utilisation de l'eau lourde comme modérateur assure un

Usine d'eau lourde de Point Tupper dans l'île du Cap-Breton (N.-É.).

rendement énergétique élevé et facilite le contrôle du combustible consommé. Le premier réacteur expérimental, d'une puissance de 20 MW, a été mis en service en 1962 à Rolphton (Ont.). Depuis, on a entrepris la construction de quatre grandes centrales nucléaires. La première centrale nucléaire pleine grandeur se trouve à Douglas Point, sur les rives du lac Huron; achevée en 1967, elle comprend un seul groupe de 220 MW. La deuxième, construite à Pickering, à l'est de Toronto, comprend quatre groupes d'une puissance globale de 2 160 MW mis en service de 1971 à 1973. Les centrales de Douglas Point et de Pickering utilisent toutes deux l'eau lourde comme caloporteur. La troisième centrale nucléaire est celle de Gentilly (Qué.); formée d'un seul groupe de 250 MW, elle utilise l'eau légère bouillante comme caloporteur. La centrale Bruce, en Ontario, d'une puissance de 3 200 MW, a démarré en 1978.

Production et consommation d'énergie. En 1978, les centrales du Canada ont produit 335 641 120 MWh (mégawattheures) d'énergie électrique, dont 70% au moyen d'installations hydroélectriques. Les exportations vers les États-Unis ont dépassé les importations de 19 493 292 MWh, ce qui laissait aux consommateurs canadiens un total de 316 147 828 MWh. La consommation domestique et agricole moyenne continue d'augmenter chaque année: en 1978, elle était de 10 388 kWh (kilowattheures), variant entre 5 931 kWh dans l'Île-du-Prince-Édouard et 13 062 kWh au Québec. Le coût annuel moyen par consommateur domestique et agricole s'élevait à $292.07.

Des travailleurs de l'Hydro sont transportés en hélicoptère pour ériger des pylônes de transmission dans la région de Revelstoke en Colombie-Britannique.

Emploi

La population active

En 1979, la population active au Canada se chiffrait en moyenne à 11,207,000 personnes, soit 63.3% de la population âgée de 15 ans et plus (à l'exclusion des pensionnaires des institutions, des membres à temps plein des Forces armées canadiennes, des résidents du Yukon et des Territoires du Nord-Ouest et des résidents des réserves indiennes); sur ce nombre, 10,369,000 travaillaient et 838,000 étaient en chômage. Le tableau 1 indique l'accroissement de la population active au cours de la période 1970-79. De 1970 à 1979, cet accroissement provenait de l'augmentation de la population âgée de 15 ans et plus ainsi que de la hausse du taux d'activité. (Le taux d'activité représente le pourcentage de la population qui, en âge

1. Caractéristiques de la population active, moyennes annuelles, 1970-79

Année	Population[1]	Population active	Personnes occupées	Chômeurs	Taux d'activité	Taux de chômage
		(milliers)			(pourcentage)	
1970	14,528	8,395	7,919	476	57.8	5.7
1971	14,872	8,639	8,104	535	58.1	6.2
1972	15,186	8,897	8,344	553	58.6	6.2
1973	15,526	9,276	8,761	515	59.7	5.5
1974	15,924	9,639	9,125	514	60.5	5.3
1975	16,323	9,974	9,284	690	61.1	6.9
1976	16,706	10,206	9,479	727	61.1	7.1
1977	17,057	10,498	9,648	850	61.5	8.1
1978	17,381	10,882	9,972	911	62.6	8.4
1979	17,691	11,207	10,369	838	63.3	7.5

[1] Personnes âgées de 15 ans et plus, à l'exclusion des pensionnaires d'institutions, des membres à temps plein des Forces armées canadiennes, des résidents du Yukon et des Territoires du Nord-Ouest et des résidents des réserves indiennes.

5. Gains horaires moyens et durée moyenne de la semaine de travail des salariés rémunérés à l'heure, moyennes annuelles, 1961, 1978 et 1979

Branche et province	Gains horaires moyens (GHM)			Durée moyenne de la semaine de travail (DMST)			Augmentation des GHM		Variation de la DMST	
	1961	1978	1979[1]	1961	1978	1979[1]	1961 à 1979[1]	1978 à 1979[1]	1961 à 1979[1]	1978 à 1979[1]
	$	$	$	(heures)			%	%	%	%
Branche										
Mines, broyage compris....	2.13	8.75	9.66	41.8	40.5	41.1	353.5	10.4	−1.7	+1.5
Industries manufacturières	1.83	6.84	7.44	40.6	38.8	38.8	306.6	8.8	−4.4	—
Biens durables	2.00	7.30	7.90	40.9	39.6	39.5	295.0	8.2	−3.4	−0.3
Biens non durables........	1.69	6.34	6.93	40.3	37.9	38.1	310.1	9.3	−5.5	+0.5
Construction.............	2.06	10.28	11.04	40.9	39.0	39.4	435.9	7.4	−3.7	+1.0
Bâtiment	2.16	10.35	11.24	38.9	37.3	37.9	420.4	8.6	−2.6	+1.6
Travaux de génie	1.90	10.18	10.68	44.8	42.1	42.6	462.1	4.9	−4.9	+1.2
Industries manufacturières par province[2]										
Terre-Neuve.............	1.69	6.33	6.79	40.5	37.4	37.6	301.8	7.3	−7.7	+0.5
Nouvelle-Écosse..........	1.58	6.03	6.65	40.3	38.1	38.3	320.9	10.3	−5.2	+0.5
Nouveau-Brunswick......	1.55	6.24	6.79	40.9	38.5	38.8	338.1	8.8	−5.4	+0.8
Québec..................	1.65	6.22	6.80	41.5	39.1	38.9	312.1	9.3	−6.7	−0.5
Ontario.................	1.94	6.91	7.48	40.5	39.3	39.4	285.6	8.2	−2.8	+0.3
Manitoba................	1.67	6.01	6.53	39.7	37.2	37.3	291.0	8.7	−6.4	+0.3
Saskatchewan............	1.98	7.30	8.06	39.0	37.4	37.0	307.1	10.4	−5.4	−1.1
Alberta.................	1.96	7.46	8.21	39.7	37.8	37.9	318.9	10.1	−4.7	+0.3
Colombie-Britannique.....	2.23	8.95	9.73	37.7	36.4	36.3	336.3	8.7	−3.9	−0.3

[1] Données provisoires.   [2] Les données concernant l'Île-du-Prince-Édouard ne sont pas disponibles.   —Néant ou zéro.

femmes du même groupe d'âge a grimpé de 18% à 25% et pour les personnes âgées de 15 à 24 ans, de 45% à 47%. Le tableau 3 montre également que l'écart dans les taux de chômage provinciaux s'est accentué entre 1970 et 1979.

Gains et durée du travail

Statistique Canada recueille des renseignements sur les gains hebdomadaires moyens, la durée moyenne de la semaine de travail et les gains horaires moyens dans le cadre de son enquête mensuelle sur l'emploi, la rémunération et les heures-personnes. L'enquête est menée auprès d'entreprises comptant 20 salariés ou plus pendant un mois quelconque de l'année; ces entreprises figurent pour près de 75% de l'emploi dans le secteur commercial non agricole au Canada.

Gains hebdomadaires moyens. Les gains hebdomadaires moyens des travailleurs de l'ensemble des branches d'activité observées s'élevaient à $288.25 en 1979, soit une augmentation de 8.6% par rapport à 1978. Les hausses se situaient entre 7.4% dans les services et 11.4% dans l'industrie minière (y compris le broyage). Au niveau provincial, elles s'échelonnaient entre 6.6% (Île-du-Prince-Édouard) et 11% (Alberta).

Gains horaires moyens[1]. En 1979, les gains horaires moyens ont augmenté de 10.4% dans les industries minières, 8.8% dans les industries manufacturières et 7.4%

[1]Les chiffres sur les gains horaires moyens et la durée moyenne de la semaine de travail ne visent que les salariés pour lesquels on dispose de données sur les heures de travail.

dans la construction. Au niveau provincial, les augmentations dans le secteur manufacturier oscillaient entre 7.3% à Terre-Neuve et 10.4% en Saskatchewan.

Durée moyenne de la semaine de travail[1]. De 1978 à 1979 la durée moyenne de la semaine de travail a augmenté dans toutes les industries à l'exception du secteur manufacturier où il n'y avait pas de changement. La moyenne des heures travaillées dans l'industrie manufacturière s'est accrue dans toutes les provinces sauf Québec, Saskatchewan et Colombie-Britannique où on a enregistré des baisses.

La Commission de la Fonction publique

La Commission de la Fonction publique est un organisme indépendant, responsable devant le Parlement, qui a le droit exclusif de procéder à des nominations à et au sein de la Fonction publique. En plus d'être habilitée à administrer les programmes de formation et de perfectionnement du personnel et à aider les sous-ministres à les réaliser, la Commission, depuis 1972, est chargée d'enquêter sur les divers cas de prétendue discrimination, dans le cadre de la Loi sur l'emploi dans la Fonction publique.

La Commission peut créer des comités pour statuer sur les appels interjetés contre certaines décisions en matière de dotation ainsi que sur les allégations de sectarisme politique.

Elle est autorisée à déléguer aux sous-ministres tous ses pouvoirs sauf ceux concernant les appels et les enquêtes. Elle les a délégués en ce qui regarde les catégories de l'exploitation et du soutien administratif. Quant aux catégories de l'administration et du service extérieur, des techniciens et des scientifiques et spécialistes, la Commission a délégué certains pouvoirs tout en demeurant le principal organisme de recrutement de la Fonction publique.

La Commission joue le rôle de gardienne du principe du mérite dans la dotation des postes de la Fonction publique, ainsi veille-t-elle à ce que des normes élevées de compétence soient maintenues dans les services de l'État, tout en s'assurant que les deux groupes y sont adéquatement représentés; que le niveau de bilinguisme prescrit par le gouvernement y est respecté; qu'on y offre à tous les mêmes chances d'emploi et d'avancement indépendamment du sexe, de la race, de l'origine nationale ou de la religion; et qu'on y en encourage l'embauche de personnes handicapées ou appartenant à des groupes sous-représentés.

En plus d'offrir des cours interministériels d'administration publique, de formation professionnelle et de perfectionnement des cadres, la Commission remplit auprès des sous-ministres le rôle de conseil et met à la disposition des employés divers services de formation et de perfectionnement afin de les préparer à des tâches spécialisées ou à des postes supérieurs dans l'administration et la gestion.

La Commission s'assure que les fonctionnaires répondent aux exigences linguistiques de leur poste et que les titulaires ou candidats choisis qui n'y satisfont pas reçoivent une formation dans leur langue officielle seconde. Il lui incombe aussi d'établir la méthode d'évaluation des connaissances linguistiques et de déterminer le niveau de connaissance ou de compétence linguistique des candidats.

Organisations de travailleurs

L'effectif des organisations de travailleurs au Canada en 1980 était de 3,396,721, dont 68.5% environ appartenaient à des syndicats affiliés au Congrès du travail du Canada (CTC), 5.5% à des syndicats affiliés à la Confédération des syndicats nationaux (CSN), 1.3% à des syndicats affiliés à la Centrale des syndicats démocratiques (CSD) et 0.8% à des syndicats affiliés à la Confédération des syndicats canadiens (CSC); les 23.8% restants étaient membres de syndicats nationaux et internationaux non affiliés et d'organisations locales indépendantes.

Sur l'effectif total, 46.3% appartenaient à des syndicats internationaux, dont les sièges sociaux se trouvent aux États-Unis.

Seize syndicats ont déclaré un effectif d'au moins 50,000 en 1980. Les cinq principaux étaient: le Syndicat canadien de la Fonction publique (257,180); les Métallurgistes unis d'Amérique (203,000); le Syndicat national des fonctionnaires provinciaux (195,754); l'Alliance de la Fonction publique du Canada (155,731); et le Syndicat international des travailleurs unis de l'automobile, de l'aéronautique et de l'astronautique et des instruments aratoires d'Amérique (130,000).

Pour l'ensemble des travailleurs et des établissements industriels enquêtés comptant 20 employés ou plus dans un mois quelconque de l'année, le salaire hebdomadaire moyen était de $288.25 en 1979.

Les augmentations de salaire hebdomadaire obtenues en 1979 dans les diverses provinces ont varié de 6.6% en Île-du-Prince-Édouard à 11% en Alberta.

Assurance-chômage

La Loi sur l'assurance-chômage a été adoptée en 1940. Depuis, la structure fondamentale de la Loi n'a pas changé, mais par suite de diverses modifications le régime a été étendu à de nouvelles catégories de travailleurs, et les taux des cotisations et des prestations ont été haussés suivant l'évolution de l'économie.

En 1968, lorsque le Parlement a approuvé une hausse des cotisations et des prestations et élargi le champ d'application du régime, la Commission d'assurance-chômage (maintenant la Commission de l'emploi et de l'immigration du Canada) a été chargée de procéder à un examen complet du programme et de recommander tout changement susceptible d'en améliorer les principes directeurs et la structure. La Loi sur l'assurance-chômage de 1971 a été le fruit d'études approfondies. Elle vise à aider les travailleurs dont le chômage, y compris celui consécutif à la maladie, vient tarir les gains, et à ménager une collaboration avec d'autres organismes s'occupant de promotion sociale. En 1979, les prestations versées sous le régime de cette Loi se chiffraient à $4,008 millions.

Depuis 1972, tous les actifs pour lesquels il existe une relation employeur-salarié, ainsi que les membres des Forces armées, sont couverts par le régime. En sont exclues, les personnes rémunérées travaillant moins de 20 heures par semaine, celles rémunérées à la pièce ou à la commission recevant moins de 30% des gains hebdomadaires assurables ($79.50 par semaine en 1979) et les personnes âgées de 65

Cuisine moderne d'un chantier d'abattage dans le Nord québécois.

4. Gains hebdomadaires moyens des salariés dans certaines branches d'activité et dans l'ensemble des branches[1], moyennes annuelles, 1961, 1978 et 1979

Branche et province	Gains hebdomadaires moyens			Taux d'augmentation	
	1961	1978[2]	1979[2]	1961 à 1979[2]	1978 à 1979[2]
	$	$	$	%	%
Branche					
Forêts	79.02	326.48	360.89	356.7	10.5
Mines, broyage compris	95.57	376.40	419.40	338.8	11.4
Industries manufacturières	81.55	285.67	311.19	281.6	8.9
Bien durables	88.22	305.97	331.44	275.7	8.3
Biens non durables	76.17	266.13	291.33	282.5	9.5
Construction	86.93	389.64	422.28	385.8	8.4
Transports, communications et autres services publics	82.47	313.28	341.45	314.0	9.0
Commerce	64.54	201.79	218.75	238.9	8.4
Finances, assurances et affaires immobilières	72.82	248.43	272.10	273.7	9.5
Services............................	57.87	180.00	193.30	234.0	7.4
Ensemble des branches[1]	78.24	265.37	288.25	268.4	8.6
Ensemble des branches par province					
Terre-Neuve	71.06	248.36	271.64	282.3	9.4
Île-du-Prince-Édouard	54.91	196.72	209.77	282.0	6.6
Nouvelle-Écosse	63.72	223.72	245.23	284.9	9.6
Nouveau-Brunswick..................	63.62	232.89	256.49	303.2	10.1
Québec	75.67	262.82	284.37	275.8	8.2
Ontario	81.30	264.04	285.57	251.3	8.2
Manitoba	73.66	239.71	259.00	251.6	8.0
Saskatchewan	74.38	250.44	275.79	271.1	10.1
Alberta	80.29	276.32	306.79	282.1	11.0
Colombie-Britannique	84.99	301.26	324.14	281.4	7.6

[1] «L'ensemble des branches» comprend toutes les activités sauf l'agriculture, la pêche et le piégeage, l'enseignement et les services annexes, les services sanitaires et sociaux, les organisations religieuses, les ménages, et l'administration publique et la défense. Toutes les statistiques sont établies d'après les déclarations d'entreprises employant 20 personnes ou plus pendant un mois quelconque de l'année.   [2] Données provisoires.

de travailler, fait partie de la population active.) La principale cause d'augmentation du taux d'activité global demeure la hausse du taux chez les femmes de tous âges.

Le tableau 2 montre qu'entre 1978 et 1979 le nombre de personnes occupées a augmenté de 397,000. Entre 1978 et 1979, les personnes âgées de 15 à 24 ans, au nombre de 139,000, figuraient pour 35% de l'augmentation totale, contre leur part de 28% entre 1970 et 1978. L'augmentation de 1978 à 1979, chez les personnes âgées de 25 ans et plus, était de 258,000 ou 65%.

Le tableau 3 indique la répartition du chômage par principaux groupes d'âge et par sexe pour 1970 et 1979 et la redistribution proportionnelle du chômage global des hommes adultes par rapport aux femmes adultes et aux personnes âgées de 15 à 24 ans. Plus précisément, les hommes âgés de 25 ans et plus représentaient 37% des chômeurs en 1970, mais seulement 28% en 1979, alors que la proportion pour les

2. Personnes occupées, selon l'âge et le sexe, moyennes annuelles, 1973-79

Age et sexe	1973	1974	1975	1976	1977	1978	1979
				(milliers)			
Toutes personnes occupées .	8,761	9,125	9,284	9,479	9,648	9,972	10,369
Hommes................	5,678	5,870	5,903	5,965	6,031	6,148	6,347
Femmes	3,083	3,255	3,381	3,515	3,617	3,824	4,022
Personnes occupées, 15-24 ans	2,230	2,374	2,376	2,393	2,417	2,493	2,632
Hommes................	1,230	1,310	1,299	1,299	1,317	1,352	1,428
Femmes	1,000	1,064	1,077	1,094	1,100	1,141	1,204
Personnes occupées, 25 ans +	6,531	6,751	6,908	7,086	7,231	7,479	7,737
Hommes................	4,448	4,559	4,605	4,666	4,714	4,796	4,919
Femmes	2,083	2,192	2,304	2,421	2,517	2,683	2,818

3. Chômeurs, selon l'âge et le sexe et par province, moyennes annuelles, 1970 et 1979

Age et sexe	Nombre de chômeurs		Province	Taux de chômage	
	1970	1979		1970	1979
	(milliers)			(pourcentage)	
Ensemble des chômeurs	476	838	Nfld.	7.3	15.4
Hommes..................	312	452	PEI	- -	11.3
Femmes	164	386	NS	5.3	10.2
			NB	6.3	11.1
Chômeurs, 15-24 ans	214	393	Que.	7.0	9.6
Hommes..................	133	218	Ont.	4.4	6.5
Femmes	81	175	Man.	5.3	5.4
			Sask.	4.2	4.2
Chômeurs, 25 ans + ...	262	445			
Hommes..................	178	234	Alta.	5.1	3.9
Femmes	84	211	BC	7.7	7.7

-- Nombres infimes.

particulier les véhicules automobiles), les produits chimiques, les produits en métal et les machines. Un large éventail de services ont connu des taux de croissance de la production supérieurs au taux d'accroissement global du produit intérieur réel. Les transports aériens, les transports ferroviaires et l'enseignement ont affiché les plus forts taux de croissance parmi les services, avec des gains respectifs de 253.2%, 82.9% et 132.5%. Deux grandes divisions d'activité économique—qui interviennent ensemble pour plus du quart de la production intérieure, services socio-culturels, commerciaux et personnels, et finances, assurances et affaires immobilières—ont affiché des taux de croissance de 87.6% et 76.9% respectivement.

La croissance et l'évolution de l'activité économique de 1961 à 1971 doivent être envisagées dans la perspective d'une évolution globale de l'économie. Certains changements sont à très long terme et permanents, d'autres sont à court terme et temporaires.

Le changement le plus fondamental, qui se produit d'ailleurs non seulement au Canada mais aussi dans nombre d'autres pays industrialisés, est probablement le passage d'une économie de biens à une économie de services. Ce mouvement s'est amorcé avant que les statistiques ne viennent le mesurer. En 1949, par exemple, 53%

Usine de produits forestiers à Victoria (C.-B.).

Raffinerie de pétrole récemment agrandie, à Saint-Jean (N.-B.).

de la production intérieure provenait des industries de biens; en 1971, la proportion était de 40%.

La transition s'est effectuée pour une bonne part lorsque la contribution relative des industries axées sur les ressources, en particulier l'agriculture, à la production intérieure totale a diminué. La contribution de ces industries (agriculture, exploitation forestière, pêche, piégeage, mines, carrières et puits de pétrole) à la production intérieure totale est tombée de moitié entre 1949 et 1971 pour passer de 16.6% à 8.1%. L'importance relative des industries manufacturières a également baissé durant la même période, leur part ayant passé de 28% à 23%. Dans le secteur manufacturier, les industries de biens non durables ont accusé une baisse considérable, tandis que les industries de biens durables ont affiché une augmentation résultant en partie de l'accroissement de la contribution des fabricants de pièces et accessoires d'automobile et des fabricants de produits électriques.

Le changement le plus marqué au niveau structurel est attribuable à la croissance relative de l'enseignement et des services annexes. L'apport de ces activités au produit intérieur total a plus que quadruplé, passant de 1.6% en 1949 à 6.5% en 1971, en raison de la progression de l'enseignement postsecondaire.

Les services sanitaires et sociaux ont aussi connu une progression importante, leur part du produit intérieur total ayant passé de 2.3% en 1949 à 5.3% en 1971. Dans le cas des finances, assurances et affaires immobilières, la proportion a grimpé de 9.1% en 1949 à 12.0% en 1971; les services informatiques ont également ajouté à la croissance du secteur des services.

La période 1971-79

Cette période a débuté, en 1971, avec une production record en agriculture et des niveaux très élevés de production dans la fabrication de matériel de transport, en particulier de véhicules automobiles. Toutefois, l'agriculture a sensiblement régressé en 1972 et n'a pas fait particulièrement bonne figure en 1973, année où la production a atteint des niveaux élevés dans la plupart des secteurs de l'économie.

Le fléchissement marqué de l'activité amorcé en 1974 était attribuable pour une part au ralentissement de la croissance dans le groupe des services, mais surtout aux fortes baisses enregistrées dans les industries de biens. Sur une période d'un an, soit du premier trimestre de 1974 au premier trimestre de 1975, le taux de croissance des services est tombé de 5.9%, moyenne établie entre 1971 et 1974, à 2.5%; dans le cas des industries de biens, le taux de croissance (4.9%) des années 1971 à 1974 a cédé la place à une baisse de 5.3% durant les 12 mois considérés.

Ce n'est qu'au dernier trimestre de 1975 qu'on a constaté une reprise de l'économie; la relance vigoureuse des industries de biens devait alimenter cette reprise jusqu'en mai 1976. Entre octobre 1975 et mai 1976, les industries de biens, le secteur des services et le produit intérieur total ont progressé de 8.7%, 2.6% et 4.9% respectivement.

Le ralentissement de la croissance entre mai 1976 et la fin de l'année provenait surtout de la baisse observée dans la construction non résidentielle, bien qu'un

Calgary (Alb.). Cette ville connaît une rapide expansion.

certain nombre d'autres industries aient également régressé durant cette période, notamment les pâtes et papiers, la fonte et l'affinage, la construction résidentielle et les industries de fabrication de matériel de transport.

Par ailleurs, les services ont affiché en général une croissance vigoureuse durant cette période. Le commerce de détail, les finances, assurances et affaires immobilières, et les services socio-culturels, commerciaux et personnels, qui interviennent ensemble pour 40% du produit intérieur total, ont affiché une forte croissance entre mai et décembre 1976.

Pour le reste de la décennie, de 1976 à 1979, aucun secteur de l'économie n'a montré de vigueur particulière; la croissance de la production pour l'ensemble de l'économie intérieure a été plus faible au cours de cette période qu'au début des années 70. Depuis les derniers mois de 1979 jusqu'au début de 1980, l'économie a manifesté des signes de récession. La décennie 1980 débute donc sous la menace d'une croissance économique encore plus faible que celle qui a marqué la fin des années 70.

Dépenses d'investissement

La progression constante du revenu au Canada dépend, entre autres, de la capacité de production et de vente de biens et services. Cette capacité et son utilisation

Réparation et remise au point de réacteurs d'avions des Forces armées du Canada, dans un atelier de Mississauga (Ont.).

Travailleurs installant un mur-écran au chantier du Trizec Tower, édifice à bureaux de 32 étages, le plus élevé de Winnipeg.

efficace sont elles-mêmes largement tributaires de l'importance de l'investissement «neuf» dans les mines, les usines, les magasins, les installations de production d'énergie, le matériel de communication et de transport, les hôpitaux, les écoles, les routes, les parcs, et de toutes autres formes d'investissement qui stimuleront la production de biens et services dans l'avenir.

Chaque année, les investissements font l'objet d'enquêtes périodiques dont les résultats paraissent sous forme de statistiques sur les dépenses au titre du logement, de la construction non résidentielle et des machines et du matériel. Une enquête sur les projets d'investissement est menée auprès d'environ 24,000 établissements, et en faisant les ajustements nécessaires pour tenir compte des établissements non enquêtés et non déclarants on assure la quasi-totalité de l'observation. Dans quelques domaines, par exemple agriculture, pêche et logement, on établit des estimations des dépenses de façon indépendante en se fondant sur les tendances courantes et sur l'opinion d'experts.

1. Résumé des dépenses d'investissement et de réparation, par secteur, 1979[1] et 1980[2]

Secteur		Investissement			Investissement et réparation		
		Cons-truction	Machines et matériel	Total partiel	Cons-truction	Machines et matériel	Total
		(millions de dollars)					
Agriculture et pêche	1979	831.1	3,529.9	4,361.0	1,159.2	4,165.1	5,324.3
	1980	967.3	3,938.0	4,905.3	1,347.2	4,683.2	6,030.4
Forêts	1979	140.0	162.7	302.7	190.5	370.5	561.0
	1980	135.1	189.2	324.3	187.1	407.3	594.4
Mines, carrières et puits de pétrole.......	1979	4,311.1	961.5	5,272.6	4,734.7	2,057.3	6,792.0
	1980	5,764.8	1,399.7	7,164.5	6,219.0	2,566.9	8,785.9
Construction	1979	155.3	815.7	971.0	179.5	1,438.8	1,618.3
	1980	170.1	894.1	1,064.2	193.6	1,577.0	1,770.6
Industries manufacturières	1979	1,663.6	5,656.8	7,320.4	2,273.0	8,942.1	11,215.1
	1980	1,820.1	7,252.6	9,072.7	2,496.5	10,794.9	13,291.4
Services publics........	1979	6,099.8	5,783.5	11,883.3	7,195.0	8,367.2	15,562.2
	1980	6,802.6	6,165.8	12,968.4	8,005.0	8,984.6	16,989.6
Commerce	1979	456.0	912.2	1,368.2	582.4	1,102.2	1,684.6
	1980	495.2	988.1	1,483.3	631.8	1,190.1	1,821.9
Finances, assurances et affaires immobilières ..	1979	2,778.7	333.2	3,111.9	2,981.8	407.4	3,389.2
	1980	3,077.7	373.1	3,450.8	3,303.5	456.3	3,759.8
Services commerciaux...	1979	491.4	2,782.3	3,273.7	552.8	3,069.5	3,622.3
	1980	566.4	3,225.8	3,792.2	633.5	3,535.9	4,169.4
Institutions............	1979	1,378.2	372.9	1,751.1	1,654.0	472.2	2,126.2
	1980	1,492.1	389.0	1,881.1	1,797.7	494.2	2,291.9
Ministères	1979	5,683.6	659.5	6,343.1	6,715.5	872.8	7,588.3
	1980	5,975.6	725.0	6,700.6	7,061.2	946.1	8,007.3
Logement	1979	11,481.7	—	11,481.7	14,152.6	—	14,152.6
	1980	11,529.5	—	11,529.5	14,540.2	—	14,540.2
Total	1979	35,470.5	21,970.2	57,440.7	42,371.0	31,265.1	73,636.1
	1980	38,796.5	25,540.4	64,336.9	46,416.3	35,636.5	82,052.8

[1]Dépenses réelles provisoires.   [2]Estimations provisoires.   – Néant on zéro.

Les renseignements sur les projets d'investissement permettent de connaître la situation du marché tant dans l'ensemble de l'économie que dans des secteurs particuliers. Comme ces dépenses interviennent pour une proportion importante et relativement variable de la dépense nationale brute, l'ampleur et la nature du programme d'investissement permettent de prévoir les pressions auxquelles seront soumises les capacités de production de l'économie pendant la période visée par l'enquête. En outre, les renseignements sur l'ampleur relative du programme d'investissement projeté, tant pour ce qui concerne l'ensemble des activités économiques que pour chacune d'elles, révèlent la façon dont les chefs d'entreprise envisagent la demande future du marché par rapport à la capacité de production. Les dépenses de réparation non capitalisées au chapitre des constructions, des machines et du matériel sont également indiquées, mais séparément. En prenant en compte ces dépenses, on obtient une idée plus précise des ressources humaines et matérielles qu'exigera l'exécution du programme.

Dépenses provinciales

Les dépenses indiquées pour chaque province ou territoire représentent la valeur des travaux de construction et des machines et du matériel acquis en vue d'être utilisés dans la province ou le territoire. Ces dépenses représentent un apport brut à

2. Résumé des dépenses d'investissement et de réparation, par province, 1979[1] et 1980[2]

Province ou territoire		Investissement			Investissement et réparation		
		Cons-truc-tion	Ma-chines et matériel[3]	Total partiel	Cons-truc-tion	Ma-chines et matériel	Total
				(millions de dollars)			
Région de l'Atlantique							
Terre-Neuve	1979	689.3	309.9	999.2	806.8	548.7	1,355.5
	1980	702.9	386.0	1,088.9	831.2	638.8	1,470.0
Île-du-Prince-Édouard	1979	134.0	55.6	189.6	164.5	81.9	246.4
	1980	144.6	64.9	209.5	178.8	93.8	272.6
Nouvelle-Écosse	1979	896.6	471.7	1,368.3	1,122.4	704.0	1,826.4
	1980	991.5	497.7	1,489.2	1,240.2	752.0	1,992.2
Nouveau-Brunswick	1979	916.4	714.3	1,630.7	1,078.1	924.7	2,002.8
	1980	852.0	620.3	1,472.3	1,030.0	847.9	1,877.9
Total, région de l'Atlantique	1979	2,636.3	1,551.5	4,187.8	3,171.8	2,259.3	5,431.1
	1980	2,691.0	1,568.9	4,259.9	3,280.2	2,332.5	5,612.7
Québec	1979	7,743.4	4,316.1	12,059.5	9,395.0	6,226.0	15,621.0
	1980	7,967.5	4,824.1	12,791.6	9,797.7	6,899.8	16,697.5
Ontario	1979	9,213.0	7,613.9	16,826.9	11,538.5	11,003.0	22,541.5
	1980	9,695.2	9,537.1	19,232.3	12,260.6	13,214.5	25,475.1
Région des Prairies							
Manitoba	1979	1,155.2	871.5	2,026.7	1,451.9	1,249.1	2,701.0
	1980	1,178.3	949.4	2,127.7	1,509.9	1,369.5	2,879.4
Saskatchewan	1979	1,695.1	1,344.5	3,039.6	2,046.6	1,773.8	3,820.4
	1980	1,959.1	1,543.1	3,502.2	2,339.6	2,029.0	4,368.6
Alberta	1979	8,161.4	3,415.3	11,576.7	9,051.5	4,521.3	13,572.8
	1980	9,663.3	3,716.5	13,379.8	10,656.7	4,913.3	15,570.0
Total, région des Prairies	1979	11,011.7	5,631.3	16,643.0	12,550.0	7,544.2	20,094.2
	1980	12,800.7	6,209.0	19,009.7	14,506.2	8,311.8	22,818.0
Colombie-Britannique	1979	4,473.0	2,702.3	7,175.3	5,297.4	4,017.1	9,314.5
	1980	5,263.5	3,178.8	8,442.3	6,165.4	4,591.4	10,756.8
Yukon et Territoires du Nord-Ouest	1979	393.1	155.1	548.2	418.3	215.5	633.8
	1980	378.6	222.5	601.1	406.2	286.5	692.7
Total, Canada	1979	35,470.5	21,970.2	57,440.7	42,371.0	31,265.1	73,636.1
	1980	38,796.5	25,540.4	64,336.9	46,416.3	35,636.5	82,052.8

[1] Estimations provisoires.   [2] Prévisions.   [3] Les investissements en machines et matériel comprennent une estimation pour les «postes imputés aux dépenses d'exploitation» dans les totaux pour les industries manufacturières, les services publics et le commerce.

l'équipement de la province ou du territoire, et reflètent l'activité économique de la région. Par ailleurs, elles peuvent également entraîner un accroissement de l'emploi et du revenu et ainsi profiter à d'autres régions. Par exemple, l'investissement de millions de dollars en usines et biens d'équipement dans l'Ouest canadien peut donner lieu à une activité intense, non seulement dans l'industrie de la construction dans les provinces de l'Ouest, mais aussi dans les industries de production de machines en Ontario et au Québec.

Il convient de noter qu'il est difficile de faire une répartition géographique précise des investissements antérieurs ou prévus, car bon nombre d'entreprises exerçant leur activité dans plusieurs provinces ne déclarent ni ne planifient leurs dépenses d'investissement en fonction du facteur géographique. Par conséquent, il a fallu faire des répartitions approximatives dans bien des cas, par exemple pour les investissements dans le matériel roulant des sociétés ferroviaires, les navires, les aéronefs et certains autres éléments.

En voie d'expansion, la raffinerie de pétrole de Clarkson (Ont.).

Habitation

La Société canadienne d'hypothèques et de logement (SCHL) est le principal agent dont se sert le gouvernement fédéral pour atteindre ses objectifs en matière d'habitation; à cette fin, la Société applique la Loi nationale sur l'habitation. Ses activités sont de deux ordres: en premier lieu, elle joue le rôle d'une institution financière et administre ses programmes de prêts directs sur hypothèque et d'assurance des prêts hypothécaires. Elle a aussi pour mandat, en tant qu'organisme gouvernemental, d'administrer les programmes de logement social et d'autres programmes connexes tels que les programmes comportant contributions et subventions, de conseiller le gouvernement et de poursuivre des activités relatives à la recherche, à l'application de nouveaux concepts et aux normes d'habitation ainsi qu'aux relations avec les organismes provinciaux de l'habitation.

En 1979, le volume des prêts directs et des placements de la SCHL a beaucoup diminué à la suite des changements apportés, au début de l'année, à la politique et aux dispositions législatives qui avaient pour but de faire de plus en plus appel au secteur privé plutôt qu'aux fonds publics pour consentir des prêts hypothécaires selon les dispositions de la Loi nationale sur l'habitation. En même temps que se produisait cet important changement, la SCHL a dû accorder un volume accru de subventions et assumer de plus grands risques en ce qui touche l'assurance hypothécaire aux termes de la LNH.

La SCHL est autorisée à consentir de nouveaux prêts et à faire des placements en vertu de son budget annuel des immobilisations approuvé par le gouvernement. En 1979, le budget pour ces genres d'engagements a été nettement inférieur à ceux approuvés jusqu'à 1977. Cette année-là le budget approuvé s'élevait à $1,862 millions; en 1978, il a été réduit à $1,273 millions et en 1979, à $495 millions. Ces réductions ont affecté la plupart des genres de prêts de la SCHL, mais elles ont été particulièrement ressenties dans les domaines du logement social, des logements construits pour la vente ou la location, des travaux municipaux d'infrastructure et de l'aménagement de terrains.

La valeur des prêts directs autorisés pour le logement social est tombée de $488 millions en 1978 à $170 millions en 1979; cependant, vu la disposition relative à l'assurance hypothécaire prévue dans la LNH, les subventions annuelles pour prêts aux coopératives et aux sociétés sans but lucratif et la hausse du supplément de loyer, les engagements autorisés de la SCHL, exprimés en nombre de logements à subventionner, sont demeurés inchangés par rapport à 1978. La réduction du volume de prêts directs pour le logement social n'a pas affecté le programme de logements pour les ruraux et les autochtones, dont le niveau d'activité n'a pas varié de 1978 à 1979.

La valeur des prêts autorisés pour les logements construits pour la vente ou la location a été réduite de $207 millions en 1978 à $58 millions en 1979, parce qu'on a mis fin aux programmes d'aide pour l'accession à la propriété et pour le logement locatif.

Les programmes de prêts directs pour travaux d'infrastructure ont cessé à la fin de 1978, sauf certaines augmentations de prêts déjà approuvés. Les prêts directs à cet effet et les remises d'une partie de ces prêts ont été remplacés par le Programme de contribution aux services communautaires, au moyen duquel le fédéral couvre une partie des frais d'un vaste éventail de travaux municipaux. De même, les prêts directs de la SCHL pour l'aménagement de terrains n'étaient plus disponibles après 1978. En vertu d'ententes fédérales-provinciales, la SCHL a continué d'investir dans l'aménagement de terrains déjà acquis mais non dans de nouveaux terrains.

1. Timmins (Ont.)
2. Val-d'Or (Qué.)

3. Kitimat (C.-B.)
4. Calgary (Alb.)
5. St-Jean (T.-N.)

Collectivité minière de Strathcona Sound dans l'île de Baffin (T.N.-O.).

Les prêts pour la restauration de logements ont diminué en 1979, mais pas autant que pour les autres programmes. Vu les mesures prises pour le logement social, cette réduction ne s'est pas appliquée aux subventions, mais seulement aux prêts de fonds publics; en outre, d'autres dispositions ont permis d'encourager les prêteurs privés à investir à cette fin, au moins dans les propriétés locatives. Le nombre de logements admissibles aux subventions n'a pas changé de 1978 à 1979.

Malgré la réduction appréciable des engagements autorisés au titre des prêts directs pour 1979, la valeur des engagements approuvés dans l'année a été bien inférieure aux montants prescrits. Cette baisse provenait en partie de certaines modifications apportées aux programmes dans le second trimestre de 1979, et qui ont retardé les mises en chantier. Elle est aussi attribuable en partie à l'évolution de la conjoncture économique, qui a entraîné une baisse dans la construction d'habitations et le volume des prêts hypothécaires.

La valeur des prêts directs et des placements de la SCHL a atteint $350 millions en 1979, sur un budget approuvé de $495 millions. Les engagements pour le logement social n'ont pas dépassé $134 millions, sur un budget de $170 millions; quant aux logements pour la vente ou la location, leur valeur a atteint $29 millions, soit la moitié du montant prévu. Ce n'est que pour le Programme d'aide à la remise en état des logements qu'on a utilisé la plus grande partie des sommes autorisées, soit $125 millions sur $151 millions.

En 1979, le nombre de mises en chantier n'a été que de 197,049 contre 227,667 en 1978; le nombre d'achèvements a aussi diminué pour s'établir à 226,489 contre 246,533 en 1978.

Sur les 197,049 logements mis en chantier en 1979, 48,703 ont bénéficié d'une forme quelconque d'aide en vertu de la LNH, y compris de l'assurance prêts. Ce chiffre comprenait 12,209 logements sociaux, dont certains construits par des groupes et des coopératives sans but lucratif, tous à l'intention des personnes à revenu modique. Les 36,494 autres logements mis en chantier grâce à une aide de la LNH étaient destinés aux personnes appartenant aux mêmes groupes de revenu, mais financés pour une bonne part par le secteur privé.

Industries manufacturières

Les industries manufacturières sont le principal secteur de production de biens au Canada. Vu l'importance de leur contribution à la croissance de la productivité nationale, leur forte demande de biens d'équipement et leur apport aux exportations, elles jouent un rôle clé dans l'économie.

D'après l'estimation d'un sondage mensuel auprès des ménages, les industries manufacturières employaient 2,046,000 personnes en 1979, sur un total de 9,298,000 pour l'ensemble des branches d'activité. Cette enquête ménages donne une estimation un peu plus élevée que l'enquête mensuelle sur les salariés, qui indiquait une moyenne de 1,873,900 personnes pour 1979. (En partie, la différence semble provenir du fait qu'un certain nombre de salariés d'entreprises manufacturières ne travaillent pas dans des établissements classés parmi le secteur manufacturier par l'enquête auprès des employeurs.)

Salle de coupe d'un atelier de confection de Winnipeg (Man.).

3. Industries manufacturières, certaines années entre 1920 à 1979

Année	Établis-sements	Effectifs	Traite-ments et sa-laires	Valeur ajoutée par l'ac-tivité manu-facturière	Valeur des expéditions de produits de propre fabrication[1]
				(milliers de dollars)	
1920	22,532	598,893	717,494	1,621,273	3,706,545
1929	22,216	666,531	777,291	1,755,387	3,883,446
1933	23,780	468,658	436,248	919,671	1,954,076
1939	24,805	658,114	737,811	1,531,052	3,474,784
1944	28,483	1,222,882	2,029,621	4,015,776	9,073,693
1949	35,792	1,171,207	2,591,891	5,330,566	12,479,593
1953	38,107	1,327,451	3,957,018	7,993,069	17,785,417
1954	38,028	1,267,966	3,896,688	7,902,124	17,554,528
1955	38,182	1,298,461	4,142,410	8,753,450	19,513,934
1956	37,428	1,353,020	4,570,692	9,605,425	21,636,749
1957	33,551	1,340,948	4,778,040	..	21,452,343
1958	32,446	1,272,686	4,758,614	9,454,954	21,434,815
1959	32,075	1,287,809	5,030,128	10,154,277	22,830,827
1960	32,852	1,275,476	5,150,503	10,371,284	23,279,804
1961	33,357	1,352,605	5,701,651	10,434,832	23,438,956
1962	33,414	1,389,516	6,096,174	11,429,644	25,790,087
1963	33,119	1,425,440	6,495,289	12,272,734	28,014,888
1964	33,630	1,491,257	7,080,939	13,535,991	30,856,099
1965	33,310	1,570,299	7,822,925	14,927,764	33,889,425
1966	33,377	1,646,024	8,695,890	16,351,740	37,303,455
1967	33,267	1,652,827	9,254,190	17,005,696	38,955,389
1968	32,643	1,642,352	9,905,504	18,332,204	42,061,555
1969	32,669	1,675,332	10,848,341	20,133,593	45,930,438
1970	31,928	1,637,001	11,363,712	20,047,801	46,380,935
1971	31,908	1,628,404	12,129,897	21,737,514	50,275,917
1972	31,553	1,676,130	13,414,609	24,264,829	56,190,740
1973	31,145	1,751,066	15,220,033	28,716,119	66,674,393
1974	31,535	1,785,977	17,556,982	35,084,752	82,455,109
1975	30,100	1,741,159	19,156,679	36,105,457	88,427,031
1976	29,053	1,743,047	21,799,733	39,921,910	98,280,777
1977	27,715	1,704,415	23,592,410	44,110,091	108,852,431
1978[2]	31,963	1,790,849	26,577,136	51,682,554	129,022,512
1979	..	1,873,900[3]	30,643,519[3]	60,210,004[4]	151,625,000[5]

[1] Avant 1952, les données représentent la valeur brute de la production.   [2] Chiffres provisoires. Accroissement du nombre des établissements attribuable à une meilleure couverture.   [3] D'après les enquêtes mensuelles sur l'emploi et les gains.   [4] Estimation.   [5] D'après les enquêtes mensuelles sur les expéditions manufacturières.   .. Chiffres non disponibles.   Nota: Les données à compter de 1957 ont été établies d'après l'édition révisée de la CAÉ et le nouveau concept d'établissement. Les effectifs à compter de 1961 ont été établis pour l'activité totale des industries manufacturières.

Les résultats provisoires d'une autre enquête mensuelle révèlent que les fabricants canadiens ont expédié en 1979 pour $151.6 milliards de leurs propres produits, soit 17.5% de plus qu'en 1978. (L'indice annuel moyen des prix de vente dans l'industrie manufacturière a progressé de 14.4% au cours de la même période, et l'indice annuel moyen de la production industrielle a augmenté de 3.3%.)

Il n'existe pas de mesure exacte des exportations manufacturières, mais si l'on considère que les demi-produits et les produits finals constituent un équivalent approximatif des produits manufacturés, en 1979 les produits manufacturés ayant été transformés au Canada correspondaient à environ $7 sur $10 d'exportations. Les

Mise à l'essai d'un modèle remanié de bouilloire électrique à Barrie (Ont.).

exportations canadiennes de demi-produits se chiffraient à $24.4 milliards, et les exportations de produits finals à $20.8 milliards.

Toutefois, la valeur des produits finals—qui correspondent en gros aux biens ayant subi un haut degré de transformation, même s'ils comprennent certains produits non manufacturés—était 29.5 fois plus élevée qu'en 1961 ($706 millions), et la valeur des demi-produits était huit fois plus élevée qu'en 1961 ($2,916 millions). Cet écart témoigne de la croissance des secteurs manufacturiers qui produisent des biens d'un plus haut degré de transformation. Pour diverses raisons, ces valeurs ne peuvent être rigoureusement comparées à la valeur globale des expéditions des industries manufacturières; elles donnent néanmoins une idée de l'ampleur des exportations exprimées sous forme d'expéditions. La production destinée à l'exportation serait relativement plus élevée s'il était possible d'utiliser une mesure de la valeur ajoutée exportée par les industries manufacturières canadiennes, du fait que les expéditions globales de ces dernières comportent nécessairement un élément de double compte en raison des échanges entre fabricants.

La majeure partie de l'activité manufacturière au Canada est hautement mécanisée, et c'est pourquoi le secteur manufacturier constitue un important débouché pour les biens d'équipement. Cette situation provient notamment du fait que de nombreuses industries de transformation des ressources naturelles ne peuvent être que des industries de capital, soit des industries qui utilisent beaucoup de machines, de matériel et de bâtiments en proportion de la main-d'œuvre. Les industries produisant des biens d'un haut degré de fabrication comme les machines et les automobiles voient leur importance croître sans cesse. En outre, comme un niveau de vie élevé commande des salaires élevés, les entreprises cherchent à garder leurs effectifs au strict minimum, ce qui donne souvent lieu à un accroissement de la mécanisation.

D'après les résultats d'une enquête sur les intentions d'investissement, on prévoyait qu'en 1980 l'industrie manufacturière interviendrait pour 28% des investissements des entreprises et des administrations publiques dans les machines et matériels neufs. Il va sans dire que ces dépenses représentent non seulement un accroissement de la capacité de production, mais aussi une «intensification» du capital (augmentation de l'équipement par salarié ou par unité de produit).

La croissance du capital comme facteur de production explique sans doute au premier chef la hausse de la productivité du salarié dans l'industrie manufacturière. Entre 1961 et 1979, on a observé dans ce secteur un taux moyen d'accroissement du volume de la production de 3.9% par heure-personne travaillée.

La principale industrie manufacturière en 1979, si l'on considère la valeur des expéditions de ses propres produits, a été le raffinage du pétrole, dont la valeur totale des expéditions s'établissait à $12.3 milliards, soit environ $2.1 milliards de plus qu'en 1978; les prix ont augmenté de 18.3% durant l'année. Il s'est produit ces dernières années des hausses considérables des prix dans cette industrie en vue d'atteindre les prix du marché mondial.

Au deuxième rang en 1979 venait l'industrie de l'automobile dont la valeur des expéditions, évaluée à $11.0 milliards, représentait une augmentation de $0.9 milliard sur l'année précédente. Les prix ont augmenté de 12.2% par rapport à 1978 mais la production a fléchi à cause de la faiblesse de la demande intérieure et extérieure, jointe à la vente accrue de véhicules importés qui consomment plus efficacement l'essence. Les usines de pâtes et papiers occupaient le troisième rang avec des expéditions de $9.4 milliards, soit une augmentation d'environ $1.8 milliard par rapport à 1978. Le produit intérieur réel de l'industrie s'est accru de 2% sur 1978, augmentation de faible envergure par rapport à la hausse des prix de 19.3% intervenue au cours de la même période. La forte demande extérieure s'est maintenue pour la pâte et le papier journal canadiens malgré le ralentissement de l'économie américaine.

Onze industries ont réalisé en 1979 des expéditions dont la valeur se situait entre $2 et plus de $6 milliards; ce sont, par ordre décroissant: abattage et conditionnement de la viande, $6.6 milliards; sidérurgie, $5.9 milliards; scieries et ateliers de rabotage, $5.4 milliards; pièces et accessoires pour véhicules automobiles, $4.3 milliards; fabricants de machines et matériel divers, $4.2 milliards; industrie laitière, $3.9 milliards; emboutissage et matriçage des métaux, $3.0 milliards; industries alimentaires diverses, $2.5 milliards; fonte et affinage, $2.4 milliards; impression commerciale, $2.2 milliards; et fabricants de produits chimiques industriels (organiques), $2.0 milliards. Vingt-quatre industries ont enregistré des expéditions se situant entre $1 et $2 milliards. Ces estimations provisoires de 1979 découlent d'une enquête mensuelle sur les expéditions, les stocks et les commandes des industries manufacturières, et sont sujettes à révision d'après les résultats du. recensement annuel des manufactures.

Une enquête trimestrielle sur les perspectives dans le monde des affaires menée par Statistique Canada permet de résoudre certains problèmes relatifs à la prévision des variations dans le secteur manufacturier en demandant à la direction des entreprises de fournir des évaluations qualitatives. Une récente enquête a révélé qu'en avril 1980, des répondants représentant 77% des expéditions de produits manufacturés prévoyaient pour les trois prochains mois une hausse du volume de la production supérieure ou à peu près comparable à celle du trimestre précédent. Il s'agissait là d'une augmentation de 7 points par rapport aux prévisions provenant de l'enquête effectuée en janvier de la même année. Les pénuries de main-d'œuvre qualifiée et des fonds de roulement demeuraient des sources importantes de difficultés de production pour 15% des répondants.

Les quatre principales entreprises ou principaux groupes d'entreprises à direction commune comptaient 80 établissements manufacturiers en 1976 et figuraient pour 7.9% de l'ensemble des expéditions des fabricants, 7.1% de la valeur ajoutée par l'activité manufacturière et 5.4% des effectifs. Les 16 principales entreprises justifiaient d'environ 22% des expéditions. (Ces chiffres ne paraissent pas tous les ans, contrairement à ceux sur la taille des établissements.) En 1978, l'établissement manufacturier moyen a expédié des produits de propre fabrication pour une valeur de $4.0 millions et employait environ 56 personnes. Ces moyennes sont toutefois affectées par le grand nombre de petits établissements exploités par des entrepreneurs locaux ou régionaux dans nombre d'industries. En fait, 50.4% de la main-d'œuvre totale des industries manufacturières se trouvait dans des établissements de 200 personnes ou plus et, en 1977, 139 établissements manufacturiers comptaient plus de 1,000 personnes à leur service.

Taraudage à la machine automatique.

La proximité des États-Unis, l'intérêt manifesté par les entreprises étrangères pour les demi-produits destinés à leur industrie et la rentabilité générale du secteur manufacturier canadien pendant nombre d'années ont amené les sociétés étrangères à investir des sommes considérables dans ce secteur. Une analyse spéciale faite dans le cadre du recensement des manufactures a cependant révélé qu'en 1976, les entreprises contrôlées par des intérêts canadiens employaient néanmoins 59% des travailleurs de l'industrie manufacturière; la proportion de la valeur manufacturière ajoutée était un peu moindre, soit 52%.

En 1979, les bénéfices des entreprises constituées en corporations dans le secteur manufacturier représentaient 8.4% des recettes totales, avant les impôts et certains postes extraordinaires. Selon une estimation provisoire établie en mars 1980, les salaires et traitements hebdomadaires moyens dans les industries manufacturières canadiennes se chiffraient à $335.61.

La production des concentrés de cuivre et de zinc fait appel à un haut degré d'automatisation. Dans une usine près de Leaf Rapids (Man.) elle est contrôlée depuis cette salle de commandes électroniques.

Le Centre Eaton à Toronto (Ont.).

Commerce

Commerce intérieur

On entend habituellement par canaux de distribution les moyens par lesquels les biens et les services sont acheminés du producteur à l'utilisateur final. Au Canada, ces canaux englobent trois secteurs distincts de l'économie intérieure: commerce de détail, commerce de gros et services communautaires, commerciaux et personnels. De façon générale, l'exploitation commerciale s'exerce dans l'un ou l'autre de ces secteurs, mais il arrive qu'elle en recouvre deux et parfois trois (les succursales de vente des fabricants et les coopératives, par exemple, peuvent faire de la vente de gros ou de détail ou les deux).

Les canaux de distribution évoluent constamment. Ces dernières années, le volume d'affaires des entreprises concessionnaires a augmenté rapidement surtout au chapitre de la restauration. Dans la vente au détail des aliments et marchandises diverses un nombre restreint d'entreprises prédomine toujours.

La croissance des centres commerciaux régionaux ralentit depuis quelques années à cause de la difficulté d'acquérir des terrains propices, de leur cherté et des frais de construction. Toutefois, on remarque une tendance croissante vers l'aménagement de nouveaux mails au cœur des quartiers d'affaires de plusieurs grands centres métropolitains, et vers la rénovation des centres existants dans les villes et banlieues. Bien que les détaillants indépendants semblent retenir leur part du marché, plusieurs se heurtent à la concurrence directe des grandes chaînes de magasins. Pour les prochaines années, on prévoit un nombre croissant de faillites et de fermetures parmi les détaillants marginaux.

Les produits et services offerts au détail se diversifient de plus en plus, et l'exploitation commerciale continue à gagner de nouveaux domaines et à prendre de nouvelles formes (centres d'amélioration de l'habitation et magasins de vente par catalogue entre autres). Cependant, le coût élevé du crédit risque de ralentir le taux de croissance dans ces domaines.

Cette évolution s'accompagne d'une diversification croissante des genres d'entreprises et de services spécialisés – dont certains n'existaient même pas il y a 10

Rayon des légumes d'un grand magasin d'alimentation du Canada.

ans – qui répondent aux besoins multiples de l'entreprise moderne. Bien que tous les secteurs de l'économie soient en cause, c'est du côté des services que le mouvement est le plus marqué. D'une part, l'accroissement du revenu et du temps de loisirs a contribué à l'augmentation considérable des ventes de services (et de biens) de nature récréative; d'autre part, le caractère de plus en plus spécialisé de la commercialisation a entraîné l'essor des services de traitement des données, des bureaux d'études de marché, des maisons de relations publiques, des services de listes d'adresses et d'autres entreprises-conseil en commercialisation et en gestion.

Commerce de détail

En 1978, les ventes au détail ont atteint $68,799 millions, soit une hausse de 11.6% par rapport à 1977. Pendant la période 1973-78, pour laquelle on dispose de données correspondantes, elles se sont accrues de 79.5%. Les plus fortes hausses durant cette période ont été enregistrées en Alberta (121.4%), au Yukon et dans les Territoires du Nord-Ouest (115.7%) et en Île-du-Prince-Édouard (90.3%), et les plus faibles en

1. Statistique sommaire du commerce de détail, 1973 et 1978

Genre de commerce et province	1973			1978		
	Magasins à succursales	Magasins indépendants	Tous magasins	Magasins à succursales	Magasins indépendants	Tous magasins
			(millions de dollars)			
Genre de commerce						
Épicerie-boucherie	4,738	2,211	6,949	9,206	3,701	12,907
Épicerie, confiseries et articles divers..........	259	1,387	1,646	525	2,761	3,286
Tous autres magasins d'alimentation	68	720	787	106	1,070	1,176
Grands magasins..........	4,316	—	4,316	7,695	—	7,695
Marchandises diverses.....	969	253	1,222	1,383	365	1,748
Magasins généraux........	130	606	736	396	951	1,347
Bazars	547	164	711	683	219	902
Marchands de véhicules automobiles	98	7,325	7,422	182	13,298	13,480
Marchands de voitures d'occasion	—	130	130	—	268	268
Stations-service	406	2,093	2,499	923	3,656	4,579
Garages	—	479	479	—	957	957
Pièces et accessoires d'automobile............	117	638	754	179	1,190	1,369
Vêtements pour hommes...	127	431	557	294	546	840
Vêtements pour femmes ...	278	366	643	675	573	1,248
Vêtements pour la famille..	223	340	563	430	502	932
Chaussures particulières ...	13	27	40	53	39	92
Chaussures pour la famille.	197	158	355	378	206	584
Quincailleries.............	71	381	452	[1]	[1]	706
Ameublement	101	398	499	162	906	1,068
Appareils ménagers	38	131	169	[1]	[1]	248
Meubles, téléviseurs, radios et appareils.......	130	274	404	92	403	495
Pharmacie, médicaments brevetés et produits de beauté.......	197	910	1,107	464	1,653	2,118
Librairies et papeteries.....	48	102	150	142	183	325
Fleuristes	7	130	137	11	250	261
Bijouteries................	129	185	313	266	330	596
Articles et accessoires de sport	14	359	373	89	728	816
Accessoires personnels	106	467	574	253	731	985
Tous autres magasins......	2,332	2,015	4,347	4,073	3,699	7,771
Total, tous magasins.......	15,658	22,677	38,335	28,804	39,995	68,799
Province						
Terre-Neuve..............	253	464	717	484	811	1,295
Île-du-Prince-Édouard	56	119	176	107	229	335
Nouvelle-Écosse	492	735	1,227	927	1,313	2,240
Nouveau-Brunswick.......	397	580	977	739	1,006	1,745
Québec	3,110	6,587	9,697	5,702	11,472	17,174
Ontario	6,610	7,896	14,505	11,892	13,292	25,184
Manitoba.................	731	968	1,699	1,225	1,502	2,727
Saskatchewan.............	492	1,041	1,533	998	1,876	2,874
Alberta..................	1,373	1,697	3,070	3,009	3,789	6,798
Colombie-Britannique	2,097	2,549	4,646	3,630	4,605	8,235
Yukon et Territoires du Nord-Ouest..........	48	41	89	90	102	192

— Néant ou zéro.   Les chiffres ayant été arrondis, le total peut ne pas correspondre à la somme des éléments.   [1] Confidentiel.

Exploitation commerciale de la glaïeul en Ontario.

Ontario et au Manitoba (73.6% et 60.5% respectivement). Bien que l'Ontario et le Québec continuent de figurer pour près des deux tiers des ventes au détail au Canada, leur part du marché diminue depuis nombre d'années; elle se situait à 61.6% en 1978.

L'augmentation la plus considérable des ventes pour la période 1973-78, par genre de commerce, s'est produite dans le secteur des chaussures spéciales (130.0%), suivi par le secteur des articles de sport (118.8%), les librairies et papeteries (116.7%), les magasins d'ameublement (114.0%), les vendeurs de voitures d'occasion (106.2%), et les garages (99.8%). Aucun genre de commerce n'a perdu du terrain entre 1973 et 1978, mais plusieurs ont enregistré des augmentations sensiblement inférieures à la moyenne, par exemple les magasins de meubles, téléviseurs, radios et appareils électriques, les bazars, les magasins de marchandises diverses, et les magasins d'appareils électroménagers.

Les plus grandes parts du marché de détail en 1978 étaient détenues par les marchands d'automobiles (19.6% du total des ventes) et les épiceries-boucheries (18.8%). Si l'on ajoute à ces ventes celles des autres magasins d'alimentation, des vendeurs de voitures d'occasion, des stations-service, des garages et des magasins

Le Coquitlam Centre, un des plus grands centres commerciaux de l'Ouest canadien.

d'accessoires automobiles, on constate que plus de la moitié (55.4%) de chaque
dollar dépensé par le consommateur en 1978 a servi à acheter des aliments, des
automobiles ou des services automobiles. La prise en compte des magasins vendant
surtout des vêtements et des chaussures—autres nécessités de la vie—n'ajouterait
que 11.1% au total. Un seul autre genre de commerce, le grand magasin, a enregistré
un chiffre de ventes élevé; il a réalisé 11.2% des ventes au détail, soit une légère
diminution par rapport à 11.3% en 1973.

Au niveau du commerce de détail, les magasins à succursales (exploitations d'au
moins quatre magasins de même genre et de même appartenance juridique) et les
détaillants indépendants se font concurrence. La position commerciale des magasins
à succursales, qui s'est améliorée lentement mais sûrement au cours des années,
s'est encore raffermie entre 1973 et 1978. En 1973, les magasins à succursales
figuraient pour 40.8% du total des ventes au détail; en 1978, la proportion est passée à
41.9%. Abstraction faite des grands magasins dans les ventes des magasins à
succursales et dans l'ensemble des ventes au détail, la part du marché des magasins à
succursales s'établit à 33.3% en 1973 et 34.5% en 1978.

Entre 1973 et 1978, la part du marché représentée par les magasins à succursales a
augmenté dans 16 des 28 genres de commerces pour lesquels on dispose de données

Split Lake (Man.). Embarquement de corégones destinés aux marchés pour y être vendus à l'état frais.

(tous autres magasins compris), et elle a diminué dans neuf. Les magasins à succursales figuraient pour la moitié au moins du total des ventes des grands magasins, dont tous les établissements sont classés comme succursales (100%), des magasins de marchandises diverses (79.1%), des bazars (75.7%), des épiceries-boucheries (71.3%), des magasins de chaussures pour la famille (64.7%), des magasins de chaussures spéciales (57.6%), des magasins de vêtements pour femmes (54.1%) et de tous les autres magasins (52.4%).

Les détaillants indépendants ont enregistré une augmentation des ventes de 76.4% pour la période 1973-78. Les genres de commerces où s'est accrue, même légèrement, leur part du marché, comprennent les magasins de marchandises diverses, les bazars, les magasins de pièces et accessoires automobiles, les magasins de meubles, les magasins de téléviseurs, radios et appareils électriques, les fleuristes et les autres magasins.

Vente directe

Les magasins de détail ne rendent compte que d'une part, la plus importante cependant, du volume total des achats effectués par les consommateurs. D'autres canaux de distribution tout à fait différents, soit les services de vente directe, les distributeurs automatiques et les librairies de campus, ont enregistré des ventes de $2,036.2 millions en 1977. Sur ce total, les ventes directes réalisées par les fabricants, importateurs, grossistes, services de vente par correspondance, éditeurs de livres, journaux et magazines, et autres services spécialisés figuraient pour $1,683.0 millions, soit 4% des ventes réalisées par des genres comparables de magasins de détail. De plus, les exploitants de distributeurs automatiques ont déclaré des ventes totales de $286.5 millions en 1977 et les librairies de campus, de $92.7 millions pour l'année scolaire 1977-78.

L'enquête de 1977 sur la vente directe au Canada révèle que la majeure partie des ventes «hors magasin» s'effectue par démarchage, c'est-à-dire le porte-à-porte. Les ventes par démarchage de produits comme les cosmétiques et bijoux de toilette, les produits laitiers, les journaux et les appareils électroménagers représentaient 62.1% du total des ventes directes. Les ventes de services de rembourrage et de réparation de meubles, de meubles, d'aliments congelés et d'appareils électroménagers dans les salles de montre ou les locaux des fabricants figuraient pour 15.6%; les ventes par la poste de livres, disques, magazines et journaux figuraient pour 16.9% et les canaux restants pour 5.4%.

2. Crédit à la consommation au Canada: encours selon certains groupes de prêteurs et certaines fins d'année

Prêteurs et genres de crédit	1965	1970	1975	1976r	1977r	1978	Taux de variation 1977-78
			(millions de dollars)				%
Sociétés de financement des ventes et de prêts à la consommation							
Crédit à tempérament............	1,198	1,136	1,156	1,122	1,073	1,164	+8.5
Prêts en espèces de moins de $1,500 .	628	525	252	231	204	178	−12.7
Prêts en espèces de plus de $1,500...	348	1,190	1,504	1,501	1,462	1,488	+1.8
Prêts personnels des banques à charte .	2,241	4,663	13,175	16,213	18,777	21,689	+15.5
Prêts personnels des banques d'épargne du Québec........................	16	22	58	72	87	104	+19.5
Prêts sur police des sociétés d'assurance-vie.............................	411	759	1,149	1,227	1,277	1,341	+5.0
Caisses d'épargne et de crédit et caisses populaires	813	1,493	3,243	3,884	4,512	5,465	+21.1
Grands magasins et autres détaillants..	1,313	1,551	2,418	2,318	2,411	2,597	+7.7
Autres délivreurs de cartes de crédit...	72	186	338	305	330	371	+12.4
Services publics	99	155	295	373	444	492	+10.8
Sociétés de fiducie et de prêts hypothécaires....................	—	—	199	301	385	659	+71.2
Total.............................	7,140	11,680	23,787	27,547	30,962	35,549	+14.8

— Néant ou zéro.   r Chiffres rectifiés.

1979, soit +18.9%); les machines agricoles et l'équipement ($3,327 millions contre $4,313 millions, soit +29.6%); autres machines et matériel ($8,770 millions contre $11,014 millions, soit +25.6%); et métaux et produits en métal ($1,926 millions en 1978 contre $2,621 millions en 1979, soit +36.1%).

Services

Les enquêtes intercensitaires, qui couvrent une partie de ce vaste secteur divers, révèlent qu'en 1977 les recettes d'hébergement ont atteint $3,306.1 millions, dont $2,692.3 millions réalisés par les hôtels, soit une hausse de 112.2% par rapport à 1971. Les recettes des restaurants, services de traiteur et tavernes se sont élevées en 1978 à $6,847.4 millions, soit une augmentation de 184.9% par rapport à 1971. Les recettes des cinémas et ciné-parcs se sont chiffrées à $326.2 millions (taxes comprises) en 1978, soit une augmentation de 110.6%. D'autres enquêtes intercensitaires portant sur les services pour l'année 1978 ont donné les résultats suivants: services informatiques, $1,411.6 millions; production cinématographique, $113.3 millions; et distribution de films (échange de films), $197.2 millions.

3. Ventes estimées des grossistes, 1978 et 1979

Groupe de commerces	Ventes		Taux de variation 1978-79
	1978	1979	
	(millions de dollars)		%
Total, tous genres[1]	61,965	72,574	+17.1
Produits agricoles (sauf les grains)	513	575	+12.1
Papier et produits du papier	1,303	1,562	+19.9
Produits alimentaires	12,899	14,617	+13.3
Produits du tabac	1,246	1,374	+10.3
Médicaments brevetés et articles de toilette	884	990	+12.0
Habillement et mercerie	1,725	1,959	+13.6
Meubles de maison et articles d'ameublement	1,154	1,278	+10.7
Véhicules automobiles	2,033	2,162	+6.4
Pièces, accessoires et fournitures d'automobiles	3,282	3,605	+9.9
Machines électriques, matériel et fournitures compris	3,200	3,805	+18.9
Machines agricoles et matériel connexe	3,327	4,313	+29.6
Machines et matériel (non spécifiés ailleurs)	8,770	11,014	+25.6
Quincailleries	1,221	1,373	+12.4
Matériel de plomberie et de chauffage, etc.	1,496	1,738	+16.2
Métaux et produits métalliques	1,926	2,621	+36.1
Bois et matériaux de construction	7,466	8,370	+12.1
Déchets et rebuts	605	892	+47.4
Grossistes (non spécifiés ailleurs)[2]	8,915	10,325	+15.8

[1] Sauf les produits céréaliers et pétroliers.   [2] Comprend aussi les marchandises diverses, le charbon et le coke.

Indice des prix à la consommation

Fondé sur des moyennes annuelles, l'indice des prix à la consommation (IPC) a progressé de 9.1% en 1979, à peine plus que la hausse de 9.0% observée en 1978. Les avances enregistrées ces deux dernières années reflètent une forte accélération du taux de variation des prix par rapport aux hausses de 7.5% et 8% intervenues en 1976 et 1977 respectivement. En 1978, l'indice du prix des aliments a augmenté en flèche, soit de 15.5%, après avoir avancé de 8.4% en 1977, tandis que l'indice d'ensemble, aliments exclus, a décéléré quelque peu, son avance n'ayant été que de 6.4 % en 1978 contre 7.8% en 1977. Les taux de croissance relatifs se sont inversés en 1979, l'indice d'ensemble, sauf les aliments, ayant alors augmenté de 7.9% tandis que le rythme de croissance de l'indice du prix des aliments baissait pour s'établir à 13.2%. Par suite de ce mouvement relatif, la hausse du prix des aliments est intervenue pour un peu plus du tiers dans la variation globale de l'indice de tous les éléments (deux cinquièmes en 1978).

4. L'indice des prix à la consommation et ses principaux éléments, Canada — Taux de variation des indices moyens annuels

	1974 1973	1975 1974	1976 1975	1977 1976	1978 1977	1979 1978
Ensemble des éléments	10.9	10.8	7.5	8.0	9.0	9.1
Alimentation.....................	16.3	12.9	2.7	8.4	15.5	13.2
Ensemble des éléments sauf alimentation....................	8.9	10.0	9.4	7.8	6.4	7.9
Habitation........................	8.7	10.0	11.1	9.4	7.5	7.0
Habillement	9.6	6.0	5.5	6.8	3.8	9.2
Transports.......................	10.0	11.7	10.7	7.0	5.8	9.7
Hygiène et soins personnels.....................	8.7	11.4	8.7	7.4	7.2	9.0
Loisirs, lecture et éducation......................	8.7	10.4	6.0	4.8	3.9	6.9
Tabacs et alcools	5.5	12.1	7.2	7.1	8.1	7.2

L'élément biens de l'IPC a progressé de 10.1% en 1978 et de 10.6% en 1979 d'après les moyennes annuelles, et l'élément services, de 6.8% et 6.9% respectivement.

Les indices des prix à la consommation pour certaines villes mesurent les variations des prix à la consommation dans les villes considérées. Pour la période commençant en octobre 1978, on a reconstruit les indices des villes d'après une chronologie qui remonte à 1971, afin de les rendre plus compatibles avec les concepts et méthodes employés dans l'établissement de l'IPC du pays entier. Comme l'indique le tableau 5 les augmentations pour l'ensemble des éléments varient de 7.7% (Vancouver) à 9.8% (St-Jean, T.-N.).

Le pouvoir d'achat du dollar de 1971, qui s'établissait en moyenne à 67 cents en 1976, est tombé à 52 cents en 1979.

5. L'indice des prix à la consommation et ses principaux éléments, certaines villes — Taux de variation[1] entre 1978 et 1979

Villes	Ensemble des éléments	Alimentation	Habitation	Habillement	Transports	Hygiène et soins personnels	Loisirs, lecture et éducation	Tabacs et alcools
Saint-Jean (T.-N.)	9.8	16.1	7.6	6.9	7.9	10.4	9.8	6.8
Charlottetown – Summerside (Î.-P.-É.).	8.6	12.2	7.1	8.8	8.0	7.5	6.8	6.0
Halifax (N.-É.)	8.9	13.3	6.1	9.1	8.6	7.6	7.5	10.2
Saint-Jean (N.-B.)	9.3	13.6	7.1	8.6	8.6	6.8	8.2	8.8
Québec (Qué.).	9.2	12.3	8.8	5.8	8.7	9.3	8.5	6.6
Montréal (Qué.)	9.1	13.5	7.8	7.1	8.9	9.4	5.2	7.2
Ottawa (Ont.)	8.8	12.3	6.4	10.2	10.6	7.9	7.0	8.0
Toronto (Ont.).	9.3	12.5	6.8	11.1	10.8	10.6	6.8	7.4
Thunder Bay (Ont.)	8.8	11.3	7.3	9.9	9.0	8.4	7.8	7.9
Winnipeg (Man.)	9.2	11.4	7.5	12.2	9.2	8.0	8.2	7.3
Regina (Sask.).	8.4	12.2	5.9	10.4	9.1	7.5	6.8	7.1
Saskatoon (Sask.)	8.9	12.4	7.3	9.5	9.1	7.0	7.0	7.3
Edmonton (Alb.).	8.9	11.7	8.2	10.6	8.6	7.0	8.2	3.9
Calgary (Alb.)	8.7	12.9	7.8	10.2	7.0	8.6	6.6	5.4
Vancouver (C.-B.).	7.7	11.8	4.6	8.1	9.1	8.8	6.7	6.4

[1] D'après les indices moyens annuels.

Parc public de Victoria (C.-B.).

Commerce international

Les exportations et les importations de marchandises par le Canada se sont accrues fortement en 1978 et 1979. Les exportations ont atteint $52.8 milliards en 1978 et $65.5 milliards en 1979, ce qui représente des augmentations de 18.6% et de 24%. Les importations se sont chiffrées à $49.9 milliards (+18%) en 1978 et à $62.5 milliards (+25.1%) en 1979.

Après ajustement de ces totaux douaniers en fonction des concepts et définitions du système des comptes nationaux, les augmentations relatives s'établissent à près de 18.8% et 24.1% pour les exportations de 1978 et 1979 respectivement et à 18.5% et 24.5% pour les importations. Les raffinements comprennent l'ajustement chronologique de certains chiffres sur les importations, la prise en compte des paiements échelonnés au titre des biens d'équipement, la déduction des frais de transport inclus dans certaines déclarations de douane et la réduction de certains droits de douane afin de refléter la valeur des transactions. Au niveau de la balance des paiements, l'excédent commercial du Canada s'améliore de façon continue depuis le déficit de 1975. L'excédent commercial de $1.4 milliard enregistré en 1976 a presque doublé en 1977 ($2.7 milliards); il s'est établi à $3.4 milliards en 1978 (+24%) et à $4.0 milliards (+18%) en 1979.

6. Exportations par marchandises, 1977-79

Marchandise	1977	1978	1979
		(millions de dollars)	
Blé..	1,882	1,913	2,180
Animaux et autres produits comestibles	2,574	3,174	3,869
Minerais et concentrés métalliques..............	2,730	2,403	3,890
Pétrole brut.................................	1,751	1,573	2,403
Gaz naturel	2,028	2,190	2,889
Autres matières brutes	2,341	2,664	3,345
Bois d'œuvre, résineux........................	2,387	3,229	3,911
Pâte de bois	2,158	2,181	3,076
Papier journal...............................	2,382	2,886	3,222
Demi-produits en métal........................	3,832	5,080	5,804
Autres demi-produits	4,168	5,530	8,352
Véhicules automobiles et pièces (chiffre partiel) ..	10,424	12,446	11,637
Autres machines et matériel....................	3,975	5,234	7,290
Autres exportations canadiennes	1,052	1,416	2,142
Réexportations	870	923	1,317
Total, exportations...........................	44,554	52,842	65,327

Exportations (base douanière)

Les États-Unis sont demeurés le principal destinataire des exportations canadiennes en 1979, absorbant $43,244 millions ou 67.6% du total. Parmi les autres clients importants figuraient le Japon, le Royaume-Uni et la République fédérale d'Allemagne, suivis des pays du Benelux (Belgique, Pays-Bas et Luxembourg) et

Port en eau profonde à Prince-Rupert (C.-B.).

l'URSS. On peut mentionner également l'Italie, le Venezuela, la France, la République populaire de Chine et l'Australie. Ces 11 principaux clients figuraient en 1979 pour 90% des exportations totales.

Dans l'ensemble, les produits traditionnellement exportés par le Canada ont maintenu leurs positions en 1978 et 1979. Les véhicules automobiles et pièces représentaient une part moindre, soit 18% en 1979 contre 24% l'année précédente. De 12.5% en 1975, la part du pétrole brut et du gaz naturel est tombée à 8.5% en 1977 et 7.1% en 1978, suivie d'une remontée à 8.1% en 1979. L'accroissement de la valeur des expéditions de gaz naturel aux États-Unis a plus que compensé la baisse des expéditions de pétrole en 1978 et 1979. Les exportations de minerais, métaux affinés et produits forestiers ont continué d'augmenter en 1978 et 1979 par suite d'un raffermissement du marché extérieur. Des expéditions considérables de blé en 1977, 1978 et 1979, notamment à la Chine, au Japon, à l'URSS et au Royaume-Uni, ont donné lieu à une reprise par rapport à la baisse des exportations en 1976. Selon le degré de fabrication, la proportion de produits manufacturés a fléchi pour s'établir à 32.3% en 1979 contre 36.1% en 1978, tandis que la proportion des demi-produits a monté à 38% en 1979 au lieu de 36% en 1978.

Raccordement d'un couple de moteurs d'extraction dans une usine de Peterborough (Ont.), avant son expédition à une mine des États-Unis.

7. Exportations canadiennes, par destinations principales, 1977-79

Pays	1977	1978	1979
	(millions de dollars)		
États-Unis	30,404	36,455	43,244
Japon	2,513	3,052	4,081
Royaume-Uni	1,929	1,985	2,589
République fédérale d'Allemagne	768	782	1,368
Pays-Bas[1]	513	563	1,080
URSS	358	567	763
Italie	498	481	729
Venezuela	568	686	698
Belgique et Luxembourg[1]	511	475	668
France	360	460	619
Chine	369	503	592
Australie	409	412	559
Brésil	282	417	417
Total partiel	39,482	46,838	57,407
Total des exportations canadiennes	43,684	51,919	64,010

[1] En raison des transits via les Pays-Bas, la Belgique et le Luxembourg, le volume des marchandises à destination ou en provenance de ces pays tend à être surestimé, tandis que le volume des marchandises à destination ou en provenance de l'Allemagne, de la France et de quelques autres pays d'Europe est peut-être sous-estimé.

8. Importations par marchandises, 1977-79

Marchandise	1977	1978	1979
	(millions de dollars)		
Viande et poisson............................	534	601	663
Fruits et légumes	1,039	1,255	1,456
Animaux et autres produits comestibles	1,681	1,844	2,022
Charbon....................................	618	632	864
Pétrole brut................................	3,215	3,471	4,430
Autres matières brutes	1,483	1,788	2,545
Textiles	890	1,074	1,384
Produits chimiques	1,992	2,621	3,213
Demi-produits en métal......................	1,400	1,901	3,621
Autres demi-produits	2,711	3,197	3,844
Véhicules automobiles et pièces (chiffre partiel) .	11,576	13,257	14,832
Autres machines et matériel..................	10,585	13,034	17,083
Autres importations.........................	4,608	5,265	6,496
Total, importations.........................	42,332	49,938	62,453

Importations (base douanière)

En 1979, environ 72.4% ($45,203 millions) des importations du Canada prove-naient des États-Unis, contre 70.6% en 1978 et 70.4% en 1977. Venaient ensuite par ordre d'importance, en 1978 et en 1979, le Japon, le Royaume-Uni, le Venezuela et la République fédérale d'Allemagne, l'Arabie Saoudite et la France. L'Iran, qui est passé de la septième place en 1977 à la huitième en 1978 et à la quatorzième en 1979, a cédé le pas à l'Italie, Taïwan, l'Australie, la Corée du Sud, Hong Kong et la Suède. Ces 14 pays figuraient pour 92.2% des importations totales en 1979.

Les produits de l'automobile et les autres machines et matériel représentaient encore la moitié environ des importations en 1978 et 1979. La part des véhicules automobiles et pièces a quelque peu diminué passant de 26.5% en 1978 à 23.7% en 1979, tandis que les autres machines et matériel ont progressé pour atteindre 26% en 1978 et 27.4% en 1979. La valeur des arrivages de pétrole brut s'est accrue en 1978 et de nouveau en 1979, tout comme les importations de charbon en provenance des États-Unis. Les importations de fruits et légumes ont continué de s'accroître (40% entre 1977 et 1979) et celles de viande et de poisson ont également augmenté mais à un taux moindre (24% entre 1977 et 1979). Les produits manufacturés représentaient 60% des importations en 1979, comparativement à 62% en 1977 et 1978. La part des matières ouvrées s'est élargie, passant de 17.6% en 1978 à environ 19% en 1979, tandis que celle des matières brutes s'élevait à 12.6% en 1979, après un déclin qui l'avait réduite à 11.8% en 1978.

Variations de prix et de volume

Les prix des importations ont augmenté plus rapidement que ceux des exportations en 1978, tandis que les quantités exportées ont devancé celles des importations. En 1979, la situation s'est inversée. Les prix moyens des importations avaient augmenté de 13.4% en 1978 et ceux des exportations de 8.5%. En 1979 les prix à l'exportation ont progressé de 20.8% et ceux à l'importation, de 14.2%. En 1978, le

Chargement de pommes de terre de l'Île-du-Prince-Édouard à destination des Caraïbes.

volume des exportations s'était accru de 9.6% contre une hausse de 3.1% du côté des importations. En 1979, le volume des importations a marqué une avance de 10.6% tandis que celui des exportations se limitait à un gain de 2.4%. Le taux des échanges (rapport entre les prix des exportations et ceux des importations), légèrement en hausse à 1.123 en 1976, a baissé jusqu'à 1.067 en 1977 et 1.022 en 1978, pour remonter à 1.080 en 1979.

9. Importations par principaux pays, 1977-79

Pays	1977	1978	1979
	(millions de dollars)		
États-Unis	29,815	35,246	45,203
Japon	1,793	2,268	2,152
Royaume-Uni	1,279	1,600	1,926
Venezuela	1,360	1,283	1,557
République fédérale d'Allemagne	967	1,244	1,538
Arabie Saoudite	712	749	1,228
France	522	684	776
Italie	400	525	634
Taïwan	321	397	521
Australie	353	350	464
Corée du Sud	323	363	462
Hong Kong	280	332	428
Suède	260	325	383
Iran	537	594	322
Total partiel	38,922	45,960	57,594
Total, importations	42,332	49,938	62,453

Finances

Finances publiques

Pouvoirs et attributions des divers paliers d'administration publique

L'Acte de l'Amérique du Nord britannique (AANB) de 1867, qui forme la constitution écrite du Canada, détermine la répartition des pouvoirs et attributions en matière d'imposition entre le Parlement fédéral et les assemblées législatives provinciales. Aux termes de l'article 91, le Parlement peut prélever des deniers par tout mode d'imposition, alors que l'article 92 stipule que les assemblées législatives peuvent recourir à l'imposition directe dans leur territoire respectif en vue d'obtenir un revenu pour des objets provinciaux. En outre, l'AANB autorise les provinces à établir des institutions municipales dans leur propre territoire. Ces dernières se voient donc confier des pouvoirs et des attributions fiscales et financières par les assemblées législatives provinciales qui les créent.

Usine de pâte kraft sur le Columbia, près de Castlegar (C.-B.).

La principale forme de charge fiscale au Canada est l'impôt direct. On entend généralement par impôt direct un impôt qui est exigé de la personne même qui doit le payer, comme les impôts sur le revenu des particuliers et des corporations, les droits de succession, les cotisations à la sécurité sociale et divers impôts provinciaux de consommation. Le champ de l'imposition indirecte, occupé par le gouvernement fédéral, comprend les droits de douane, les droits d'accise, les frais à l'exportation sur certains produits et les taxes de vente prélevées auprès des fabricants. Le gouvernement fédéral lève à la fois des impôts indirects et des impôts directs sur le revenu des particuliers et des corporations. Les gouvernements provinciaux ne lèvent que des impôts directs, dont ceux sur le revenu et divers impôts sur les ventes au détail de biens et services. Les municipalités lèvent des impôts fonciers et d'autres impôts sur les locaux d'affaires et sur certains services municipaux.

Organisation de l'administration publique

L'organisation de l'administration publique varie d'un palier à l'autre, et même à l'intérieur d'un même palier. Chaque administration gère ses affaires de la façon qu'elle juge la plus convenable, compte tenu de ses ressources et attributions. Il s'ensuit des différences qui rendent difficile toute comparaison au niveau des finances publiques. Cependant, en consolidant les opérations de tous les paliers

Grande exploitation de fonderie à Copper Cliff, près de Sudbury.

Vue de Calgary, en Alberta.

pour former un seul univers public, on peut évaluer l'effet d'ensemble de l'activité financière des administrations sur le grand public, comme le montrent les premières colonnes des tableaux 1 et 2.

Ententes fiscales entre administrations publiques

Les ententes fiscales entre les administrations fédérale, provinciales et territoriales prennent diverses formes et sont régies par une loi du Parlement ou par des accords officiels entre les paliers d'administration. Les transferts entre administrations découlant de ces ententes sont résumés dans les lignes qui suivent.

Des subsides statutaires institués par l'AANB fournissent des subventions annuelles fixes pour le soutien des assemblées législatives provinciales et des allocations annuelles établies au prorata de la population. Aux termes de la Loi sur le transfert de l'impôt sur le revenu des entreprises d'utilité publique, l'administration fédérale remet aux provinces un certain pourcentage (établi périodiquement par une loi du Parlement) de l'impôt provenant des services privés de production ou de distribution d'électricité, de gaz et de vapeur.

Les relations fédérales-provinciales en matière de fiscalité, d'économie et de finance sont régies par la Loi de 1977 sur les accords fiscaux entre le gouvernement fédéral et les provinces et sur le financement des programmes établis; cette loi est renégociée tous les cinq ans. En vertu de la Loi de 1977, le gouvernement verse à une province, s'il y a lieu, des paiements de péréquation et de stabilisation, conclut avec les provinces des accords pour la perception des impôts et des accords de réciprocité concernant les impôts et droits provinciaux, effectue des paiements de garantie relativement aux recettes fiscales des provinces produites par l'impôt sur le revenu, transfert aux provinces 20% de l'impôt fondé sur le revenu en mains non distribué de 1971, et contribue au financement des programmes établis. Les paiements de péréquation (les plus importants paiements en espèces effectués aux termes de la loi) sont fondés sur le principe suivant lequel tous les citoyens canadiens ont droit à des services publics de niveau comparable dans diverses régions du pays; ainsi, le gouvernement fédéral utilise une partie des recettes fiscales fournies par toutes les provinces pour aider celles dont le revenu est inférieur à la moyenne nationale.

Suivant les termes de l'AANB, une administration publique ne lève pas d'impôt sur une autre administration publique; par exemple, lorsqu'un bien public ferait normalement l'objet d'une charge fiscale, une subvention est accordée à la

Mines de cuivre à Murdochville (Qué.).

Charlottetown et une partie de son port (Î.-P.-É.).

municipalité, à la province ou à d'autres autorités locales en remplacement des impôts fonciers auxquels il faut renoncer en raison du statut d'exemption du bien en cause. Toutefois, vu la complexité croissante des transactions économiques et commerciales entre les administrations publiques, ces dispositions constitutionnelles sont de plus en plus difficiles à observer. Pour éliminer, ou du moins réduire au minimum, les incertitudes et les difficultés concernant le paiement des impôts de consommation d'une administration à l'autre, l'administration fédérale a conclu avec les provinces des accords de réciprocité au sujet des impôts et droits provinciaux. Ces accords sont explicités dans la Partie VIII de la Loi de 1977 sur les accords fiscaux entre le gouvernement fédéral et les provinces et sur le financement des programmes établis.

Un autre élément nouveau de la Loi de 1977 concerne le financement des programmes établis, entre autres l'enseignement postsecondaire, l'assurance-hospitalisation, l'assurance-maladie et les services de soins prolongés. Les dispositions à cet égard figurent dans la Partie VI de la Loi et remplacent les dispositions relatives au partage des coûts de la Loi sur l'assurance-hospitalisation et

Élèves du primaire à Repulse Bay (T.N.-O.).

les services diagnostiques et de la Loi sur les soins médicaux; elles portent également sur les arrangements lorsqu'une province renonce à un programme. Aux termes du nouveau régime de financement, l'administration fédérale transfère une partie de son champ d'imposition sur le revenu et effectue des paiements en espèces. Abstraction faite de la valeur des transferts fiscaux, ces derniers se chiffraient comme suit en 1979-80: assurance-hospitalisation, $2,372 millions; assurance-maladie, $815 millions; enseignement postsecondaire, $1,489 millions; et services de soins prolongés, $580 millions.

La plupart des transferts provinciaux sont des transferts de nature spécifique aux administrations locales. Les contributions les plus importantes sont versées au titre de l'enseignement primaire et secondaire et constituent l'une des principales sources de financement pour les conseils scolaires locaux.

Opérations financières des divers paliers d'administration pour l'année financière terminée le plus près du 31 décembre 1977

Les tableaux 1 à 4 donnent les recettes, les dépenses, l'actif et le passif des divers paliers d'administration pour l'année financière terminée le plus près du 31 décembre 1977. La période visée s'étend du 1er avril 1977 au 31 mars 1978 pour les administrations fédérale et provinciales, et du 1er janvier 1977 au 31 décembre 1977 pour la plupart des administrations locales.

Les données proviennent des états financiers des diverses administrations publiques et de leurs organismes. Comme ces états reflètent généralement l'organisation idiosyncratique de chaque administration publique et sont donc mutuellement incompatibles, les données ont été réagencées dans le cadre statistique de la gestion financière qui classe les recettes par source et les dépenses par fonction, afin de permettre la comparaison.

1. Recettes des administrations publiques fédérale, provinciales et locales

(année financière se terminant le plus près du 31 décembre 1977)

Provenance des recettes	Toutes administrations Recettes consolidées	Administration fédérale		Administrations provinciales		Administrations locales	
		Montant	Part des recettes totales	Montant	Part des recettes totales	Montant	Part des recettes totales
	$ milliers	$ milliers	%	$ milliers	%	$ milliers	%
Impôts sur							
Le revenu des particuliers	22,916,775	13,562,175	34.7	9,354,600	21.4	...	...
Le revenu des sociétés	7,935,488	5,827,760	14.9	2,107,728	4.8	...	...
Les paiements à des non-résidents	502,695	502,695	1.3	...	...	...	...
Total partiel — impôts sur le revenu	31,354,958	19,892,630	50.9	11,462,328	26.2	...	...
Impôts fonciers et connexes	7,445,998	...	...	105,439	0.2	7,340,559	37.3
Impôts de consommation							
Taxes de vente générales	9,392,096	4,427,013	11.3	4,955,078	11.4	10,005	—
Carburants	2,265,966	598,402	1.5	1,667,564	3.8	...	...
Droits de douane	1,765,382	1,271,632	3.3	493,750	1.1	...	...
Boissons alcooliques et tabacs	2,312,038	2,312,038	5.9	...	...	...	...
Autres	486,760	156,139	0.4	312,707	0.7	17,914	0.1
Total partiel — impôts de consommation	16,222,242	8,765,224	22.4	7,429,099	17.0	27,919	0.1
Cotisations à l'assurance-maladie et à l'assurance sociale	7,791,489	4,318,813	11.1	3,472,676	7.9	...	...
Impôts divers	1,369,318	531,420	1.4	782,093	1.8	55,805	0.3
Recettes tirées de ressources naturelles	4,380,256	29,172	—	4,351,084	10.0	...	...
Privilèges, licences et permis	1,189,292	60,911	0.2	1,000,196	2.3	128,185	0.7
Autres recettes de sources propres	12,761,929	5,455,404	14.0	5,352,341	12.3	2,380,470	12.1
Transferts à d'autres paliers d'administration							
De nature générale	...	...	...	3,315,722	7.6	1,354,650	6.9
De nature spécifique	...	...	...	6,424,648	14.7	8,367,280	42.6
Total partiel — transferts	...	...	...	9,740,370	22.3	9,721,930	49.5
Total des recettes	82,515,482	39,053,574	100.0	43,695,626	100.0	19,654,868	100.00

... Sans objet.
-- Nombres infimes.
Source: Statistique Canada Nos de catalogue 68-202, 68-204, 68-207 et 68-211.

2. Dépenses des administrations publiques fédérale, provinciales et locales

(année financière se terminant le plus près du 31 décembre 1977)

Fonctions des dépenses	Toutes administrations Dépenses consolidées	Administration fédérale		Administrations provinciales		Administrations locales	
	$ milliers	Montant $ milliers	Part des dépenses totales %	Montant $ milliers	Part des dépenses totales %	Montant $ milliers	Part des dépenses totales %
Administration générale	6,403,731	2,607,234	5.7	2,861,526	6.5	934,971	4.4
Protection des personnes et des biens¹	7,601,475	4,573,664	9.9	1,466,996	3.4	1,560,815	7.4
Transports et communications	7,818,037	2,836,611	6.2	2,555,585	5.8	2,425,841	11.6
Santé	10,994,908	277,453	0.6	10,479,076	24.0	238,379	1.1
Bien-être social	20,735,993	14,170,156	30.8	6,004,597	13.8	561,240	2.7
Éducation	13,847,851	589,569	1.3	4,256,968	9.8	9,001,314	42.9
Environnement	2,490,979	265,980	0.6	376,716	0.9	1,848,283	8.8
Autres dépenses	20,957,139	10,594,727	23.0	6,625,141	15.2	3,737,271	17.8
Ventes de biens et services entre administrations	...	130,788	0.3	295,498	0.7	...	...
Transferts à d'autres paliers d'administration							
De nature générale	...	3,477,217	7.6	1,114,312	2.6	...	...
De nature spécifique:							
Transports et communications	...	134,891	0.3	781,978	1.8	4,439	—
Santé	...	2,851,466	6.2	101,358	0.2	629,972	3.0
Bien-être social	...	1,472,853	3.2	378,813	0.9	33,110	0.2
Éducation	...	1,340,985	2.9	5,723,648	13.1	388	—
Autres	...	631,865	1.4	562,825	1.3	11,793	0.1
Total partiel — transferts de nature spécifique	...	6,432,060	14.0	7,548,622	17.3	681,150	3.3
Total partiel — transferts	...	9,909,277	21.6	8,662,934	19.9	681,150	3.3
Total des dépenses	90,850,113	45,955,459	100.0	43,585,037	100.0	20,989,264	100.0

¹Défense nationale comprise.   ... Sans objet.   -- Nombres infimes.   Source: Statistique Canada. Nos de catalogue 68-202, 68-204, 68-207, 68-209 et 68-211.

3. Actif financier des administrations publiques fédérale, provinciales et locales
(année financière se terminant le plus près du 31 décembre 1977)

Actif financier	Administration fédérale		Administrations provinciales		Administrations locales	
	Montant	Part de l'actif total	Montant	Part de l'actif total	Montant	Part de l'actif total
	$ milliers	%	$ milliers	%	$ milliers	%
Encaisse et dépôts	3,037,606	6.0	3,945,728	10.5	1,414,023	18.9
Sommes à recevoir	271,259	0.5	2,203,128	5.8	2,677,309	35.8
Prêts et avances	27,315,154	53.9	5,425,030	14.4	725,998	9.7
Placements						
Valeurs canadiennes	17,200,402	34.0	20,918,950	55.4	1,564,960	20.9
Valeurs étrangères	1,177,053	2.3	...	...	...	...
Total partiel-placements ...	18,377,455	36.3	20,918,950	55.4	1,564,960	20.9
Autres éléments d'actif financier.	1,671,410	3.3	5,237,097	14.9	1,098,045	14.7
Total de l'actif	50,672,884	100.0	37,729,933	100.0	7,480,335	100.0

... Sans objet.   Source: Statistique Canada. Nos de catalogue 68-204, 68-207, 68-209 et 68-211.

4. Passif financier des administrations publiques fédérale, provinciales et locales
(année financière se terminant le plus près du 31 décembre 1977)

Passif financier	Administration fédérale		Administrations provinciales		Administrations locales	
	Montant	Part du passif total	Montant	Part du passif total	Montant	Part du passif total
	$ milliers	%	$ milliers	%	$ milliers	%
Emprunts auprès d'institutions financières			492,395	1.2	2,049,375	9.8
Sommes à payer	13,532,978	21.2	2,268,752	5.6	1,668,311	7.9
Prêts et avances	...	...	2,277,471	5.6	...	...
Obligations						
Marché canadien	40,971,092	64.2	25,124,705	62.1	13,567,219	64.5
Marché étranger	180,517	0.3	7,943,152	19.6	3,152,396	15.0
Total partiel – obligations	41,151,609	64.5	33,067,857	81.7	16,719,615	79.5
Autres éléments de passif ...	9,154,046	14.3	2,399,327	5.9	597,104	2.8
Total du passif	63,838,633	100.0	40,505,802	100.0	21,034,405	100.0

... Sans objet.   Source: Statistique Canada. Nos de catalogue 68-202, 68-204, 68-209 et 68-211.

Opérations de l'administration fédérale. En 1977-78, les recettes fédérales se sont établies à $39,053,574,000, et les dépenses à $45,955,459,000. L'impôt sur le revenu des particuliers figurait pour 34.7% des recettes fédérales, l'impôt sur le revenu des corporations pour 14.9%, et les taxes de vente générales pour 11.3%; ces trois sources constituaient 60.9% du total. Le bien-être social, les transferts à d'autres paliers d'administration (surtout aux provinces) et la protection des personnes et des biens (surtout la défense nationale) intervenaient respectivement pour 30.8, 21.6 et 9.9% ou 62.3% globalement des dépenses fédérales.

Le 31 mars 1978, l'actif financier de l'administration fédérale s'établissait à $50,672,884,000 et le passif à $63,838,633,000. Les prêts et les avances constituaient 53.9% de l'actif et les placements en valeurs mobilières 36.3%, alors que les obligations figuraient pour 64.5% du passif et les sommes à payer pour 21.2%.

Opérations des administrations provinciales. Au cours de l'année financière 1977-78, les recettes globales des administrations provinciales se chiffraient à $43,695,626,000, et les dépenses à $43,585,037,000. Les primes d'assurance-maladie et les impôts sur le revenu des particuliers, les taxes de vente générales, l'impôt sur le

Terminal maritime d'Halifax (N.-É.).

Vue panoramique de Saskatoon, en Saskatchewan.

carburant et celui sur le revenu des corporations figuraient pour 7.9, 21.4, 11.4, 3.8 et 4.8% respectivement ou 49.3% collectivement des recettes totales. Les provinces ont aussi reçu 22.3% de leurs recettes sous forme de transferts d'autres administrations (surtout de l'administration fédérale). La santé, les transferts à d'autres paliers d'administration, l'enseignement et le bien-être social figuraient respectivement pour 24.0, 19.9, 9.8 et 13.8% ou 67.5% collectivement des dépenses totales.

Le 31 mars 1978, l'actif financier des administrations provinciales totalisait $37,729,933,000 et le passif $40,505,802,000. Les placements en valeurs mobilières figuraient pour 55.4% de l'actif et les prêts et avances pour 14.4%, tandis que les obligations représentaient 81.7% du passif.

Opérations des administrations locales. Au cours de l'année financière terminée le plus près du 31 décembre 1977, les recettes des administrations locales se chiffraient à $19,654,868,000, et les dépenses à $20,989,264,000. Les impôts fonciers et les transferts d'autres paliers d'administration (surtout des administrations provinciales) intervenaient respectivement pour 37.3 et 49.5% des recettes totales. L'enseignement, les transports et communications, la protection des personnes et des biens et l'environnement figuraient respectivement pour 42.9, 11.6, 7.4 et 8.8% ou 70.7% collectivement du total des dépenses.

Déneigement des trottoires à Toronto (Ont.).

Fin de l'année financière 1977, l'actif total des administrations locales atteignait $7,480,335,000, et le passif $21,034,405,000. Les sommes à recevoir et les placements représentaient la plus grande part de l'actif (35.8 et 20.9% respectivement), tandis que les obligations constituaient le principal élément de passif (79.5%).

Autoroute dans les monts Richardson (T.N.-O.).

Centre d'exploitation de l'uranium, en pleine expansion, à Elliot Lake (Ont.).

Balance des paiements internationaux

La balance canadienne des paiements internationaux résume les échanges entre les résidents du Canada et ceux du reste du monde. Les opérations internationales en biens, services, transferts et capitaux influent considérablement sur l'économie et le système monétaire du pays; c'est pourquoi les comptes de la balance des paiements font partie intégrante du système des comptes nationaux. Les opérations en biens et services constituent aussi un élément déterminant du produit national brut (PNB), tandis que le compte de capital de la balance des paiements forme un secteur des comptes des flux financiers.

Les sources de données de la balance des paiements sont aussi variées que les opérations reportées dans chacun des comptes. Les enquêtes annuelles, trimestrielles et mensuelles menées par la Division de la balance des paiements de Statistique Canada fournissent quantité de renseignements. D'autres divisions de Statistique Canada et d'autres ministères, ainsi que la Banque du Canada, recueillent des données sur les opérations entre les résidents du Canada et les non-résidents.

Par suite d'une diminution de $283 millions, le déficit au compte courant s'est établi, en 1979, à $5,019 millions, chiffre qui reflète la hausse ($600 millions) de l'excédent du commerce marchandises et celle ($140 millions) des capitaux des migrants, ainsi que la baisse ($600 millions) du déficit au titre des voyages et celle ($260 millions) des contributions officielles. Ce mouvement a été partiellement

Chargement du grain dans un céréalier, en contrebas des silos de Thunder Bay (Ont.).

contrebalancé par l'augmentation ($820 millions) des paiements nets d'intérêts et dividendes et celle ($550 millions) des prestations de services.

Les mouvements de capitaux en 1979 se sont soldés par une entrée nette de $11,121 millions, soit $7,381 millions de plus qu'en 1978. L'entrée nette de capitaux à long terme ($3,210 millions) n'a guère évolué par rapport à 1978. Cependant, parmi les composantes on observe des variations majeures. Voici celles qui ont contribué à réduire les entrées nettes: baisse du volume d'émissions nouvelles à l'étranger (notamment dans le cas des titres du Trésor fédéral); augmentation des remboursements et accroissement des achats d'avoirs étrangers. En revanche, il s'est produit une entrée nette au chapitre des investissements de l'étranger au Canada et une poussée des ventes à des non-résidents de valeurs canadiennes déjà en cours.

Les mouvements de capitaux à court terme ont donné lieu à une entrée nette de $7,911 millions, soit une hausse de $7,450 sur 1977. Presque tous les postes ont contribué à cette évolution. La contrepartie de l'emprunt par les pouvoirs publiques aux banques à charte canadiennes est intervenue pour $3 milliards dans le changement global tandis qu'une autre contribution importante a découlé des activités de ces banques qui ont fortement augmenté leurs créances sur les non-résidents, tant en devises étrangères que canadiennes.

La valeur nette des erreurs et omissions équivalait à une sortie de $4,402 millions, soit une hausse par rapport aux $1,737 millions de l'année précédente. En 1979, le Fonds monétaire international a fait sa première attribution de droits de tirage spéciaux (DTS) depuis 1972; la part du Canada équivalait à $219 millions. L'excédent global de la balance des paiements a engendré un accroissement net des réserves de $1,919 millions. La hausse de l'actif monétaire net ($1,919 millions) reflète une diminution de $847 millions au chapitre de l'actif en réserves et une baisse encore plus grande ($2,766 millions) des éléments connexes du passif.

Après avoir atteint, en février 1979, son plus bas niveau depuis 1933, la valeur du dollar canadien par rapport au dollar américain se situait en fin d'année à 85.72¢ÉU, soit 1.6% de plus qu'à la fin de 1978. Le dollar canadien a subi des reculs de 5% à 9%

par rapport aux principales devises d'outre-mer, mais sa valeur vis-à-vis du yen japonais a beaucoup augmenté.

Endettement international net

D'après les estimations provisoires, la dette nette du Canada à l'égard des autres pays atteignait à la fin de 1979 une valeur comptable d'environ $69 milliards ($61 milliards à la fin de 1978). Cette valeur représentait l'excédent des dettes du Canada vis-à-vis de l'étranger ($135 milliards environ) sur son actif extérieur brut qui totalisait $66 milliards en 1979.

L'investissement canadien à long terme à l'étranger augmentait à $37 milliards, dont l'investissement direct et les placements à l'étranger sont intervenus pour près de 70% de la croissance observée. Compte tenu des créances à court terme sur les non-résidents, les avoirs extérieurs du Canada s'établissaient à $66 milliards. Le solde cumulatif des erreurs et omissions nettes qui constituait un débit net a contribué pour beaucoup à la croissance de l'actif à court terme, tandis que les avoirs monétaires officiels nets, y compris le remboursement des emprunts à court terme faisant l'objet d'un crédit de soutien en 1979, ont atteint $4.2 milliards.

Reflétant dans une large mesure l'entrée de capitaux de portefeuille et l'augmentation du volume de réinvestissement des gains réalisés par les non-résidents, les fonds étrangers investis à long terme au Canada se sont élevés à $109 milliards. Si on prend en compte les autres dettes à long terme (par exemple l'avoir des non-résidents dans l'actif du Canada à l'étranger ou le passif officiel découlant des DTS) et les créances à court terme détenues par des non-résidents, l'endettement canadien s'élevait à quelque $135 milliards.

Aéroport international d'Edmonton, en Alberta.

Monnaie et banques

La monnaie canadienne repose sur le système décimal: un dollar vaut 100 cents. La Banque du Canada a le droit exclusif d'émettre les billets destinés à circuler au Canada; ceux-ci, et les pièces frappées par la Monnaie royale canadienne, constituent la monnaie en circulation et servent de moyen de paiement dans les transactions au comptant.

Les transactions au comptant jouent encore un rôle de premier ordre dans le système de paiement, mais l'usage répandu des chèques et, plus récemment, des cartes de crédit, a diminué l'importance de la monnaie. Les avoirs monétaires du public sont déposés pour la majeure partie dans des institutions financières, surtout des banques à charte, et les paiements se font par prélèvements sur ces dépôts. Les banques à charte offrent trois sortes de comptes assortis du droit de tirer des chèques: les comptes courants et les comptes de chèques personnels, qui ne produisent pas d'intérêts, et les comptes d'épargne avec faculté de tirer des chèques, qui rapportent des intérêts. Il existe aussi des comptes d'épargne sans faculté de tirage, sur lesquels le taux d'intérêt est plus élevé, et différentes formes de dépôts à terme. D'autres institutions de dépôts, entre autres les caisses populaires, les caisses d'épargne et de crédit et les sociétés de fiducie et de prêts hypothécaires, offrent également divers types d'épargnes et de dépôts à terme, y compris des comptes d'épargne avec faculté de tirage.

Banque du Canada

La Banque du Canada est la banque centrale du pays et l'organisme directement chargé de la politique monétaire. Le pouvoir qu'elle a d'influencer de façon générale la croissance de la masse monétaire et les taux d'intérêt au Canada, et partant le niveau des dépenses et de l'activité économique, émane surtout du contrôle qu'elle exerce sur les réserves-encaisse mises à la disposition du système bancaire.

En vertu de la Loi sur les banques, qui régit les opérations des banques à charte du Canada, chaque banque est tenue de maintenir, sous forme de billets de la Banque du Canada ou de dépôts auprès de celle-ci, des réserves-encaisse équivalant à un pourcentage donné de son passif-dépôts en dollars canadiens. Le rapport entre le montant des réserves-encaisse dans le système bancaire et le niveau requis influe sur le désir des banques à charte d'acheter des titres ou d'accorder des prêts et d'attirer de nouveaux dépôts. Si les réserves-encaisse sont inférieures au montant requis, les banques sont contraintes de vendre des titres, de restreindre le crédit et d'attirer de nouveaux dépôts afin d'accroître leurs réserves. Cette attitude a généralement pour effet de faire monter les taux d'intérêt et d'encourager le public à réduire ses avoirs monétaires et ses dépôts à vue ne portant pas d'intérêts. Une augmentation des réserves-encaisse a l'effet contraire: elle exerce une pression à la baisse sur les taux d'intérêt et encourage le public à détenir plus d'argent. La Banque du Canada a recours à diverses techniques de manipulation des réserves-encaisse, mais la principale consiste à modifier ses avoirs sous forme de titres du gouvernement du Canada et le transfert des dépôts gouvernementaux entre la banque centrale et les banques à charte.

Le but poursuivi par la Banque du Canada en gérant les réserves-encaisse des banques à charte est d'influencer les taux d'intérêt de telle sorte que la masse monétaire (monnaie et dépôts à vue des particuliers auprès des banques à charte) croîtra à un taux conforme aux objectifs monétaires établis par la Banque. En décembre 1979, la fourchette-objectif pour la masse monétaire était un taux

Pesage de lingots d'or, près de Timmins (Ont.).

d'accroissement global situé entre 5% et 9% d'après le niveau moyen du deuxième trimestre de 1979. Depuis 1975, les cibles de l'expansion monétaire ont été réduites à quatre reprises en vue de réaliser l'objectif à long terme de la Banque du Canada qui est de réduire progressivement l'accroissement de la masse monétaire jusqu'à un taux qui permette la croissance maximale de la production économique et assure en même temps la stabilité des prix.

La gestion des réserves-encaisse du système bancaire est le principal instrument, mais non pas le seul, dont se sert la Banque pour assurer l'application de sa politique. Elle peut également exiger que les banques à charte maintiennent des réserves secondaires, composées de l'excédent des réserves-encaisse, de bons du Trésor et de prêts au jour le jour aux négociants du marché monétaire. Elle peut consentir des avances à court terme aux banques à charte et modifier le taux d'escompte ou taux minimum auquel elle est disposée à consentir des avances. Les variations du taux d'escompte non seulement influent sur le niveau des taux d'intérêt, mais indiquent également l'orientation de la politique monétaire de la Banque. Bien que le taux officiel d'escompte soit en général administré directement par la Banque, il a été fixé à 1/4% au-dessus du taux moyen hebdomadaire offert par les bons du Trésor à 91 jours durant la période allant du 1er novembre 1956 au 24 juin 1962 et la période commençant le 13 mars 1980. Sous un régime de taux d'escompte flottant, la Banque continue néanmoins de jouer un rôle important dans la détermination des taux d'intérêt à court terme par le biais de ses opérations sur le marché libre et de sa gestion des réserves du système bancaire.

Outre son rôle en matière de politique monétaire, la Banque fait fonction d'agent financier pour le gouvernement du Canada: elle gère la dette publique et le compte de dépôts dans lequel sont inscrites presque toutes les recettes et dépenses publiques, s'occupe des opérations de change pour le compte du gouvernement et conseille ce dernier sur des questions économiques et financières.

Banques à charte

Les banques à charte sont les plus grandes institutions de dépôts au Canada et l'une des principales sources de financement à court et à moyen terme. Elles occupent une place de choix sur le marché monétaire à court terme, et c'est surtout par leur entremise que la banque centrale, grâce à sa gestion de l'encaisse, exerce une influence sur le marché monétaire et sur le marché du crédit en général. Elles administrent aussi le système de compensation des chèques. Outre leurs opérations en dollars canadiens, elles effectuent un volume important d'opérations sur des devises et ont des bureaux et des succursales dans les grands centres financiers du monde.

Il existe actuellement 11 banques à charte au Canada; cinq possèdent un réseau de succursales dans tout le pays, et une opère principalement au Québec. Les autres banques établies plus récemment desservent surtout une région ou se spécialisent dans les opérations de gros. Toutes les banques exercent leur activité en vertu d'une charte qui leur est octroyée par le Parlement aux termes de la Loi sur les banques, et sont assujetties à l'inspection.

Les banques à charte font affaires avec tous les éléments de la société. Les prêts bancaires constituent une source importante de financement pour les entreprises, les agriculteurs, les administrations publiques et les consommateurs. Les banques prêtent surtout à court terme, mais elles accordent également des prêts à long terme aux entreprises et aux agriculteurs ainsi que des hypothèques. De plus, elles offrent un large éventail d'autres services à leurs clients, notamment les cartes de crédit, la vente de devises et la location de coffrets de sûreté.

Autres institutions financières

Outre les banques à charte, il existe toute une gamme d'institutions financières qui répondent aux divers besoins de la société. Ces établissements ont connu un essor particulièrement rapide au cours des deux ou trois dernières décennies, en raison surtout de l'expansion de l'économie canadienne et de la complexité croissante des marchés financiers. Même si certains types d'institutions financières tendent à se spécialiser, il existe néanmoins une forte concurrence. Parmi les plus

Gratte-ciel d'Edmonton (Alb.).

Rouleaux de nickel pur en bande soumis à l'inspection dans une usine de Fort Saskatchewan (Alb.) avant d'être expédiés à la Monnaie canadienne.

importantes institutions de dépôts non bancaires figurent les sociétés de fiducie et de prêts hypothécaires, les caisses d'épargne et de crédit, les caisses populaires, et la Banque d'épargne du Québec. Il faut aussi mentionner les sociétés de financement des ventes et de crédit à la consommation, les sociétés d'assurance-vie et différents types de sociétés de placements. Les agents de change et les courtiers en valeurs mobilières jouent aussi un rôle important sur les marchés financiers. Un certain nombre d'organismes, y compris des institutions gouvernementales, s'appliquent à fournir des capitaux à moyen et à long terme aux petites entreprises, aux agriculteurs et aux exportateurs, ou se spécialisent dans certains types de prêts comme le crédit-bail.

Les sociétés de fiducie et de prêts hypothécaires se sont multipliées ces dernières années. Il en existe environ 135 au Canada, dont la plupart possèdent un réseau de succursales. Elles font concurrence aux banques à charte pour ce qui concerne les dépôts, surtout par la vente d'obligations non garanties à terme fixe et de certificats de placement, et sont les principaux prêteurs sur le marché hypothécaire, une forte proportion de leurs avoirs étant sous forme d'hypothèques. Les sociétés de fiducie administrent également des fonds de pensions pour des particuliers ou des entreprises, ainsi que des successions, des sociétés en faillite, et agissent à titre d'agents financiers pour le compte de municipalités et de sociétés. Les sociétés de fiducie et de prêts hypothécaires sont habilitées et surveillées par le Département fédéral des Assurances ou par les autorités provinciales.

Les caisses d'épargne et de crédit et les caisses populaires ont connu une expansion rapide ces dernières années et constituent un élément important du système financier. Elles reposent sur un affinité commun entre les sociétaires, l'emploi par exemple, ou sur une base communautaire; elles diffèrent des autres institutions financières par leur régime coopératif et leur caractère local. Elles

Hôtel de la Monnaie à Winnipeg (Man.).

vendent des parts aux sociétaires, mais leurs fonds proviennent en majeure partie de dépôts, et leurs avoirs revêtent surtout la forme de prêts hypothécaires et de prêts personnels consentis aux membres. Toutes ces caisses sont régies par des lois provinciales, et elles appartiennent presque toutes à une centrale qui exerce son activité dans la province.

Assurances

A la fin de 1978, les Canadiens détenaient des assurances sur la vie d'une valeur de plus de $338,000 millions, la valeur moyenne par ménage étant de $43,400. Les Canadiens sont bien assurés comparativement aux habitants d'autres pays. Le secteur canadien de l'assurance-vie groupe environ 250 compagnies et sociétés de secours mutuels, dont plus de la moitié sont enregistrées au niveau fédéral. Ce dernier groupe absorbe plus de 93% du marché de l'assurance et possède au Canada un actif de plus de $33,000 millions.

Outre l'assurance-vie, la plupart des compagnies vendent des polices qui couvrent les frais de maladie et dédommagent les assurés des pertes de salaire durant la maladie; on peut souscrire une telle assurance en s'adressant à un agent autorisé ou en participant à un régime collectif offert par un employeur, une association professionnelle ou un syndicat. Environ 300 compagnies vendent de la protection concernant les biens, l'automobile, la responsabilité civile et risques divers. Parmi ces dernières, les compagnies à charte fédérale détiennent au Canada un actif de plus de $9,000 millions.

Aéroport international de Toronto (Ont.).

Transports

Les transports ont façonné l'histoire du Canada et contribuent aujourd'hui à modeler la vie de ses habitants. Avec les années, on est passé du canot de l'explorateur et du train du pionnier à l'automobile et à l'avion. Sur une période de deux générations, des changements radicaux se sont produits dans le transport des marchandises pour compte d'autrui. En 1930, les chemins de fer réalisaient environ 85% des recettes provenant du transport marchandises, mais en 1960 leur part avait diminué de plus de la moitié. Le transport routier pour compte d'autrui figurait pour 2% des recettes totales du transport des marchandises en 1930, et pour 30% en 1960. Dès 1976, les recettes du transport routier de marchandises avaient dépassé celles du transport ferroviaire.

Transports aériens

Transports Canada réglemente et dessert l'aviation civile, assurant l'immatriculation et l'attribution des permis aux aéronefs et la délivrance des permis au personnel. Entre janvier 1970 et décembre 1979, le nombre d'aéronefs civils au Canada a plus que doublé, passant de 10,772 à 22,594. Le nombre de permis en vigueur détenus par les pilotes, navigateurs de bord, contrôleurs de la circulation aérienne et mécaniciens de bord et d'entretien s'élevait à 65,719 au 31 décembre 1979. Il y avait en outre 24,847 élèves-pilotes inscrits. Le ministère exploite des aéroports et fournit des services de contrôle et autres services de navigation aérienne. En 1979, 61 aéroports dotés d'une tour de contrôle de Transports Canada ont enregistré 7.2 millions de décollages et atterrissages, soit 7% de plus qu'en 1978 et 64% de plus qu'en 1970. Les mouvements itinérants et les mouvements locaux ont affiché des augmentations marquées.

1. Répartition des mouvements itinérants[1] aux aéroports de Transports Canada équipés d'une tour de contrôle, selon le mode de propulsion, 1975-78

	1975		1976		1977		1978	
	nombre	%	nombre	%	nombre	%	nombre	%
Moteurs à pistons ..	1,833,301	61.1	1,850,500	60.9	2,004,785	62.1	2,107,432	61.8
Turbopropulseurs..	246,825	8.3	249,911	8.2	287,841	8.9	295,919	8.7
Turboréacteurs	781,390	26.1	786,097	25.9	771,114	23.9	805,344	23.6
Hélicoptères	127,471	4.3	148,530	4.9	158,704	4.9	192,578	5.7
Planeurs..........	4,412	0.2	3,233	0.1	5,203	0.2	6,951	0.2
Total.............	2,993,399	100.0	3,038,271	100.0	3,227,647	100.0	3,408,224	100.0

[1] Atterrissage ou décollage d'un aéronef en provenance ou à destination d'un autre aéroport.

2. Trafic de passagers (arrivées et départs de vols à horaire fixe) enregistré pour les 10[1] principales liaisons, 1972-1978

Liaison	1972	1973	1974	1975	1976	1977	1978
	(milliers de passagers)						
Montréal (Qué.)- Toronto (Ont.).................	758.6	915.6	965.7	962.8	948.4	924.1	948.7
Calgary (Alb.)- Edmonton (Alb.)...............	275.3	332.2	372.4	412.5	429.4	478.8	551.3
Ottawa (Ont.)- Toronto (Ont.).................	347.6	432.5	493.8	495.9	479.8	487.0	513.1
Toronto (Ont.)- Vancouver (C.-B.)..............	206.0	271.4	302.0	301.8	287.2	288.7	347.4
Calgary (Alb.)- Vancouver (C.-B.)..............	201.9	247.6	275.1	291.3	291.9	278.8	319.7
Edmonton (Alb.)- Vancouver (C.-B.)..............	170.1	217.3	246.7	253.8	265.7	247.7	277.6
Toronto (Ont.)- Winnipeg (Man.)	179.2	210.5	234.2	238.3	233.5	231.4	251.5
Calgary (Alb.)- Toronto (Ont.)..................	104.3	128.7	156.7	174.2	184.9	193.2	240.7
Edmonton (Alb.)- Toronto (Ont.).................	88.7	111.3	124.1	138.7	150.5	153.3	195.7
Halifax (N.-É.)- Toronto (Ont.).................	113.5	147.3	158.6	168.4	168.6	156.6	176.7

[1] Ordre établi d'après les chiffres de 1978.

La Commission canadienne des transports assure l'autorisation et la réglementation des transports aériens commerciaux. Les services internationaux à horaire fixe de quatre transporteurs aériens du Canada—Air Canada, CP Air, Pacific Western Airlines et Nordair—forment un vaste réseau de liaisons entre le Canada et les autres pays. Les sociétés aériennes organisent aussi des affrètements vers tous les coins du monde. Outre le transport, elles fournissent de nombreux services comprenant l'aspersion des cultures, la surveillance des incendies de forêt, l'inspection des pipelines et les levés aériens.

En 1978, les 748 transporteurs canadiens autorisés ont réalisé des recettes d'exploitation de $2,679 millions ($2,358 millions en 1977). Les dépenses, établies à $2,214 millions en 1977, étaient estimées à $2,514 millions pour 1978. En 1977, ces sociétés aériennes ont transporté 16.1 millions de passagers à l'intérieur du Canada et 6.2 millions sur les vols internationaux; en 1978, elles ont transporté 17.0 millions de passagers à l'intérieur, et 6.6 millions sur les liaisons internationales, soit une augmentation de 5.8% par rapport au total de 1977 (22.3 millions).

Les tendances des déplacements à l'intérieur du pays sont représentées par les données sur l'origine et la destination des vols passagers à horaire fixe. De 1977 à 1978, les chiffres sur les origines et destinations ont révélé une augmentation pour les 10 premières paires de villes reliées (tableau 2). L'achalandage de la ligne Montréal-Toronto était encore de 1.8% inférieur au sommet atteint en 1974, mais le nombre total de passagers entre Calgary et Edmonton a augmenté de 15.1% entre 1977 et 1978, et de 48.0% entre 1974 et 1978.

3. Activités, recettes et dépenses d'exploitation et consommation de carburant de l'aviation commerciale, 1977 et 1978

	Transporteurs transcontinentaux et régionaux[1]		Tous autres transporteurs		Total, ensemble des transporteurs	
	1977[r]	1978	1977[r]	1978	1977[r]	1978
			(milliers)			
Activités						
Passagers transportés...	18,886	20,063	3,432	3,586	22,318	23,649
Passagers-kilomètres...	31 874 885	34 277 446	3 671 595	3 940 979	35 546 480	38 218 425
Tonnes-kilomètres de marchandises........	758 300	791 923	27 812	35 441	786 112	827 364
Départs..............	363	389	824	816	1,207	1,205
Heures de vol	556	570	1,944	2,008	2,500	2,578
Recettes et dépenses d'exploitation						
Recettes totales ($)....	1,914,056	2,167,779	444,238	511,738	2,358,294	2,679,517
Dépenses totales ($) ...	1,789,201	2,017,023	425,249	497,090	2,214,450	2,514,113
Consommation de carburant						
Turbocarburant (litres) .	2 993 207	3 031 784	290 725	341 193	3 283 932	3 372 977
Essence (litres).......	1 787	1 571	81 389	79 808	83 176	81 379

[1] Air Canada, CP Air, Eastern Provincial Airways, Québecair, Nordair, Transair et Pacific Western Airlines. [r]Chiffres rectifiés.

Train du service voyageurs VIA dans le sud de l'Ontario.

Transports ferroviaires

Le chemin de fer a toujours joué un rôle capital dans l'intégration politique, le peuplement et le développement économique du pays. En 1850, l'Amérique du Nord britannique comptait 106 km (kilomètres) de voies ferrées; 80 ans plus tard, le Canada en possédait 91 065 km. A partir de 1930, la croissance a été lente, atteignant 96 958 km en 1974; en 1978, 94 085 km de voies étaient en service. Deux grands chemins de fer, le Canadien National et le Canadien Pacifique, aménagés de

Chemin de fer près de Bathurst (N.-B.).

Scierie près de Matagami (Qué.).

l'Atlantique au Pacifique sur une distance de 7 000 km, à travers étendues rocheuses et muskegs, prairies et chaînes montagneuses, ont permis le peuplement de l'Ouest canadien. Aujourd'hui, ils s'insèrent dans un système de transport combiné acheminant marchandises et conteneurs, à bon compte et de façon rapide et efficace.

Le Canadien Pacifique est une société privée, alors que les Chemins de fer Nationaux sont exploités par le gouvernement fédéral. Parmi les chemins de fer exploités par les provinces figurent le British Columbia Railway, les lignes de la British Columbia Hydro, l'Ontario Northland et le GO Transit.

En 1978, le volume de marchandises payantes transportées par rail s'est établi à 238 800 000 t (tonnes), soit 3.4% de moins qu'en 1977 (247 200 000 t). Le nombre de passagers transportés en 1978 s'est chiffré à 23.9 millions, soit le même nombre qu'en 1977. L'effectif nécessaire pour transporter ces personnes et ces marchandises en 1978 s'est chiffré à 110,221 employés, un peu moins qu'en 1977 (110,578).

Vue panoramique de l'Ouest canadien.

Transports routiers

Le principal moyen de transport des passagers demeure l'automobile, qu'on associe à une consommation élevée de carburant. Le nombre total de tous les types de véhicules automobiles routiers immatriculés en 1978 s'établissait à 13.0 millions. Sur ce nombre, 9.7 millions (75%) étaient des automobiles particulières. Le nombre de camions et autobus immatriculés figurait pour 2.8 millions ou 21%. Les ventes nettes de carburant servant à alimenter ces véhicules se chiffraient à 32 273 000 000 L (litres) d'essence et 4 800 000 000 L de carburant diesel.

Réseau routier près d'Edmonton (Alb.).

4. Industrie des transports routiers, 1978

	Transport routier de marchandises[1]	Déména-geurs[1]	Transports urbains	Transport interurbain de voyageurs par autobus	Autres services de transport de voyageurs par autobus[2]
Établissements déclarants (nombre)	3,589	370	78	62	1,704
Recettes d'exploitation ($ millions)	4,021	237	848	229	387
Dépenses d'exploitation ($ millions)	3,855	227	810	212	354
Nombre moyen d'employés y compris les propriétaires actifs (milliers)	97	8	31	6	26
Unité de matériel payant exploité (milliers)	130	6	12	2	22

[1] Sans les établissements ayant déclaré des recettes annuelles brutes inférieures à $100,000 pour l'année précédente.   [2] Établissements exploitant des services de transport aux aéroports et aux gares, de visites touristiques, d'affrètement, d'excursion et de transport scolaire.

L'enquête annuelle sur les entreprises de camionnage couvre les établissements ayant déclaré des recettes d'au moins $100,000 l'année précédente. Les 3,959 transporteurs enquêtés en 1978, dont 370 déménageurs, ont réalisé des recettes globales de $4.3 milliards, soit 23% de plus que les $3.5 milliards déclarés en 1977 par 3,193 transporteurs. Les entreprises visées disposaient de 105,000 employés et 136,000 véhicules en 1978, contre une moyenne de 90,000 employés et 123,000 véhicules en 1977.

Embarcation de sauvetage à coussin d'air de la Garde côtière canadienne patrouillant dans le détroit de Georgie.

Les transporteurs routiers exploitant des services passagers sont classés en trois divisions fondamentales suivant le service principal, bien qu'il soit possible qu'un même transporteur offre divers services. Sur les 1,844 enquêtés en 1978, 78 s'occupaient surtout de transport urbain, et leurs recettes d'exploitation figuraient pour $848.4 millions ou 58% du montant total de $1,465.1 millions. Les 62 exploitants de services d'autocars comptaient pour 16% des recettes. Les transporteurs offrant des services d'autobus scolaires, d'affrètement, de visites touristiques ainsi que la desserte des aéroports et des gares, au nombre de 1,704, figuraient pour 26% des recettes d'exploitation.

Transports par eau

En 1977, 569 exploitants de services locatifs, privés, gouvernementaux et touristiques de transport par eau établis au Canada ont réalisé globalement des recettes de $1.4 milliard; par rapport à 1976, le nombre d'exploitants était en hausse de 5%, et le chiffre des recettes en hausse de 11%. Le plus clair des recettes totales,

Rampe pour bateaux sur la rivière Severn, à Big Chute (Ont.).

Digby et son port (N.-É.).

$920.6 millions, a été obtenu par 412 transporteurs représentant l'industrie de location de transports par eau. Les 66 entreprises de transport par eau pour compte d'autrui et en location qui ont déclaré des recettes d'exploitation de $1 million ou plus sont intervenues pour $845.3 millions, soit 92% du revenu total de l'industrie ($920.6 millions) ou 60% du revenu global des activités de transport par eau ($1.4 milliard). La part des 82 exploitations privées déclarantes a été de $230 millions; celle des 41 transporteurs d'État, $259.8 millions; et celle des 34 services de visites touristiques par eau, $4.4 millions.

Sur le $1.4 milliard de revenu brut du transport par eau en 1977, 43% provenait du transport intérieur. En 1977, le revenu des entreprises établies au Canada et faisant affaires avec des ports étrangers représentait 28% du total; les mouvements entre le Canada et les États-Unis ont répondu pour 15% de ce total, tandis que le reste était attribuable au revenu non lié à un secteur donné d'opérations.

Pendant la saison de navigation de 1978, le fret international manutentionné dans les ports canadiens a atteint 178 300 000 t, soit 2% de moins qu'en 1977 (178 700 000 t). Les arrivées et départs de navires transportant ce fret se sont élevés à 47,087 en 1978.

En 1978, la manutention des cargos d'origine intérieure dans les ports canadiens a augmenté de 4%, passant de 116 600 000 t en 1977 à 121 300 000 t. Les arrivées et départs de navires en service de transports intérieurs ont totalisé 89,163 en 1978 (83,328 en 1977).

Les pouvoirs publics et leurs services

Le gouvernement

Le Canada est un État fédératif, créé en 1867. Cette année-là, à la demande de trois colonies distinctes (le Canada, la Nouvelle-Écosse et le Nouveau-Brunswick), le Parlement britannique adopta l'Acte de l'Amérique du Nord britannique (AANB), qui les unissait toutes trois en une «Union Fédérale» pour ne former «...qu'une seule et même Puissance (*Dominion*) sous le nom de Canada». A part une modification prévoyant la nomination de sénateurs supplémentaires pour rompre une impasse entre les deux Chambres du Parlement, l'Acte ne faisait qu'entériner les décisions auxquelles les délégués des colonies, les «Pères de la Confédération», en étaient eux-mêmes arrivés.

L'Acte divisait le nouveau pays en quatre provinces. La partie appelée jusque-là la «province du Canada» formait les provinces de Québec et d'Ontario, tandis que les limites de la Nouvelle-Écosse et du Nouveau-Brunswick restaient inchangées. En 1870, le Parlement du Canada créait le Manitoba; la Colombie-Britannique se joignit à la fédération en 1871, suivie de l'Île-du-Prince-Édouard en 1873. En 1905, le Parlement du Canada créait la Saskatchewan et l'Alberta; et en 1949, Terre-Neuve devint la dixième province.

L'AANB conférait au Canada l'autonomie complète pour ce qui concerne son administration interne, et le pays acquit graduellement le contrôle absolu de ses affaires extérieures. Le Canada est aujourd'hui un État entièrement souverain, bien que certaines dispositions très importantes de la Constitution, très peu nombreuses, ne puissent être modifiées que par le Parlement britannique. Toutefois, cette restriction est purement théorique puisque le Parlement britannique vote invariablement tout amendement demandé par le Parlement canadien; la seule raison pour laquelle le plein pouvoir de modifier sa Constitution n'a pas été transféré au Canada est que les Canadiens n'ont pas réussi à convenir d'une formule d'amendement.

L'AANB confère au Parlement canadien le pouvoir de faire des lois pour «... la paix, l'ordre et le bon gouvernement du Canada, relativement à toutes les matières ne tombant pas dans les catégories de sujets exclusivement assignés aux législatures des provinces». Il ajoute une liste d'exemples de ce pouvoir général: la défense; le prélèvement de deniers par tous modes ou systèmes de taxation; la réglementation du trafic et du commerce; la navigation et les bâtiments ou navires (*shipping*); les pêcheries; la monnaie et les banques; la banqueroute et la faillite; l'intérêt de l'argent; les brevets d'invention et les droits d'auteur; le mariage et le divorce; la législation et la procédure en matière criminelle; les pénitenciers; les lignes interprovinciales et internationales de navires à vapeur, ferries, chemins de fer, canaux et télégraphe, et tous «travaux» considérés par le Parlement comme étant «pour l'avantage général du Canada». Sont venus s'ajouter, par voie d'amendement, l'assurance-chômage et la modification de la Constitution, sauf en ce qui concerne le partage des pouvoirs entre le Parlement et les législatures provinciales, les droits garantis aux langues française et anglaise, les droits constitutionnels de certaines confessions religieuses en matière d'enseignement, la nécessité d'une session annuelle du Parlement et la durée maximale d'une législature.

L'Acte de 1867 conférait au Parlement et aux législatures provinciales des pouvoirs concurrents en matière d'agriculture et d'immigration, avec primauté de la loi fédérale en cas de conflit. Des amendements ont depuis établi une compétence concurrente pour les pensions, mais avec primauté de la loi provinciale en cas de conflit.

L'AANB établissait également un bilinguisme officiel limité. Dans les débats des deux Chambres du Parlement, les membres peuvent s'exprimer en français ou en anglais; les documents et journaux des deux Chambres doivent être publiés dans les deux langues, de même que les lois du Parlement, et l'une ou l'autre langue peut être utilisée devant les tribunaux créés par le Parlement; les mêmes dispositions s'appliquent à la législature et aux tribunaux du Québec. En 1969, le Parlement adoptait la Loi sur les langues officielles, qui déclare que le français et l'anglais ont un statut égal et sont les langues officielles du Canada pour tout ce qui relève du Parlement et du gouvernement du Canada.

Exception faite d'un bilinguisme officiel limité et de certains droits en matière d'enseignement accordés à des minorités religieuses, l'AANB n'accorde aucune protection particulière aux droits fondamentaux comme les libertés de culte, de presse et d'assemblée. Aussi, le Parlement a adopté une Déclaration canadienne des droits en 1960, et a adopté récemment une loi sur les droits de la personne qui interdit la discrimination dans les domaines de compétence fédérale.

Chaque législature provinciale a un pouvoir exclusif dans les matières suivantes: amendement de la Constitution de la province (sauf les dispositions relatives à la charge de lieutenant-gouverneur, chef de droit de l'exécutif provincial); ressources naturelles; taxation directe à des fins provinciales; prisons; hôpitaux; asiles et œuvres de bienfaisance; institutions municipales; licences pour prélever un revenu aux niveaux provincial et municipal; entreprises et travaux locaux; constitution de compagnies provinciales; célébration du mariage; propriété et droits civils; administration de la justice (y compris la création de tribunaux civils et criminels et

Les récents pourparlers constitutionnels.

la procédure civile); questions de nature purement locale ou privée; et enseignement, sous réserve de certaines garanties accordées aux écoles confessionnelles de
Terre-Neuve et aux écoles catholiques ou protestantes des autres provinces. Les
arrêts judiciaires ont donné une portée très grande à la juridiction sur «la propriété
et les droits civils», allant jusqu'à y inclure presque toute la législation du travail et
une grande partie de la sécurité sociale.

La Constitution canadienne

L'AANB et ses amendements n'établissent que l'ossature du gouvernement, le
reste venant de l'interprétation judiciaire, de diverses lois du Parlement et des
législatures et, surtout, des usages ou «conventions».

Les pouvoirs du Souverain sont exercés, selon les mots des Pères de la
Confédération, «selon les principes bien compris de la Constitution britannique»,
c'est-à-dire selon les usages et les interprétations qui ont graduellement transformé
la monarchie britannique en démocratie parlementaire. Le Canada a hérité de ces
conventions et les a adaptées à ses propres besoins.

Le gouvernement du Canada

Le pouvoir exécutif

Par un choix libre et réfléchi des Pères de la Confédération, le Canada est une
monarchie constitutionnelle. Le pouvoir exécutif est «attribué à la reine» du Canada,
qui est aussi la reine de la Grande-Bretagne, de l'Australie et de la Nouvelle-
Zélande. Au sens strict de la loi, la Couronne a de très vastes pouvoirs. De fait, elle
les exerce sur l'avis d'un Cabinet responsable devant la Chambre des communes,
élue par le peuple. La Couronne est représentée par le gouverneur général

La Reine mère célébrait son 80ᵉ anniversaire le 4 août 1980.

(maintenant toujours un Canadien), nommé par la reine sur l'avis du premier ministre.

Sauf circonstances extraordinaires, le gouverneur général ou la reine doit agir sur l'avis des ministres. Sur l'avis du premier ministre, le gouverneur général nomme les ministres et les membres du Sénat. Le premier ministre fixe la date de convocation du Parlement et décide normalement du moment de l'élection d'un nouveau Parlement, mais il doit de toutes façons y avoir des élections générales au moins tous les cinq ans. Le gouverneur général nomme les juges des cours supérieures, de district et de comté, les lieutenants-gouverneurs des provinces, les sous-ministres et autres hauts fonctionnaires sur l'avis des ministres.

Le Cabinet et le premier ministre sont des institutions nées des conventions plutôt que de la Constitution. L'AANB ne prévoit qu'un «Conseil privé de la Reine pour le Canada», nommé par le gouverneur général pour «l'assister et le conseiller»; ses membres sont nommés à vie. Le Conseil privé est formé de tous les ministres, de tous les anciens ministres et de diverses personnalités à qui on a voulu faire honneur. Il s'agit dans une certaine mesure d'une institution honorifique, dont l'importance pratique tient à ce qu'il faut en être membre pour pouvoir occuper une charge ministérielle et que seuls les membres du Conseil privé occupant un poste de ministre peuvent conseiller le gouverneur général par le truchement de décrets du conseil.

Le Cabinet est un organe officieux composé des membres du Conseil privé occupant une fonction ministérielle, et présidé par le premier ministre. En avril 1980, il comptait 33 membres, dont le premier ministre. Par convention, tous les ministres doivent être membres du Parlement, et la plupart sont des députés à la Chambre des communes (par moments, le seul sénateur ministre est le leader du gouvernement au Sénat). Il est d'usage que, pour autant que le permet la représentation parlementaire, le Cabinet compte au moins un ministre de chaque province, les provinces les plus populeuses ayant la plus forte représentation.

Les membres du Cabinet doivent être solidaires sur toute question de politique gouvernementale; un ministre qui ne peut appuyer une politique donnée doit démissionner. Chaque ministre doit répondre de son ministère devant la Chambre des communes, et l'ensemble du Cabinet est responsable devant la Chambre de la politique et de l'administration du gouvernement en général.

Si le gouvernement est renversé en Chambre sur une motion de défiance, il doit soit démissionner (le gouverneur général invite alors le chef de l'Opposition à former un nouveau gouvernement), ou bien demander la dissolution du Parlement, ce qui amène des élections générales, solution généralement appliquée de nos jours. Le rejet d'un projet de loi d'importance du gouvernement est normalement considéré comme un vote de défiance et amène les mêmes conséquences; cependant, le gouvernement peut décider de ne pas considérer ce rejet comme une défaite décisive. La Chambre a alors la possibilité de se prononcer sur une motion de défiance.

Seul le gouvernement peut présenter des projets de loi visant le prélèvement ou la dépense de deniers publics. Les simples députés peuvent proposer une réduction des impôts ou des dépenses projetés, mais jamais une augmentation. Le règlement veut que la Chambre consacre le plus clair de son temps aux affaires du gouvernement et, de nos jours, presque toutes les mesures législatives émanent du gouvernement. Les ministres ont le pouvoir exclusif de proposer la clôture, ce qui a pour effet de mettre fin à un débat, et si les partis n'arrivent pas à se mettre d'accord les ministres peuvent proposer de fixer un échéancier pour les diverses étapes d'un projet de loi. Mais le règlement donne amplement l'occasion à l'Opposition d'interroger, de critiquer et d'attaquer le gouvernement. Au cours de chaque année parlementaire, 25 jours sont réservés spécialement à l'Opposition, qui peut choisir de débattre toute question qui lui plaît et, pendant six de ces jours, elle peut proposer une motion de défiance.

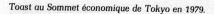

Toast au Sommet économique de Tokyo en 1979.

Le pouvoir législatif

Le Parlement. Le Parlement est composé de la Reine, du Sénat et de la Chambre des communes. Le Sénat compte 104 sièges répartis de la façon suivante: 24 pour l'Ontario, 24 pour le Québec, 24 pour les provinces Maritimes (10 pour la Nouvelle-Écosse, 10 pour le Nouveau-Brunswick et 4 pour l'Île-du-Prince-Édouard), 24 pour les provinces de l'Ouest (6 chacune), 6 pour Terre-Neuve, 1 pour le Yukon et 1 pour les Territoires du Nord-Ouest. Les sénateurs sont nommés par le gouverneur général sur l'avis du premier ministre. Ils se retirent à 75 ans.

L'AANB attribue au Sénat exactement les mêmes pouvoirs qu'à la Chambre des communes, sauf que les projets de loi de finances doivent émaner des Communes. Le Sénat peut rejeter un projet de loi, mais il le fait rarement. Il accomplit presque tout le travail concernant les bills d'intérêt privé (constitution des sociétés, par exemple) et, comme la Chambre des communes, il soumet les lois générales à une étude minutieuse en comité; il recourt particulièrement à des comités spéciaux pour étudier des questions d'un grand intérêt public. En avril 1980, le Sénat comptait 70 libéraux, 1 libéral indépendant, 27 progressistes-conservateurs, 1 membre du Crédit social et 2 indépendants; il y avait 3 sièges vacants.

Convoi funèbre de l'ex-premier ministre Diefenbaker, en Saskatchewan (1979).

Les édifices du Parlement à Ottawa (Ont.).

La Chambre des communes a 282 sièges: 7 pour Terre-Neuve, 11 pour la Nouvelle-Écosse, 10 pour le Nouveau-Brunswick, 4 pour l'Île-du-Prince-Édouard, 75 pour le Québec, 95 pour l'Ontario, 14 pour le Manitoba, 14 pour la Saskatchewan, 21 pour l'Alberta, 28 pour la Colombie-Britannique, 1 pour le Yukon et 2 pour les Territoires du Nord-Ouest. Les députés sont élus à raison d'un par circonscription et, de façon générale, en proportion de la population de chaque province, mais aucune province ne peut avoir moins de représentants à la Chambre des communes qu'au Sénat. Le nombre total de députés et la représentation de chaque province sont révisés après chaque recensement décennal en conformité des règles établies dans l'AANB. Tout citoyen canadien adulte (sauf quelques exceptions, comme les prisonniers) peut voter. En avril 1980, les libéraux avaient 147 députés, les progressistes-conservateurs 103, et le Nouveau Parti démocratique 32.

A la Chambre des communes, tous les projets de loi passent par trois étapes, dites «lectures». La première, au moment du dépôt du projet de loi, est une simple formalité. A la deuxième, la Chambre étudie le principe du projet de loi et, si elle est satisfaite, elle le défère à un comité, qui l'étudie article par article. Les projets de loi portant affectation de crédits, les projets de loi budgétaires et les autres projets que la Chambre juge à propos sont renvoyés au Comité plénier, c'est-à-dire la Chambre entière, qui est alors régie par des règles spéciales facilitant l'examen détaillé. Tous les autres projets de loi sont renvoyés à l'un des 20 «comités permanents» (composés chacun de 12 à 30 députés), dont chacun est spécialisé dans un ou plusieurs sujets. Le comité fait ensuite rapport du projet de loi à la Chambre, avec ou sans amendements, et, à ce stade, n'importe quel député peut proposer des amendements sujets à débat. Vient ensuite la troisième lecture. Si le projet de loi passe cette étape, il est envoyé au Sénat, où il est soumis à peu près à la même procédure, après quoi il reçoit la sanction royale, qui complète le processus par lequel la Couronne, en Parlement, décrète la loi.

Sans partis politiques la Constitution canadienne serait inopérante. Pourtant, les lois canadiennes ne font à peu près pas mention des partis (exception faite de la Loi sur les dépenses d'élections), ce qui témoigne bien de l'importance des conventions dans la Constitution. Les partis assurent la stabilité du gouvernement, ce qui lui permet d'appliquer ses politiques. Ils assurent une critique permanente et systématique et permettent la passation ordonnée du pouvoir d'un gouvernement à l'autre. Ils contribuent à éveiller les électeurs aux affaires publiques et à concilier les intérêts et éléments divergents des différents coins du pays.

Le parti libéral tire ses origines des partis réformistes d'avant la Confédération, qui, dans les années 1840, luttèrent pour le gouvernement responsable. Le parti progressiste-conservateur remonte à la coalition, en 1854, des conservateurs modérés et des réformateurs modérés de la province du Canada, six ans après l'instauration du gouvernement responsable. Il est devenu parti national en 1867, année où Sir John A. Macdonald, premier premier ministre national, a formé un Cabinet de huit conservateurs et de cinq libéraux ou réformateurs, dont les partisans ont été vite connus sous le nom de «libéraux-conservateurs»; le nom actuel a été adopté en 1942. Le Nouveau Parti démocratique date de 1961, année où la plus importante fédération syndicale (le Congrès du Travail du Canada) et le parti CCF (Fédération du Commonwealth coopératif) ont uni leurs forces pour créer un nouveau parti; la CCF avait été fondée en 1932 par un groupe de mouvements agricoles et ouvriers des provinces de l'Ouest.

Gouvernement provincial et territorial

Les structures de gouvernement dans les provinces sont sensiblement les mêmes qu'au niveau central, sauf qu'aucune province n'a de Chambre haute.

Tout le Nord canadien à l'ouest de la baie d'Hudson et un grand nombre d'îles au nord-est de la baie d'Hudson constituent deux territoires, le Yukon et les Territoires du Nord-Ouest, qui relèvent directement du gouvernement et du Parlement du Canada, mais qui sont de plus en plus autonomes.

Le Yukon est administré par un commissaire, nommé par le gouvernement du Canada, assisté d'un Conseil élu de 16 membres parmi lesquels est nommé un Conseil exécutif. Ce Conseil est responsable devant le Conseil élu à peu près de la même manière qu'un gouvernement provincial est responsable devant la législature provinciale. Le commissaire en conseil peut adopter des lois concernant les impôts

Hôtel de ville d'Ottawa (Ont.).

directs pour les besoins locaux, l'établissement de bureaux territoriaux, la vente de spiritueux, la préservation du gibier, les institutions municipales, les licences, la constitution de sociétés locales, la propriété et les droits civils, la célébration du mariage et d'autres questions de nature locale ou privée.

Les Territoires du Nord-Ouest sont administrés par un commissaire, nommé par le gouvernement du Canada et assisté d'un Conseil élu de 22 membres et d'un comité exécutif formé d'un commissaire, d'un sous-commissaire et d'au plus cinq membres du Conseil élu qui sont désignés par le Conseil. Le commissaire en conseil a sensiblement les mêmes pouvoirs qu'au Yukon.

Administration municipale

L'administration municipale, étant de compétence provinciale, varie considérablement. Toutes les municipalités (cités, villes, villages et municipalités rurales) sont administrées par un conseil élu. En Ontario et au Québec, il existe également des comtés, qui groupent pour certaines fins des unités municipales plus petites, et les deux provinces ont créé des municipalités régionales pour les régions métropolitaines.

En général, les municipalités s'occupent des services de police et de protection-incendie, des prisons, des routes et des hôpitaux locaux, des services d'aqueduc et de salubrité et des écoles (souvent administrées par un conseil distinct élu à cette fin). Leurs ressources financières proviennent surtout des impôts fonciers, des permis et licences et des subventions provinciales. Il y a environ 4,500 municipalités en tout, à l'heure actuelle.

Le système judiciaire

Le système judiciaire constitue un élément important du gouvernement au Canada. Avec l'Acte de l'Amérique du Nord britannique (AANB), qui a fait du Canada un État fédératif, le système judiciaire est assez complexe.

La loi et l'appareil législatif

La loi au Canada est un ensemble de statuts et de décisions judiciaires. Les statuts sont l'œuvre du Parlement et des législatures provinciales; ils sont des énoncés écrits, sous une forme assez précise et détaillée, des règles de droit.

Le Canada dispose également d'une autre source de droit, la *common law*, anglaise constituée de principes de droit élaborés au cours des siècles par les décisions des cours supérieures. La *common law* fut introduite au Canada par les premiers colons anglais, et elle constitue la base de la loi au niveau fédéral et dans les provinces et territoires. Le Québec, quant à lui, a été colonisé par les Français, qui y ont apporté le droit civil inspiré du droit français. Ainsi, ce sont les principes du droit civil qui régissent les domaines tels que la personne, la famille et la propriété au Québec; la province a élaboré son propre Code civil et son propre Code de procédure civile régissant ces questions et d'autres et a, de fait, adapté le droit civil français à ses besoins particuliers.

Aux lois du Parlement fédéral et des législatures provinciales s'ajoutent toute la réglementation adoptée par les autorités compétentes ainsi que les règlements municipaux. Ces lois subordonnées, selon le qualificatif qu'on leur donne, sont promulguées en vertu de pouvoirs conférés par le Parlement ou par les législatures provinciales.

Les lois adoptées par le Parlement fédéral s'appliquent dans tout le pays; celles des provinces ne s'appliquent que sur leur territoire respectif. Ainsi donc, les règles de droit présidant à une activité de compétence provinciale peuvent varier d'une province à l'autre.

Le droit pénal, étant essentiellement fédéral, est uniforme dans l'ensemble du pays. Bien que l'AANB donne au Parlement fédéral le pouvoir exclusif en matière pénale, les provinces ont le pouvoir d'imposer des amendes ou d'autres peines pour toute violation des lois provinciales. C'est ce qui donne lieu à des infractions provinciales, par exemple, des infractions au code de la route.

Le droit canadien en matière criminelle figure pour la majeure partie dans le Code criminel, puisé presque entièrement à des sources anglaises. Deux catégories d'infractions y sont prévues: les actes criminels, qui appellent une sentence sévère, et les contraventions de simple police, qui sont punies moins sévèrement. Cependant, le Code criminel, du Canada ne renferme pas la totalité du droit pénal fédéral statutaire. D'autres lois fédérales prévoient des amendes, des peines d'emprisonnement, ou les deux à la fois, pour les infractions sous leur régime. Dans tous les cas, qu'une infraction soit grave ou non, il est un principe fondamental du droit pénal canadien qui veut que nul n'est condamné à moins qu'il n'ait été prouvé au-delà de tout doute raisonnable et à la satisfaction d'un juge ou d'un jury qu'il est effectivement coupable.

Quartiers généraux de la GRC à Fredericton (N.-B.).

Réforme du droit

A mesure que la société évolue, que ses besoins et ses normes changent, la loi doit refléter ces transformations. C'est ainsi que bon nombre de provinces ont institué des commissions de réforme du droit chargées d'étudier certaines questions touchant la réforme du droit et de faire des recommandations à cet égard. Au niveau fédéral, c'est la Commission de réforme du droit du Canada qui exerce cette activité en étudiant et examinant la loi fédérale en vue d'en recommander la réforme.

Les tribunaux et le pouvoir judiciaire

Le système judiciaire comprend les tribunaux, qui jouent un rôle clé dans le processus de gouvernement. Forts d'un pouvoir judiciaire indépendant, les tribunaux interprètent la loi et l'appliquent pour trancher les litiges entre particuliers, entre particuliers et l'État ou entre les parties constituantes de la fédération canadienne.

Le pouvoir judiciaire

Étant donné la fonction particulière qu'exercent les juges au Canada, l'AANB garantit l'indépendance des tribunaux supérieurs. Ainsi, les juges ne sont pas comptables au Parlement ni au pouvoir exécutif des décisions qu'ils rendent. Un juge nommé par le gouvernement fédéral reste en fonction durant bonne conduite, mais il peut être démis de ses fonctions par le gouverneur en conseil à la requête du Sénat et de la Chambre des communes; de toutes façons, il cesse d'occuper sa fonction à 75 ans. La nomination des juges des cours provinciales de première instance et la durée de leur charge sont régies par les lois provinciales. Aucun juge, qu'il soit nommé par le gouvernement fédéral ou par une province, ne peut faire l'objet de poursuites judiciaires pour les actes qu'il fait ou les paroles qu'il prononce en tant que juge dans une cour de justice.

La nomination et la rétribution des juges mettent en évidence les liens qui existent entre les pouvoirs partagés que l'on trouve dans le système constitutionnel canadien. Le gouvernement fédéral nomme et rémunère tous les juges des cours fédérales, des cours supérieures provinciales et des cours de comté, alors que les juges des cours de première instance des provinces sont nommés et rémunérés par les gouvernements provinciaux.

Les tribunaux

Au Canada, le pouvoir de créer des tribunaux est partagé. Certains sont des créations du Parlement (par exemple, la Cour suprême du Canada) et d'autres, des créations des législatures proviciales (par exemple, les cours supérieures, les cours de comté et bien d'autres cours provinciales de moindre instance). Cependant, la Cour suprême du Canada et les cours provinciales font partie d'un même tout intégré; ainsi, il est possible de se pourvoir en appel d'une décision de la plus haute cour d'une province auprès de la Cour suprême. On ne fait généralement pas de distinction quant à la juridiction des tribunaux provinciaux et fédéraux. Par exemple, bien que le droit pénal soit du ressort du Parlement du Canada, ce sont surtout les tribunaux des provinces qui veillent à son application.

Les cours fédérales. Les cours fédérales comprennent la Cour suprême du Canada, la Cour fédérale du Canada et divers tribunaux spécialisés tels que la Commission de révision de l'impôt, le Tribunal d'appel des cours martiales et la Commission d'appel de l'immigration, tous des créations du Parlement.

La Cour suprême, instituée en 1875, est la plus haute cour d'appel du Canada en matière civile et criminelle. Elle se compose de neuf juges, dont au moins trois doivent venir du Québec en raison du caractère particulier du droit civil québécois. Les circonstances donnant ouverture à un appel auprès de cette cour sont précisées dans le droit statutaire du Parlement. La Cour suprême entend les appels des cours provinciales de dernière instance et de la Cour fédérale. Elle donne également des avis au gouvernement fédéral lorsque des questions lui sont spécialement déférées. Normalement, cinq juges siègent pour entendre une cause; cependant, lorsqu'il s'agit d'affaires importantes, il est d'usage que la Cour siège au complet.

La Cour fédérale du Canada telle qu'elle existe aujourd'hui a été créée en 1970; la Cour de l'Échiquier du Canada, son prédécesseur, avait été instituée en 1875. Elle s'occupe des litiges d'ordre fiscal, des poursuites mettant en cause le gouvernement fédéral (par exemple, les poursuites pour dommages causés par des fonctionnaires fédéraux), des affaires portant sur les marques de commerce, les droits d'auteur et les brevets d'invention, ainsi que des causes se rapportant à l'amirauté et à l'aéronautique. Elle a deux divisions, la Division de première instance et la Division d'appel; la Division d'appel entend les appels des jugements rendus par la Division de première instance ou par de nombreux organismes fédéraux.

Les tribunaux provinciaux. Les tribunaux provinciaux sont établis par des lois provinciales et c'est pourquoi, bien que leur structure soit à peu près identique, leurs noms varient d'une province à l'autre.

Il existe des tribunaux provinciaux à trois niveaux. Chaque province a des tribunaux de première instance comme les tribunaux pour la famille, les tribunaux pour enfants, les cours de magistrat et les cours des petites créances; la plupart des causes instruites dans les provinces sont entendues par ces tribunaux, dont la

Membres de la GRC dans l'exercice de leurs fonctions d'agents de la sécurité des aéroports.

compétence s'étend aux affaires civiles et criminelles de moindre importance. A l'exception du Québec, toutes les provinces ont également des cours de district ou de comté, qui exercent une juridiction intermédiaire et règlent les litiges dépassant la compétence des cours des petites créances, sans toutefois déborder certaines limites monétaires; ces cours instruisent également certaines causes criminelles, sauf les plus graves. Les cours de comté et de district sont d'abord des cours de première instance, mais elles ont aussi une certaine juridiction pour entendre les appels des décisions des cours de magistrat. Les cours de dernière instance dans une province sont les cours supérieures, qui entendent les causes civiles mettant en cause de fortes sommes d'argent et les causes criminelles résultant d'infractions graves. Les cours supérieures ont un niveau de première instance et un niveau d'appel; les cours d'appel, à quelques exceptions près, entendent les appels de tous les tribunaux de première instance de la province, et peuvent également être appelées à se prononcer, aux termes d'une procédure spéciale, sur des questions qui leur sont déférées par le gouvernement provincial.

La profession

Dans les juridictions de *common law du Canada*, les avocats de pratique sont à la fois «barristers» et «solicitors». Au Québec, les membres de la profession juridique sont avocats ou notaires. Dans tous les cas, les conditions d'admissibilité à la profession relèvent des provinces.

Aide juridique

Ces dernières années, tous les gouvernements provinciaux ont mis sur pied des programmes d'aide juridique afin d'aider les personnes à moyens limités à obtenir de l'aide juridique dans certaines causes criminelles et civiles en leur faisant bénéficier des services d'un avocat, sans frais ou à coût modique, selon leur situation financière. Les programmes varient d'une province à l'autre. Certains sont établis par voie législative, d'autres sont le fruit d'accords officieux entre le gouvernement de la province et le Barreau provincial. Les uns couvrent les matières civiles et criminelles, d'autres se limitent au criminel. Dans certains cas, le gouvernement fédéral subventionne l'élaboration ou l'expansion des programmes. Tous ces programmes visent à assurer des services juridiques convenables à toute personne quelle que soit sa situation financière.

La police

L'AANB, attribue aux provinces l'administration de la justice sur leur territoire; mais il a néanmoins été créé des corps policiers par le gouvernement fédéral, les provinces et les municipalités. Il appartient aux sûretés municipales d'assurer les services généraux de police dans les municipalités. Les municipalités qui n'ont pas établi leur propre sûreté font appel aux forces de police fédérales ou provinciales.

L'Ontario et le Québec ont constitué des sûretés provinciales pour maintenir l'ordre dans les territoires non protégés par les corps municipaux. Les sûretés provinciales doivent, entre autres fonctions, patrouiller les grandes routes et prêter main forte aux corps municipaux dans leurs enquêtes sur des crimes graves. Elles administrent en outre un service central d'information pour des questions telles que les biens volés et recouvrés, les empreintes digitales et les casiers judiciaires.

La Gendarmerie royale du Canada (GRC) est un corps policier civil relevant du gouvernement fédéral. Ce corps civil, créé en 1873, sous le nom de Police montée du Nord-Ouest, avait à l'origine pour fonction de maintenir l'ordre public chez les populations éparses des Territoires du Nord-Ouest, connus alors sous le nom de Terre de Rupert. Aujourd'hui la GRC est l'unique corps policier du Yukon et des Territoires du Nord-Ouest, et huit provinces y ont également recours.

La GRC est chargée de faire respecter de nombreuses lois fédérales, notamment le Code criminel et la Loi sur les stupéfiants. Elle s'occupe de la sécurité interne du Canada, y compris de la protection des biens publics et des dignitaires en visite au pays, et elle représente le Canada auprès de l'Organisation internationale de police criminelle (Interpol), dont le Canada fait partie depuis 1949.

Elle est en outre chargée du maintien et du fonctionnement du Service canadien de police, dont les principaux éléments sont: les huit laboratoires de détection du crime situés à des endroits stratégiques du Canada; un service d'identité, dont les installations vont d'un système informatisé de repérage des empreintes digitales à Ottawa jusqu'à des sections régionales d'identité dans tout le Canada; le Centre d'information de la police canadienne, qui s'occupe sur-le-champ de toutes les demandes de nature policière à l'échelle du Canada; et le Collège canadien de police à Ottawa, qui dispense des cours de formation avancée aux membres des corps de police canadiens et à un nombre restreint d'organismes étrangers.

La GRC est dirigée par un commissaire, et au 29 février 1980 elle avait un effectif de 19,937 membres.

Finale du carrousel de la GRC au Stampede de Calgary.

Ministère du Solliciteur général

Le ministère du Solliciteur général, créé par le Parlement en 1966, s'occupe de la Gendarmerie royale du Canada, du Service canadien des pénitenciers et de la Commission nationale des libérations conditionnelles, organismes qui relevaient autrefois du ministère de la Justice. L'enquêteur correctionnel, nommé en 1973, relève également du solliciteur général.

L'un des buts premiers de la réorganisation était la coordination des programmes nationaux concernant la police, les pénitenciers et la libération conditionnelle. Le ministère joue un rôle essentiel au niveau du maintien de la loi et de l'ordre et de la sécurité interne du pays, et il a la charge des personnes condamnées à deux ans et plus d'emprisonnement dans les pénitenciers fédéraux et des détenus à liberté conditionnelle.

L'élaboration et la coordination de la politique du ministère incombent à un Secrétariat, qui relève du solliciteur général adjoint. Le Secrétariat a des directions chargées des politiques, de la police et de la sécurité, et des programmes.

Le Service correctionnel du Canada

Le Service correctionnel du Canada est régi par la Loi sur les pénitenciers et relève du solliciteur général du Canada. Son siège se trouve à Ottawa. Il est chargé de tous les pénitenciers fédéraux ainsi que du soin et de la formation des personnes qui y sont confinées. Le commissaire aux services correctionnels, sous la direction du solliciteur général, a le contrôle et la gestion du service et de toutes les questions qui y ont trait.

Au 31 mars 1980, le Service correctionnel du Canada régissait 61 établissements: 15 à sécurité maximale, 15 à sécurité moyenne, 14 à sécurité minimale et 17 centres correctionnels communautaires. Le nombre total de détenus se situait à 9,477. On est en train de concevoir de nouveaux établissements plus petits, comportant des aires de récréation intérieures et extérieures, en vue de favoriser la rééducation des détenus, et on organise actuellement l'abandon progressif des vieux établissements.

La Commission nationale des libérations conditionnelles

La libération conditionnelle accordée par la Commission nationale des libérations conditionnelles vise les détenus purgeant une peine d'emprisonnement en vertu d'une loi fédérale; le choix est fait lorsqu'un détenu y est admissible aux termes de la loi et qu'il est prêt à en tirer tout le bénéfice possible. Le but est d'offrir au détenu une occasion de réintégration dans la société, tout en assurant la protection de la collectivité en prévoyant diverses obligations auxquelles le détenu doit se soumettre.

La Commission se compose de 26 membres travaillant au bureau central à Ottawa et dans cinq régions du Canada; elle a des bureaux régionaux à Moncton, à Montréal, à Kingston, à Saskatoon et à Vancouver. Ses membres sont nommés par le gouverneur général en conseil pour un maximum de 10 ans, et leur mandat est renouvelable. Des représentants de la collectivité peuvent également être nommés pour participer à toute décision prise au sujet de la libération de détenus purgeant des peines d'emprisonnement à perpétuité pour meurtre ou des peines d'une durée indéterminée à titre de repris de justice, de délinquants sexuels dangereux ou de délinquants dangereux. La Commission est exclusivement compétente pour accorder, refuser ou révoquer une libération conditionnelle et elle a un pouvoir discrétionnaire absolu à cet égard.

Hôtel de ville d'Edmonton (Alb.).

Citoyenneté

Acquisition de la citoyenneté

En 1947, le Canada est devenu le premier pays du Commonwealth à adopter une citoyenneté nationale distincte. Une nouvelle Loi sur la citoyenneté a été proclamée au Parlement le 15 février 1977, en vue notamment d'éliminer les distinctions fondées sur l'âge, le sexe, l'état matrimonial et le pays de citoyenneté antérieure des candidats.

La Direction de l'enregistrement de la citoyenneté du Secrétariat d'État assure des services relatifs à l'acquisition et à la preuve de la citoyenneté. Pour être admissible à la citoyenneté, un adulte étranger (âgé de 18 ans ou plus) doit avoir été admis au Canada à titre de résident permanent et avoir, pendant les quatre ans immédiatement antérieurs à sa demande, totalisé trois ans de résidence au Canada. Les candidats doivent aussi pouvoir parler l'une ou l'autre des langues officielles, soit le français ou l'anglais, connaître le Canada ainsi que les obligations et privilèges du

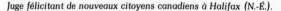

Juge félicitant de nouveaux citoyens canadiens à Halifax (N.-É.).

citoyen, et prêter le serment de citoyenneté. Toute personne qui veut devenir citoyen canadien doit en faire la demande, se présenter à une audience devant un juge de la citoyenneté et assister à une cérémonie devant un tribunal pour prêter le serment de citoyenneté. Pour de plus amples renseignements, on peut s'adresser à la cour de la citoyenneté la plus proche ou écrire au registraire de la citoyenneté canadienne, Secrétariat d'État, Ottawa.

Promotion du civisme

Le Secteur de la citoyenneté administre une série de programmes destinés à favoriser le bénévolat et à accroître la compréhension entre les groupes. Il cherche particulièrement à accroître la compréhension et la jouissance des droits fondamentaux de la personne, et à réduire les préjugés et la discrimination fondés sur le sexe, la race ou l'origine ethnique.

La Direction des programmes de promotion de la femme encourage la pleine intégration des femmes dans la société canadienne. Par le truchement de subventions et d'autres ressources accordées à des groupes de femmes, elle appuie des activités destinées à accroître la participation des femmes dans tous les aspects de la société. En 1980, une de ses priorités a été d'aider des groupes de femmes à promouvoir une action positive de la part des institutions qui peuvent exercer une influence dans les domaines intéressant les femmes.

Le Programme des citoyens autochtones aide les autochtones à définir et à occuper leur place dans la société canadienne en leur donnant des ressources pour leur permettre de déterminer leurs besoins et de s'engager activement dans la voie de leur développement en tant que Canadiens. Il dispense des conseils et une aide technique et financière aux centres d'accueil, dirigés par des groupes d'autochtones dans de nombreuses villes du pays, et qui aident les autochtones originaires des réserves et des régions isolées à s'intégrer à la vie urbaine; aux sociétés de communications sociales, qui favorisent l'essor des médias exploités par les autochtones et leur utilisation efficace par ces derniers; et aux associations provinciales, territoriales et nationales d'autochtones qui contribuent à faire reconnaître les droits individuels fondamentaux des leurs et à voir améliorer leur mode de vie.

Le Programme du multiculturalisme encourage les nombreux groupes minoritaires du Canada à conserver et à mettre en valeur leur patrimoine culturel, à le faire connaître en vue d'une meilleure compréhension entre les divers groupes, et à participer pleinement à la vie de la société canadienne en général.

Le Programme de la participation des citoyens aide tous les citoyens, en accordant une aide technique et financière aux organismes bénévoles, à participer aux décisions qui touchent la qualité de la vie dans leur collectivité. Il vise à accroître la compréhension et la reconnaissance des droits économiques, socioculturels, civils et politiques fondamentaux; il cherche particulièrement à réduire les tensions entre les groupes causées par les préjugés et la discrimination fondés sur la race ou l'origine ethnique. Il est appliqué de concert avec des organismes privés, bénévoles ou autres, ainsi qu'avec les différents niveaux de gouvernement, et soutient les efforts mis en œuvre par des organismes internationaux, tels que les Nations Unies, pour assurer le respect des droits de la personne.

Le programme **Hospitalité Canada** offre la possibilité aux jeunes Canadiens de 14 à 22 ans d'explorer les diverses régions de leur pays, de connaître les intérêts et les opinions d'autres Canadiens, et de lier de nouvelles amitiés. Il finance des échanges de jeunes venant de tous les coins du pays, en groupes ou individuellement.

Réfugiés vietnamiens arrivant à Vancouver en 1979.

Emploi et immigration

La Commission de l'emploi et de l'immigration du Canada est l'organisme fédéral auquel incombent le perfectionnement et l'utilisation de la main-d'œuvre du Canada, la réglementation de l'immigration et l'administration de l'assurance-chômage.

Politiques et programmes relatifs au marché du travail

Plus de 400 Centres d'emploi du Canada aident les gens à trouver des emplois et les employeurs à trouver des travailleurs. A cette fin, la Commission offre aux

employeurs des services de recrutement et une assistance spécialisée en planification de la main-d'œuvre, présente des candidats à des postes, s'occupe de formation
professionnelle, de création d'emplois, d'assistance mobilité, d'orientation professionnelle et d'administration de tests d'aptitudes. Des services spéciaux sont prévus
à l'intention des personnes qui ont de la difficulté à entrer sur le marché du travail.
La Commission administre de vastes programmes de création d'emplois en vue de
résorber le chômage et de favoriser la croissance, et administre le programme
fédéral de crédit d'impôt relatif à l'emploi.

Immigration

La Loi sur l'immigration du Canada réglemente l'admission des personnes qui
désirent venir au Canada. Y sont également assujettis les étudiants étrangers, les
travailleurs temporaires, les touristes, les hommes d'affaires et les autres visiteurs.

La Commission entretient 59 bureaux d'immigration dans 40 pays afin d'aider
ceux qui veulent voyager ou immigrer au Canada. Quiconque veut immigrer doit
déposer une demande à l'un de ces bureaux. La sélection est régie par des critères
universels destinés à déterminer si le candidat peut s'adapter à la vie canadienne et
réussir à s'établir. Trois catégories d'immigrants sont admissibles: la catégorie de la
famille parrainée par de proches parents au Canada, les réfugiés, et les personnes
indépendantes et autres candidats qui présentent une demande avec ou sans l'aide

*Conseiller en matière d'emploi examinant les occasions de carrière que le système informatisé CHOIX
propose aux clients.*

de parents. De même, les visiteurs qui désirent étudier ou travailler au Canada doivent obtenir une autorisation avant de sortir de leur pays.

Outre les bureaux à l'étranger, la Commission exploite au pays même un réseau de 107 Centres d'immigration du Canada aux aéroports, ports de mer et bureaux d'entrée ainsi qu'aux postes frontières, afin de dispenser des services d'accueil et d'établissement ainsi que des renseignements et de l'aide aux immigrants, visiteurs et résidents. Les agents affectés à ces centres appliquent également des mesures de contrôle visant à exclure ou à expulser les individus dont la présence au Canada porterait atteinte à l'ordre public ou à la sécurité nationale.

Aux termes de la Constitution, l'immigration est une responsabilité partagée, et le programme fédéral est exécuté en collaboration avec les provinces.

Assurance-chômage

L'objet de l'assurance-chômage est d'accorder temporairement une aide financière aux personnes sans travail ou incapables de travailler pour cause de maladie, blessure, quarantaine ou maternité. Environ 95% des travailleurs canadiens sont protégés par ce programme. Voici un aperçu des taux des prestations d'assurance-chômage, des semaines de référence, des gains assurables, des cotisations et de la durée des prestations.

Taux des prestations: 1) 60% de la moyenne des gains hebdomadaires assurables au cours de la semaine de référence; 2) la prestation hebdomadaire maximale en 1980 est $174; 3) toutes les prestations sont imposables.

Semaines de référence: 1) Pour les personnes qui présentent une première demande de prestations ordinaires, de 10 à 14 semaines d'emploi assurable au cours de la période de référence, selon le taux de chômage de la région où habite ordinairement le requérant; 2) les personnes qui présentent une deuxième demande en moins d'une année doivent avoir accumulé jusqu'à six semaines supplémentaires. Les personnes qui viennent de se joindre à la population active ou qui y reviennent après une longue absence de près de deux ans doivent accumuler 20 semaines d'emploi assurable; 3) pour le versement de prestations spéciales, il faut avoir accumulé 20 semaines d'emploi assurable au cours de la période de référence; 4) dans ce cas, la période de référence comprend les 52 dernières semaines ou se compte à partir de la dernière demande de prestations, la plus courte de ces deux périodes étant retenue.

Gains assurables: Le maximum des gains hebdomadaires assurables en 1980 est $290.

Cotisations: 1) La cotisation minimale du salarié en 1980 est de $1.35 pour chaque tranche de $100 de gains assurables; 2) la cotisation de l'employeur représente 1.4 fois la cotisation du salarié; 3) les cotisations sont déductibles du revenu imposable.

Durée des prestations: 1) Prestations ordinaires – a) phase initiale – une semaine pour chaque semaine d'emploi assurable jusqu'à concurrence de 25; b) phase de prolongation fondée sur la durée de l'emploi – une semaine pour chaque période de deux semaines d'emploi assurable jusqu'à concurrence de 13 semaines de prestations; c) phase de prolongation fondée sur le taux de chômage régional – jusqu'à 32 semaines supplémentaires suivant le taux de chômage régional; et d) la durée maximale des prestations est de 50 semaines. 2) Prestations spéciales – a) maladie – jusqu'à 15 semaines selon la maladie; b) maternité – jusqu'à 15 semaines consécutives commençant au plus tôt huit semaines avant l'accouchement et se terminant au plus tard 17 semaines après; et c) prestations versées à 65 ans – somme globale équivalent à trois semaines de prestations.

Travail

Travail Canada a pour objectif général de promouvoir et de protéger les droits des parties engagées dans le monde du travail, un milieu de travail qui favorise le bien-être physique et social, et une juste rétribution du travail. Il est également chargé d'assurer l'accès équitable aux possibilités d'emploi. Des programmes et services importants appuient ces divers objectifs.

En vertu du Code canadien du travail, il incombe en outre au ministre du Travail d'autoriser le renvoi de certaines plaintes au sujet de pratiques déloyales en matière de travail au Conseil canadien des relations du travail et d'autoriser les plaignants à intenter des poursuites judiciaires.

Bien que le ministère s'intéresse aux relations ouvrières-patronales dans tous les secteurs des affaires et de l'industrie, il s'occupe plus particulièrement des entreprises de compétence fédérale et de leurs employés, qui sont plus de 500,000.

Travail Canada est décentralisé en cinq régions: Atlantique, Saint-Laurent, Grands Lacs, Centre et Montagnes. Il a son siège dans la région de la capitale nationale. Le ministère comprend plusieurs grands groupes: le Groupe de la coordination des politiques et de la liaison; le Service fédéral de médiation et de conciliation; le Groupe de la coordination exécutive des Opérations régionales; le Bureau de la main-d'œuvre féminine; et le Groupe de l'élaboration des programmes et des opérations centrales. La politique et les services administratifs ainsi que les services juridiques comptent aussi parmi ces divisions.

Navire de forage radoubé à Esquimalt (C.-B.) en vue d'une campagne de prospection du pétrole dans la mer de Beaufort.

Gerbage des billes dans l'Île Vancouver (C.-B.).

Le Groupe de la coordination des politiques et de la liaison examine les grandes questions qui influent sur les programmes et politiques du ministère. Il propose les moyens d'adapter le ministère à un milieu social et économique en rapide évolution et fournit des renseignements et des suggestions aux milieux appropriés du ministère. Ce Groupe est également chargé des activités internationales dans le domaine du travail ainsi que des relations du ministère avec les ministères provinciaux du Travail.

Le Service fédéral de médiation et de conciliation cherche à promouvoir et à encourager de bonnes relations industrielles dans les industries régies par le Code canadien du travail en offrant aux syndicats et aux employeurs qui sont parties à des négociations collectives ou à des conflits de relations industrielles des services de conciliation et de médiation. Ce Service a des bureaux dans six grandes villes du Canada et se compose de trois éléments: la direction de la médiation et de la conciliation, la direction de la planification et du soutien technique, et les services d'arbitrage.

Le Groupe de la coordination exécutive des Opérations régionales a la responsabilité des services décentralisés du ministère, qui font connaître et mettent en œuvre les divers lois, programmes et services du ministère. Le Groupe joue auprès des directeurs régionaux un rôle de premier plan dans la planification et la mise en application des programmes du ministère et dans l'élaboration de politiques et procédures opérationnelles communes.

Le Bureau de la main-d'œuvre féminine s'occupe de tous les aspects de la condition de la femme au travail. En collaboration avec d'autres organismes fédéraux, il a contribué à l'adoption de mesures législatives sur l'égalité de traitement, les congés et les prestations de maternité de même que les chances en matière d'emploi.

Le Groupe de l'élaboration des programmes et des opérations centrales comprend les Services centraux d'analyse (Direction des données sur le travail, Direction de l'analyse économique et Direction de la bibliothèque et de l'analyse de la législation), la direction de l'hygiène et de la sécurité du travail, ainsi que la direction des relations en matière d'emploi et des conditions de travail.

Les Services centraux d'analyse coordonnent les analyses effectuées à l'intérieur de l'Élaboration des programmes et des opérations centrales. Celles qui portent sur les progrès dans le monde du travail servent de base à des rapports dont s'inspirent les politiques ministérielles et gouvernementales en matière de négociation collective et d'affaires du travail.

La Direction des données sur le travail recueille, traite et diffuse des renseignements sur le monde du travail. Des données paraissent régulièrement sur les salaires, les conditions de travail, les conventions collectives, les grèves et les lock-out.

La Direction de l'analyse économique mène des études sur les questions de rémunération, salariale ou non, et les conditions économiques générales.

Destinée à une usine de la Colombie-Britannique, cette presse de machine à papier est assemblée dans un atelier de Lachine (Qué.).

Installations hors sol d'un poste de stockage du gaz. L'emmagasinage souterrain fait partie intégrante des opérations d'approvisionnement en gaz.

La Direction de la bibliothèque et de l'analyse de la législation fait fonction de service d'information ministériel dans le domaine des affaires, du travail et de la législation du travail. Dans sa collection, elle compte plus de 100,000 volumes couvrant tous les aspects des relations industrielles. La Section de l'analyse de la législation effectue des recherches sur les lois du travail et les pratiques administratives qui y ont trait dans toutes les provinces.

La Direction de l'hygiène et de la sécurité du travail élabore des politiques et des programmes pour promouvoir des conditions de travail sûres et saines. Elle fournit des conseils sur la politique à adopter concernant l'indemnisation des accidents dans les industries de compétence fédérale ainsi qu'aux marins qui ne sont protégés par aucune autre mesure législative à cet égard.

La Direction des relations en matière d'emploi et des conditions de travail effectue des recherches, conçoit des programmes et évalue les politiques du ministère concernant les relations ouvrières-patronales. Elle établit et entretient des relations ouvrières-patronales constructives. La Direction élabore également des politiques et programmes pour améliorer les normes d'emploi (durée du travail, salaire minimum, sécurité d'emploi et vacances).

Chargement d'un navire étranger au quai de Strathcona Sound, dans l'Île Baffin (T.N.-O.).

Industrie et Commerce

Le ministère de l'Industrie et du Commerce a été créé le 1er avril 1969 après la fusion de l'ancien ministère de l'Industrie et de l'ancien ministère du Commerce. Il offre un large éventail de programmes et de services aux industriels et hommes d'affaires canadiens. Le ministère s'intéresse à la recherche et au développement, à la production et au marketing des exportations. L'aide qu'il fournit a pour objet d'aider l'industrie à réaliser une productivité accrue et à créer et protéger des marchés pour les produits canadiens, au Canada comme à l'étranger.

Organisation et programmes

Le ministère est organisé en huit grands groupes fonctionnels: Expansion de l'industrie et du commerce; Finances et Expansion des entreprises; Relations commerciales internationales; Service des délégués commerciaux et Marketing international; Politique et analyse économiques; Tourisme et Affaires générales.

L'Expansion de l'industrie et du commerce est chargé de la création, de l'élaboration et du maintien de politiques et de programmes qui favorisent et aident la croissance efficace et soutenue de l'industrie canadienne. Ce groupe établit des principes directeurs et des priorités pour la mise sur pied d'une industrie forte et concurrentielle sur le plan international. Il est formé de 10 directions sectorielles couvrant les principales industries manufacturières, de transformation et de services.

Les Finances et Expansion des entreprises est chargé de la formulation des politiques et, par la suite, de la mise en œuvre, de la promotion et du contrôle des programmes et services subventionnés visant la création et le maintien de l'industrie canadienne au niveau international.

La Section des relations commerciales internationales est chargée de la création et de l'amélioration d'un climat international favorable au commerce et aux autres intérêts économiques du Canada. Elle est aussi chargée des politiques et programmes destinés à protéger et à mettre de l'avant les intérêts commerciaux du Canada au niveau international.

Le Service des délégués commerciaux a 91 bureaux commerciaux dans 66 pays. Son rôle premier est de promouvoir le commerce d'exportation du Canada et de représenter et protéger ses intérêts commerciaux à l'étranger.

Politique et analyse économiques fournit renseignements et conseils d'experts sur les questions horizontales du ministère. Il est chargé de l'analyse et de l'évaluation des renseignements d'ordre économique et politique de toutes provenances: gouvernements fédéral et provinciaux, industrie et monde du travail.

L'Office de tourisme du Canada est un organisme du ministère. Il descend directement de l'Office de tourisme du gouvernement canadien, créé en 1934. Il est formé de deux directions générales: Marketing et Développement du tourisme.

Le Secrétariat de la petite entreprise se fait l'avocat de la petite et moyenne entreprise. Ses fonctions comprennent: recherche et élaboration de politiques sur les grandes questions touchant les petites entreprises; contacts avec les petits hommes d'affaires et leurs organisations pour les aider dans leurs problèmes ou leurs préoccupations; représentation des intérêts d'une collectivité devant les ministères dont les programmes ont des répercussions sur ses intérêts; recommandation de changements aux règlements ou aux lois pour favoriser la croissance des petites et moyennes entreprises.

Le ministère de l'Industrie et du Commerce exploite, administre et finance des **Centres d'information aux entreprises.** Face au nombre et à la complexité des politiques et programmes de tous les niveaux de gouvernement et aux problèmes croissants d'information, le ministère a ouvert, à titre expérimental, un Centre d'information aux entreprises à Ottawa en mars 1978. Son rôle était de répondre aux questions sur les programmes et services du gouvernement fédéral pouvant intéresser les hommes d'affaires. Après une année de raffinement des systèmes d'Ottawa pour le rassemblement et la diffusion de l'information, on a établi un réseau de Centres régionaux d'information aux entreprises, la plupart situés près des bureaux régionaux. Chaque centre régional est accessible par téléphone local et le centre principal est accessible sans frais (ZÉNITH 0-3200).

Embarquement de rouleaux de papier journal dans le port de Québec.

Expansion économique régionale

Bien que le Canada jouisse d'un niveau de vie qui est l'un des plus élevés au monde, son histoire et sa géographie ont donné lieu à de grandes disparités économiques, sociales et culturelles. On trouve d'une part des centres à forte concentration d'activité économique et de population, et d'autre part de vastes régions où les niveaux de l'activité industrielle, de l'emploi et des services sociaux et commerciaux se situent bien en deçà des moyennes nationales.

La création du ministère de l'Expansion économique régionale, le 1er avril 1969, a été le point culminant du processus amorcé en juillet de l'année précédente, au moment où le premier ministre faisait part de l'intention du gouvernement de créer un ministère chargé de concrétiser un nouvel effort global pour combattre les disparités économiques régionales. C'est dans ce but que le ministère de l'Expansion économique régionale (MEER) favorise l'exploitation des possibilités de développement dans les régions à faible croissance, de façon que celles-ci participent au progrès économique et social du pays. Le programme d'action du MEER se divise donc en trois grandes catégories: initiatives axées sur les possibilités de développement, subventions à l'industrie et autres programmes.

Possibilités de développement

C'est par le truchement des ententes-cadres de développement (ECD), conclues séparément avec les provinces et appuyées par d'autres ministères fédéraux, que sont recensées les possibilités de développement. Ces possibilités sont exploitées au moyen d'accords auxiliaires. Les activités actuelles couvrent un large éventail de secteurs économiques, notamment la mise en valeur des ressources naturelles, la fabrication et la transformation, les transports et les communications, le tourisme et les terres septentrionales ainsi que d'autres domaines connexes, qui varient d'une province à l'autre.

Subventions à l'industrie

La Loi sur les subventions au développement régional adoptée en 1969, et

La ville de Yellowknife (T.N.-O.).

Halifax et son port (N.-É.).

prorogée jusqu'en 1981, vise à stimuler les investissements dans le secteur manufacturier et relever le niveau de l'emploi dans les régions à faible croissance.

Cette loi prévoit, des subventions destinées à favoriser l'implantation, l'agrandissement et la modernisation d'usines de fabrication et de transformation dans de grandes régions désignées, soit les quatre provinces de l'Atlantique, le Manitoba, la Saskatchewan, le Yukon et les Territoires du Nord-Ouest, de même que la majeure partie de la province de Québec et le nord de l'Ontario, de l'Alberta et de la Colombie-Britannique. En vertu de la Loi sur le ministère de l'Expansion économique régionale, le programme de la zone spéciale de Montréal prévoit des subventions pour certains secteurs industriels de la région métropolitaine, ainsi que pour les secteurs industriels de ses villes satellites, et de la région de l'Outaouais.

Autres programmes

Grâce au programme spécial de la Loi sur l'aménagement rural et le développement agricole en vigueur dans certaines provinces de l'Ouest et dans le Nord, des activités de développement social et économique sont entreprises à l'intention des ruraux, particulièrement ceux d'ascendance autochtone. Quant au Plan d'ensemble de développement pour l'Île-du-Prince-Édouard, conclu en 1969 pour une période de 15 ans, en vertu de la Loi sur les Fonds de développement économique et rural, il prévoit des programmes de développement dans un certain nombre de secteurs économiques. Aux termes de la Loi sur le rétablissement agricole des Prairies, le ministère élabore et favorise l'utilisation de meilleures méthodes concernant l'approvisionnement en eau, l'arboriculture, l'exploitation agricole et l'utilisation des sols dans les provinces des Prairies.

Organisation actuelle

Le ministère est entièrement décentralisé, ce qui lui permet de réagir rapidement et efficacement aux besoins locaux, provinciaux et régionaux. L'organisation comprend l'administration centrale à Hull (Qué.), des bureaux régionaux à Moncton, Montréal, Toronto et Saskatoon, un bureau provincial dans chacune des capitales provinciales et diverses succursales.

Laboratoire de recherche en boulangerie de la Bourse de grains de Winnipeg.

Consommation et Corporations

Consommation et Corporations Canada a été créé en décembre 1967, ramenant sous la responsabilité d'un même ministère les nombreuses lois fédérales régissant les affaires et la consommation. Ses lois et politiques visent à encourager l'efficacité et la productivité des fournisseurs de biens et services, et à promouvoir le traitement économique équitable de toutes les parties à des transactions. Le ministère est organisé en trois bureaux clés qui se partagent la responsabilité des objectifs du ministère.

Le Bureau de la consommation assure au consommateur un traitement équitable dans ses transactions. Il élabore des propositions législatives et des programmes à l'intention des consommateurs et aide le personnel des régions à appliquer les lois de protection du consommateur, dont celles touchant l'emballage et l'étiquetage, les poids et mesures et les produits dangereux. Le Bureau se tient au fait des événements et des tendances du marché et travaille avec des organisations

Fruits et légumes cultivés au Canada.

commerciales et industrielles à la promotion de l'auto-réglementation pour le règlement des plaintes des consommateurs. Il met en œuvre des programmes d'information et de recherche en matière de consommation, soutient le travail de bureaux locaux d'aide aux consommateurs, appuie financièrement les programmes de protection du consommateur et, par des subventions à des mouvements bénévoles de consommateurs, favorise le développement du mouvement de protection du consommateur au Canada.

Le Bureau des corporations cherche à assurer un cadre juridique pour la conduite ordonnée des affaires. Il met sur pied des institutions commerciales fédérales par voie de constitution en société, réglemente les procédures de faillite pour les sociétés et les particuliers insolvables et accorde des licences aux syndics de faillite et supervise leur travail. Il encourage également l'invention, l'innovation et la créativité au Canada en accordant des droits de propriété exclusive pour les inventions (brevets), les marques de commerce, les dessins industriels et les droits d'auteur pour les œuvres littéraires, dramatiques, musicales et artistiques originales. Les droits de propriété sont accordés afin que les innovateurs contrôlent la reproduction de leurs œuvres de création et en retirent des profits tout en donnant à tous les Canadiens la possibilité d'en bénéficier.

Dans leurs tournées des usines de transformation des aliments, les inspecteurs de Consommation et Corporations Canada vérifient l'étiquetage et les contenus.

Étalages du Marché d'Ottawa (Ont.).

Le Bureau de la politique de concurrence voit à l'application de la Loi relative aux enquêtes sur les coalitions, qui vise à maintenir la concurrence sur le marché. Cette loi a pour but d'éliminer certaines pratiques restrictives du commerce et à contrecarrer les effets néfastes de la concentration. En vertu de cette loi, le Directeur des enquêtes et recherches est autorisé à mener des enquêtes lorsqu'il est d'avis qu'il y a eu infraction à la loi en ce qui concerne les coalitions, les fusions, les monopoles, les pratiques commerciales déloyales en matière de discrimination par les prix, d'allocations de publicité exagérées, de publicité trompeuse et de pratiques commerciales frauduleuses et de maintien des prix de détail. Les résultats de ses enquêtes sont envoyés à la Commission sur les pratiques restrictives du commerce pour étude et rapport public ou au Procureur général du Canada, qui peut intenter des poursuites.

Les Bureaux régionaux et de district sont installés à Vancouver, Winnipeg, Toronto, Montréal et Halifax et des bureaux locaux et de district se trouvent dans d'autres villes. Les employés des régions voient à ce que les lois et règlements du ministère soient appliqués et interprétés de façon uniforme partout au pays. Le personnel des régions se compose en partie d'agents de l'aide aux consommateurs, d'inspecteurs et de spécialistes des faillites et des pratiques commerciales trompeuses.

Affaires des anciens combattants

L'objectif des Affaires des anciens combattants est d'assurer le bien-être économique, social, mental et physique des anciens combattants, de certains civils, et des personnes à leur charge. Les services (pensions et allocations d'anciens combattants, soins médicaux, services de consultation et aide pour l'instruction des enfants des morts de la guerre), sont assurés par le ministère des Affaires des anciens combattants et les quatre organismes qui lui sont associés, soit la Commission canadienne des pensions, le Conseil de révision des pensions, la Commission des allocations aux anciens combattants et le Bureau de services juridiques des pensions.

Programme des affaires des anciens combattants

Services aux anciens combattants. Le ministère est chargé de l'administration des lois fédérales qui prévoient des avantages pour les anciens combattants (et certains civils), les personnes à leur charge et leurs survivants. Ces avantages comprennent: services médicaux et dentaires; prothèses; programmes de soutien du revenu; aide financière d'urgence; services de consultation destinés aux anciens combattants, aux personnes à leur charge et à leurs survivants; aide pour

En juillet 1980 des célébrations ont eu lieu à Halifax pour marquer le 70e anniversaire de la Marine canadienne.

Monument commémoratif de la guerre, à Ottawa (Ont.).

l'instruction des anciens combattants et de leurs orphelins; et paiements pour l'inhumation d'anciens combattants. Lorsqu'il n'existe pas d'aide directe, un service spécial dirige les intéressés vers d'autres sources.

Office de l'établissement agricole des anciens combattants. La Loi sur les terres destinées aux anciens combattants était une mesure de réadaptation d'après-guerre destinée à orienter vers l'agriculture les anciens combattants de la Seconde Guerre mondiale et de la Guerre de Corée. Plus de 140,000 anciens combattants se sont établis en vertu des diverses dispositions de la Loi avant l'ultime délai du 31 mars 1975. Le 31 mars 1980, plus de 40,000 anciens combattants avaient encore des contrats avec le directeur, pour une dette totale en capital d'environ \$354 millions. L'Office de l'établissement agricole des anciens combattants a aussi la responsabilité opérationnelle du programme spécial d'aide au logement des anciens combattants. En 1975, le ministère des Affaires des anciens combattants a été autorisé à l'étendre aux anciens combattants à revenu modeste, ainsi qu'aux sociétés sans but lucratif qui obtiennent des prêts aux termes de la Loi nationale sur l'habitation (LNH) en vue d'aménager des logements à loyer modique destinés d'abord, mais non exclusivement, aux anciens combattants.

Programmes des pensions

La Commission canadienne des pensions administre la Loi sur les pensions, en vertu de laquelle des indemnités sont accordées pour invalidité ou décès lié au service militaire. La Loi prévoit aussi le paiement de pensions aux survivants à charge. La Commission administre également les Parties I à X de la Loi sur les pensions et allocations de guerre pour les civils, qui prévoit des pensions semblables pour invalidité ou décès imputable au service durant la Seconde Guerre mondiale dans certains organismes ou types d'emploi étroitement associés aux forces armées, comme dans le cas des marins marchands ou du personnel des services auxiliaires; la Loi d'indemnisation des anciens prisonniers de guerre, qui prévoit des indemnités pour les évadés et fugitifs et les personnes à leur charge; et la Loi sur la prise en charge des prestations de la Commission de secours d'Halifax qui autorise le versement d'une pension à certaines personnes blessées lors de l'explosion survenue à Halifax, en 1917. La Commission juge également les demandes de pension en vertu de diverses autres dispositions telles que la Loi sur la Gendarmerie royale du Canada et le Règlement sur l'indemnisation en cas d'accident d'aviation.

Le Conseil de révision des pensions constitue une cour d'appel finale pour les anciens combattants, les anciens membres des forces et les personnes à leur charge relativement à toutes les questions concernant les pensions d'invalidité et l'interprétation de la Loi sur les pensions. Bien qu'il soit essentiellement un organisme d'appel, il peut examiner de nouvelles preuves documentaires. Ses audiences se tiennent dans la région de la capitale nationale.

Bureau de services juridiques des pensions

Le Bureau fournit un service d'aide juridique aux personnes qui désirent présenter des demandes en vertu de la Loi sur les pensions et d'autres lois et ordonnances connexes. Sa relation avec les requérants ou les pensionnés est une relation avocat-client. Le Bureau est très décentralisé, les avocats et le personnel de soutien étant répartis dans 18 villes au Canada.

Commission des allocations aux anciens combattants

La Commission a pour objectif de voir à ce que les anciens combattants admissibles et certains civils qui ne peuvent se trouver d'emploi à cause de leur âge ou d'une infirmité, ainsi que les veuves et les orphelins admissibles en raison du service d'un ancien combattant, jouissent de tous les avantages prévus par la Loi sur les allocations aux anciens combattants et par la Partie XI de la Loi sur les pensions et allocations de guerre pour les civils. Elle est chargée de conseiller le ministre en matière de législation et de réglementation; de rendre des décisions en vertu de certains articles de la Loi sur les allocations aux anciens combattants et de la Loi sur les pensions et allocations de guerre pour les civils (qui est de sa compétence exclusive); de faire fonction de cour d'appel pour les requérants et prestataires lésés; et, de son propre chef, de procéder à la révision des décisions rendues par les autorités régionales afin de s'assurer qu'elles sont conformes à l'esprit de la Loi, et que la Loi est appliquée uniformément dans tout le Canada. La Commission peut en tout temps revoir et modifier ses propres décisions.

Petits garçons et petites filles visitant une exposition de fleurs organisée à Ottawa en l'honneur de l'Année internationale de l'enfant (1979).

Santé et Bien-être

Soins de santé

Le gouvernement fédéral et les provinces se partagent la responsabilité de la santé et du bien-être. Au niveau national, le ministère de la Santé nationale et du Bien-être social est le principal organisme compétent. Ce ministère a pour principal objectif le maintien et l'amélioration de la qualité de la vie des Canadiens, soit leur bien-être physique, économique et social. Il cherche à réduire les effets nuisibles des facteurs environnementaux qui échappent au contrôle des individus et à encourager et aider les Canadiens à adopter un mode de vie qui améliore leur bien-être. Les stratégies qu'il met en œuvre à cette fin comprennent la mise au point de normes nationales, la sensibilisation de la population aux problèmes sanitaires, économiques et sociaux, et l'élaboration de systèmes nouveaux ou améliorés d'exécution. Le ministère travaille de concert avec d'autres organismes fédéraux et avec les services provinciaux et locaux. Les provinces s'occupent directement de l'administration des services de santé et de bien-être.

Programmes fédéraux de santé

Le ministère de la Santé nationale et du Bien-être social comprend trois directions générales qui administrent les programmes fédéraux afférents à la santé. Ce sont la Direction générale de la protection de la santé, la Direction générale des services médicaux et la Direction générale des services et de la promotion de la santé. En outre, le Conseil de recherches médicales fait rapport au Parlement par l'intermédiaire du ministre de la Santé nationale et du Bien-être social.

Direction générale de la protection de la santé. Cette direction mène toute une série d'activités destinées à protéger les Canadiens des dangers pouvant contribuer à la maladie et au décès. Il s'agit entre autres de la surveillance de la sécurité et de la qualité nutritive des aliments; du contrôle de la sécurité et de l'efficacité des médicaments et de la disponibilité des médicaments et drogues pouvant être utilisés de façon abusive; de la réduction des substances dangereuses dans le milieu; de la réglementation de l'exposition à la radioactivité; du contrôle de la sécurité et de l'efficacité des appareils médicaux; du contrôle de la sécurité des produits de beauté; de l'amélioration des méthodes de diagnostic; et de l'amélioration de l'information du public sur divers aspects de l'état de santé.

Les bases légales du programme de la protection de la santé se retrouvent principalement dans la Loi sur le ministère de la Santé nationale et du Bien-être social, la Loi sur les aliments et drogues, la Loi sur les stupéfiants, la Loi sur les dispositifs émettant des radiations, la Loi sur les produits dangereux, le Règlement sur le contrôle de l'énergie atomique et le Règlement du Canada sur les substances dangereuses.

Direction générale des services médicaux. Les responsabilités de cette direction s'étendent à toute une gamme de services répondant aux besoins sanitaires de groupes très différents qui comptent, entre autres, les populations indienne et inuit, les fonctionnaires, les immigrants et les résidents du Yukon et des Territoires du Nord-Ouest. La direction générale dispense des services diagnostiques, thérapeutiques et préventifs par l'intermédiaire de programmes tels Santé des Indiens et du Nord, Santé des fonctionnaires fédéraux, Services de prothèses, Médecine aéronautique civile, Services d'urgence, Quarantaine et Réglementation et Services de santé de l'immigration.

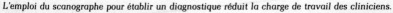

L'emploi du scanographe pour établir un diagnostique réduit la charge de travail des cliniciens.

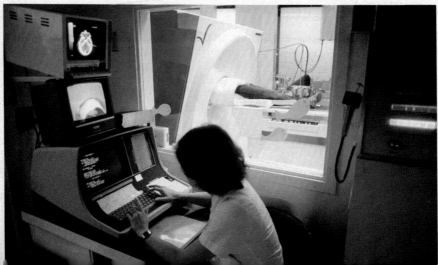

Direction générale des services et de la promotion de la santé. Cette direction générale a deux responsabilités principales: encourager et aider les Canadiens à adopter des habitudes de vie leur permettant d'améliorer leur bien-être physique, mental et social; et assurer l'orientation et la coordination nécessaires pour aider les provinces et les territoires à rehausser la qualité de leurs services de santé au niveau national et à l'y maintenir.

Dans le domaine de la promotion de la santé, la direction générale travaille en étroite collaboration avec les gouvernements provinciaux et les organismes non gouvernementaux à produire et à faire connaître des programmes d'information et d'éducation sanitaires portant sur le tabagisme, l'alcoolisme, l'alimentation, les toxicomanies, les accidents, les soins personnels et la santé de l'enfant et de la famille.

La direction générale est aussi chargée des prestations rattachées à divers programmes provinciaux assurant des services hospitaliers, diagnostiques, médicaux et de soins de santé de longue durée, selon les dispositions des lois qui s'y rapportent. Elle veille à ce que les provinces respectent les conditions des programmes qui ont trait aux prestations versées par le gouvernement fédéral. Entre autres activités, la direction offre des services de consultation et une collaboration

Après s'être injecté une dose de vaccin antigrippal des chercheurs constatent que leurs enzymes hépatiques mettent deux fois plus de temps que d'habitude à métaboliser des médicaments. Ils étudient l'action métabolique du foie à l'Université Dalhousie à Halifax (N.-É.).

aux autorités provinciales et groupements professionnels en vue de la préparation de normes et de principes directeurs dans des secteurs tels la planification et la conception d'établissements, l'évaluation de la santé, la santé communautaire, la santé mentale, les services de santé en établissement, les systèmes de santé et la planification familiale. Elle aide à coordonner la planification de la formation et à répartir les travailleurs du domaine de la santé. La direction générale appuie des travaux de recherche extra-muros menés au Canada et dirige l'analyse des politiques et des programmes portant sur le système de santé canadien.

Régimes d'assurance

Assurance-hospitalisation. Les régimes provinciaux d'assurance-hospitalisation, en vigueur dans toutes les provinces et territoires depuis 1961, couvrent 99% de la population du Canada. Aux termes de la Loi de 1957 sur l'assurance-hospitalisation et les services diagnostiques, le gouvernement fédéral aide les provinces à payer les services hospitaliers fournis aux malades protégés par ces régimes.

Assurance-maladie. Ce régime public de soins médicaux relève de la Loi sur les soins médicaux adoptée par le Parlement en décembre 1966. Les contributions fédérales aux provinces participantes sont payables depuis le 1er juillet 1968. Le 1er avril 1972, les provinces et territoires avaient tous adhéré au programme fédéral. Le régime doit être universellement accessible par tous les résidents admissibles aux mêmes conditions et doit couvrir au moins 95% de la population admissible de la province. La protection doit porter sur tous les services médicalement nécessaires dispensés par un médecin ou un chirurgien.

Financement. Jusqu'en avril 1977, les contributions fédérales aux provinces pour les services médicaux et hospitaliers étaient fondées sur le coût des services assurés, le gouvernement fédéral remboursant aux provinces environ 50% de leurs dépenses. La Loi de 1977 sur les accords fiscaux entre le gouvernement fédéral et les provinces et sur le financement des programmes établis a modifié la méthode de financement fédéral. Les contributions fédérales prennent maintenant la forme de transferts fiscaux et de paiements de péréquation aux provinces, et de paiements forfaitaires par habitant d'égale valeur. Les normes nationales établies par les lois précédentes sont maintenues, et les nouveaux accords de financement prévoient d'autres contributions par habitant pour le coût de certains services de soins prolongés.

Programmes de santé provinciaux

La réglementation, l'exploitation des régimes d'assurance-maladie et la prestation directe de services spécialisés relèvent des provinces. Les soins dans des établissements et les soins ambulatoires pour les tuberculeux et les malades mentaux sont dispensés par des organismes des ministères chargés de la santé. Les programmes provinciaux mettent de plus en plus l'accent sur les services de prévention. Des organismes publics mettent au point des programmes concernant des problèmes de santé particuliers comme le cancer, l'alcoolisme et la toxicomanie, les maladies vénériennes et l'hygiène dentaire, souvent en collaboration avec des associations bénévoles. Un certain nombre de programmes provinciaux visent également à répondre aux besoins de groupes particuliers comme les mères et les enfants, les vieillards, les nécessiteux et les personnes ayant besoin de réadaptation.

Pour ce qui concerne l'hygiène du milieu, les fonctions d'éducation, d'inspection et d'application des normes sont souvent partagées entre les ministères provinciaux de la Santé et d'autres organismes.

Le marathon de Montréal (Qué.).

Programmes fédéraux de bien-être social

Santé et Bien-être social Canada a pour but l'amélioration et le maintien d'un haut niveau de sécurité sociale au Canada. La responsabilité principale d'administrer les programmes fédéraux de bien-être social incombe à la Direction générale des programmes des services sociaux et à la Direction générale de la sécurité du revenu.

Direction générale des programmes des services sociaux

Cette direction générale administre des programmes grâce auxquels près de deux millions de Canadiens bénéficient de l'orientation et de l'aide financière du gouvernement fédéral. Cette aide est fournie sous deux volets: les programmes à frais partagés et les programmes de subventions.

Les programmes à frais partagés comprennent le Régime d'assistance publique du Canada en vertu duquel les gouvernements fédéral et provinciaux se partagent les frais des services d'assistance et de bien-être social, dont les services de garde de jour, de réadaptation et d'aide à domicile accordés aux personnes satisfaisant aux critères d'admissibilité. Grâce au Programme de réadaptation professionnelle des invalides, le gouvernement fédéral défraie les provinces d'une partie des coûts de la réadaptation professionnelle des handicapés physiques et mentaux. On estime à $1.9 milliard les sommes que le gouvernement fédéral a consacrées à ces deux programmes en 1979-80.

Les programmes de subventions visent à encourager la mise sur pied de projets conçus pour promouvoir des activités pilotes, de recherche et de prévention dans le domaine des services sociaux.

Le Programme des subventions nationales au bien-être social a pour objet de promouvoir des activités d'auto-assistance et des mesures positives en matière de services de bien-être social. Il subventionne chaque année des projets pilotes, des projets de recherches à court terme, des projets d'évaluation de programmes et des cours de formation en service social.

Le programme Nouveaux Horizons a pour objectif d'encourager des groupes de retraités à lancer des projets communautaires de leur choix et à y participer afin de surmonter tout sentiment d'isolement social. Il prévoit des subventions à des groupes de retraités.

Direction générale de la sécurité du revenu

Cette direction générale offre une vaste gamme de programmes publics de sécurité du revenu.

Le Régime de pensions du Canada. Le Régime de pensions du Canada est conçu pour fournir un niveau de protection contre les difficultés financières dues à la retraite, l'invalidité ou un décès. Les prestations sont attribuées selon les revenus du cotisant et les cotisations versées au Régime. Le Régime est financé par les cotisations et les intérêts des fonds investis. Il est accessible aux salariés et aux travailleurs autonomes au Canada, âgés de 18 à 70 ans, et les prestations sont augmentées une fois l'an en proportion de la hausse du coût de la vie.

Les articles faits à la main par des membres du Club de l'âge d'or sont très en vogue dans les ventes de charité.

Garderie de jour à Strathcona Sound, dans l'Île Baffin (T.N.-O.).

Sécurité de la vieillesse, supplément de revenu garanti et allocation au conjoint. La pension de sécurité de la vieillesse (SV) est payable à toute personne âgée de 65 ans ou plus qui a satisfait aux conditions de résidence. Un pensionné peut recevoir indéfiniment des versements à l'étranger s'il a résidé au Canada pendant 20 ans après l'âge de 18 ans; autrement, les versements ne durent que six mois après le mois de départ du Canada.

Le supplément de revenu garanti (SRG) peut s'ajouter à la pension de base de SV, selon les résultats d'un examen du revenu. Le supplément n'est payable que pour six mois à l'extérieur du Canada, en plus du mois de départ.

Le conjoint d'un pensionné peut avoir droit à une allocation au conjoint (AC) s'il a entre 60 et 65 ans et s'il satisfait aux conditions de résidence de la SV. Cette allocation, tout comme le SRG, est accordée d'après un examen du revenu.

La pension de SV et l'AC maximale sont rajustées à chaque trimestre selon l'indice des prix à la consommation. En janvier 1980, l'AC maximale était de $306.94; la pension mensuelle de SV, $182.42; le SRG mensuel maximal pour un pensionné célibataire ou un pensionné marié dont le conjoint ne recevait pas de pension de SV ou d'AC, $149.76; et pour un couple marié (tous deux pensionnés), le SRG mensuel maximal était de $124.52 chacun.

Allocations familiales et crédit d'impôt-enfant. Les allocations familiales (AF) sont versées tous les mois à l'égard des enfants de moins de 18 ans qui résident au Canada et qui sont sous la garde de parents ou de tuteurs, dont l'un au moins doit être citoyen canadien ou résident permanent du Canada en vertu de la Loi sur l'immigration. Dans le cas d'une personne admise au Canada en vertu de la Loi sur l'immigration à titre de visiteur ou de titulaire d'un permis, la période d'admission doit être d'au moins un an et pendant cette période le revenu de cette personne doit être assujetti à l'impôt canadien sur le revenu. En 1980, le taux fédéral des

allocations familiales est de $21.80 par mois. Les provinces peuvent modifier les taux des AF sous réserve de certaines conditions; c'est ce qu'ont fait le Québec et l'Alberta. De plus, le Québec a un régime qui complète celui du gouvernement fédéral.

Le programme fédéral du crédit d'impôt-enfant est entré en vigueur en janvier 1979. Son but est d'assurer aux familles à revenu faible ou moyen une assistance supplémentaire au titre des dépenses encourues pour élever des enfants. Cette prestation forfaitaire s'ajoute aux allocations familiales et elle est normalement payée à la mère. Le programme est administré par le système de l'impôt sur le revenu. Le crédit pour 1980 est de $218 pour chaque enfant admissible, payable aux familles ayant un revenu net égal ou inférieur à $19,620 en 1979. Il y a une réduction de 5% de ce montant dans le cas où le revenu familial est supérieur à ce niveau. Le crédit et les niveaux de revenu de base sont majorés annuellement selon l'indice des prix à la consommation.

Programmes provinciaux de bien-être

Toutes les provinces ont des programmes d'assistance sociale et de bien-être à l'intention des personnes admissibles. Les programmes d'assistance sociale peuvent être sous forme de prestations ou de services. Dans ce dernier cas, ils peuvent viser des articles particuliers ainsi que les frais d'établissements de soins spéciaux. Les services de bien-être peuvent comprendre des services d'aide domestique, de garde de jour, de développement communautaire, d'orientation, de réadaptation ainsi que des services de protection et d'adoption d'enfants.

Santé et bien-être et sécurité sociale sur le plan international

Le Canada participe à l'activité internationale en matière de santé, bien-être et sécurité sociale. Le ministère de la Santé nationale et du Bien-être social représente le Canada au Comité exécutif de l'UNICEF, à l'Organisation mondiale de la santé, à l'Organisation panaméricaine de la santé, à la Commission des stupéfiants de l'ONU, et aux conférences et colloques pertinents des Nations Unies. Il fait également partie de plusieurs organismes internationaux non gouvernementaux qui s'occupent de politique sociale. Au besoin, il conclut des accords bilatéraux en matière de santé et de sécurité sociale. Les ministères et organismes provinciaux participent également à l'activité dans ces domaines.

Recyclage du papier.

Environnement

Le ministère de l'Environnement

Le ministère de l'Environnement a officiellement pris forme en juin 1971. La création du ministère, aussi connu sous le nom abrégé d'Environnement Canada, avait pour but de regrouper les éléments du gouvernement fédéral qui travaillaient déjà dans les domaines de l'environnement et des ressources renouvelables. Environnement Canada a été formé des éléments des Pêches et des Forêts et des services suivants: le Service météorologique canadien du ministère des Transports; la Division de l'assainissement de l'air du ministère de la Santé nationale et du Bien-être social; la Division de l'ingénierie (salubrité publique) du ministère de la Santé nationale et du Bien-être social; le Secteur des eaux du ministère de l'Énergie, des Mines et des Ressources; l'Inventaire des terres du Canada du ministère de l'Expansion économique régionale; et le Service canadien de la faune du ministère des Affaires indiennes et du Nord.

En 1980, les Floralies, exposition horticole internationale, se sont tenues à Montréal. C'était la première fois dans leur 150 ans d'histoire qu'on les organisait à l'extérieur de l'Europe. →

En avril 1979, le ministère a été scindé en deux groupes distincts, à savoir le ministère des Pêches et des Océans et le nouveau ministère de l'Environnement. En juin 1979, Parcs Canada est sorti du ministère des Affaires indiennes et du Nord pour devenir partie intégrante d'Environnement Canada.

Le ministère de l'Environnement a pour principal objectif de préserver et d'améliorer la qualité de l'environnement au profit des générations actuelles et futures de Canadiens. De cet objectif découlent les buts précis suivants: protéger la santé et les biens de l'homme contre les substances nocives et les changements écologiques, qu'ils soient naturels ou artificiels; protéger la productivité des ressources, grâce à la conservation et à l'utilisation avisées des ressources renouvelables, en vue d'avantages socio-économiques continus; protéger la qualité de la vie, par le développement de la société en harmonie avec son environnement, afin qu'elle puisse jouir du milieu et de ses ressources; et protéger le patrimoine canadien, par la protection permanente des sites caractéristiques de l'héritage naturel et culturel du Canada et en encourageant la population à comprendre, à apprécier et à profiter de ce patrimoine tout en le préservant pour les générations

Les cicatrices laissées par l'abattage dans ces montagnes près de Revelstoke (C.-B.) seront reboisées, car les exploitants forestiers remplacent par de nouvelles pousses les arbres récoltés.

Grand Manan et son mouillage (N.-B.).

futures. Pour remplir cet objectif, il faut mettre en œuvre des mesures d'information et d'influence, de protection et de réglementation, de gestion et de conservation des ressources, de contrôle et de recherche scientifique.

Les gouvernements fédéral et provinciaux se partagent les responsabilités et les pouvoirs en matière d'environnement et de ressources, chaque niveau ayant compétence sur différents aspects de l'environnement. Les provinces sont directement responsables de la gestion de la majorité des aspects relatifs à l'environnement et aux ressources à l'intérieur de leurs limites. De son côté, le gouvernement fédéral s'occupe des questions qui relèvent clairement de son autorité, comme les territoires, les parcs nationaux et les océans, et des questions que les provinces ne peuvent traiter séparément de façon rapide et efficace, comme les services météorologiques. Étant donné que les processus environnementaux ne respectent pas les limites politiques et que la même activité humaine peut toucher les domaines de compétence fédérale et provinciale, les deux niveaux administratifs doivent inévitablement collaborer à la formulation et l'exécution de leurs politiques environnementales.

Outre cette mission nationale, le ministère s'occupe de questions internationales, de façon à protéger l'environnement et les ressources renouvelables du Canada, et contribue en même temps à la solution de problèmes mondiaux tels que les

Le glacier Kaskawulsh au Yukon. La beauté virginale du Nord confond le voyageur.

recherches sur les contaminants, les changements climatiques, le transport de polluants atmosphériques sur de longues distances et le développement des pays du tiers monde.

Le Conseil consultatif canadien des forêts fait rapport de son activité au ministre et fait des recommandations concernant les mesures à prendre dans les domaines de compétence fédérale en ce qui a trait aux ressources forestières renouvelables. Le Conseil consultatif canadien des pêches conseille le ministre, de l'extérieur du gouvernement, au sujet de la politique générale concernant les ressources halieutiques. Ces organismes consultatifs examinent les programmes, en évaluent les répercussions et assurent la liaison avec les organismes non gouvernementaux. On retrouve parmi leurs membres d'éminents Canadiens des milieux industriel, universitaire et scientifique. Le Conseil consultatif canadien des forêts comprend des représentants de plusieurs ministères provinciaux chargés des ressources naturelles, et le Conseil consultatif canadien des pêches, des représentants des pêcheurs commerciaux et sportifs.

Le parc national de Banff, en Alberta. ➞

L'automne en Saskatchewan.

L'hiver en Colombie-Britannique

Le printemps en Nouvelle-Écosse.

L'été en Ontario

Évaluations environnementales

Le processus fédéral d'évaluation et d'examen de l'environnement, établi en 1973 par décision du Cabinet, assure que les intérêts de l'environnement sont pris en compte dans la planification et la réalisation de projets qui sont formulés ou parrainés par les ministères ou organismes fédéraux, ou qui font appel à des crédits ou à des biens du gouvernement fédéral. Le processus s'applique à tous les ministères et organismes, sauf aux corporations de propriétaire de la Couronne et aux organismes de réglementation, qui sont néanmoins invités à s'y soumettre.

Le processus commence par un examen critique au moment de la conception d'un projet. Si l'on ne connaît pas les incidences du projet sur l'environnement ou si elles semblent être importantes, on procède à une analyse plus approfondie. A chaque stade, les projets peuvent être acceptés, modifiés ou rejetés. En fait, pour la plupart des projets, il n'y a pas lieu de poursuivre l'étude. Cependant, s'il semble y avoir des répercussions importantes sur l'environnement il est déféré au Bureau fédéral d'examen des évaluations environnementales pour examen public par une commission d'experts-conseil indépendante.

Le promoteur prépare un énoncé des incidences environnementales suivant les directives de la commission. Il y a des audiences publiques dans les collectivités voisines de l'emplacement du projet, au cours desquelles les intéressés peuvent présenter leurs points de vue. La commission présente ensuite au ministre de l'Environnement un rapport contenant des recommandations sur la réalisation du projet. C'est le ministre de l'Environnement et le ministre responsable du projet qui donnent suite aux recommandations.

Saint-Jean et son port (T.-N.).

Bateau senneur pêchant le saumon dans le détroit de Johnston, entre l'Île Vancouver et la terre ferme.

Pêches et Océans

Le ministère des Pêches et des Océans, créé officiellement en avril 1979, s'occupe d'une vaste gamme de programmes et de services liés aux ressources vivantes et à l'environnement aquatique des océans et des eaux intérieures.

Le rôle du ministère comprend la gestion globale des pêches maritimes du Canada et de certaines pêches intérieures, la recherche océanographique et halieutique qui contribue à la compréhension, la gestion et la meilleure utilisation des ressources aquatiques renouvelables; l'expansion des marchés pour les produits canadiens de la pêche et la négociation d'accords de pêche avec d'autres pays; les levés hydrographiques et la cartographie des eaux côtières et intérieures navigables; l'administration de quelque 2,300 ports pour petits bateaux dans tout le Canada et la coordination des politiques et programmes fédéraux relatifs aux océans.

Embarquement de la prise dans un chalutier à pêche arrière de la côte est.

Commission de la capitale nationale

La Commission de la capitale nationale est vouée au maintien d'une capitale qui constitue un symbole d'identité, un modèle d'unité et une source de fierté et d'inspiration pour tous les Canadiens, une capitale qui constitue un point de convergence national représentatif de nos valeurs et aspirations pour l'avenir.
Canada puissent être en harmonie avec son importance nationale». La Commission est formée d'un président et de 20 commissaires, qui viennent de tous les coins du

Le Bal de Neige à Ottawa, organisé sous les auspices de la CCN.

La vallée de la Gatineau, au Québec.

pays, ce qui assure que ses politiques et activités sont représentatives de toutes les régions du pays.

La Commission est chargée de l'acquisition, de l'aménagement et de l'entretien des terrains publics fédéraux dans la capitale du pays; elle collabore avec les municipalités à l'aménagement de projets pour le bénéfice des publics national et locaux et conseille le ministère des Travaux publics au sujet de l'emplacement et de l'aspect extérieur de tous les édifices fédéraux dans la région de la capitale nationale. La CCN fait rapport au Parlement par l'intermédiaire du ministre des Travaux publics.

La CCN gère le parc de la Gatineau, le plus important espace de loisirs de plein air et de conservation dans la région de la capitale. En outre, elle parraine toute une série d'activités publiques sur de vastes superficies de parcs, notamment des pistes cyclables, des parcelles de jardinage, des centres de ski de fond et de ski alpin et des terrains de golf; c'est la CCN qui s'occupe des tulipes et des massifs floraux du printemps pour lesquels la région est à juste titre célèbre. La promotion des activités hivernales a pris une importance particulière avec l'utilisation de la surface glacée de 10 km du canal Rideau, qui constitue la plus longue patinoire extérieure du monde, pour le Bal de Neige, qui présente des sculptures sur glace, des courses de chevaux sur le canal, des parades et d'autres activités destinées à aider les résidents et les visiteurs à jouir du long hiver canadien.

La Commission de la capitale nationale est vouée au maintien d'une capitale qui constitue un symbole d'identité, un modèle d'unité et une source de fierté et d'inspiration pour tous les Canadiens, une capitale qui constitue un point de convergence national représentatif de nos valeurs et de nos aspirations pour l'avenir.

Exploitation agricole près de Victoria (Î.-P.-É.).

Agriculture

Agriculture Canada exerce des fonctions intéressant tous les Canadiens, de l'exploitant agricole au consommateur. L'activité du ministère et des organismes connexes est régie par 43 lois du Parlement.

Organisation

Huit directions forment le ministère (selon sa structure de 1980). La Direction des politiques, de la planification et de l'économie conseille la haute administration sur l'élaboration des politiques et programmes et sur l'établissement des plans et priorités dans tous les secteurs pertinents d'activité. La Direction de la production et de l'inspection des aliments a charge de toutes les opérations du ministère concernant la production et la réglementation, y compris l'inspection, le classement et les services vétérinaires. Les efforts de la Direction des marchés agro-alimentaires visent à améliorer l'efficacité du marketing de l'industrie agricole du Canada et à accroître les exportations et la consommation intérieure de produits agricoles canadiens. La Direction de la recherche, qui compte 47 établissements à travers le pays, exécute des programmes tendant à résoudre les problèmes de production, de protection et d'utilisation des cultures et des animaux. Les Services d'information appliquent de nombreux programmes pour communiquer aux agriculteurs de nouvelles connaissances découlant de la recherche agronomique et pour tenir l'industrie agro-alimentaire et le public en général au courant des politiques, programmes et travaux du ministère. La Direction des affaires intergouvernementales et internationales s'occupe de coordonner les engagements nationaux et internationaux du ministère concernant le système agro-alimentaire. Elle assure en outre la liaison avec les organismes agricoles provinciaux et internationaux, ainsi qu'avec les organisations non gouvernementales. Deux autres directions, Affaires financières et administratives et Administration du personnel, complètent le ministère.

Organismes connexes. Le ministre de l'Agriculture est comptable au Parlement pour le ministère et sept organismes connexes. L'Office de stabilisation des prix agricoles vient en aide aux agriculteurs en fixant des prix de soutien de certains produits alimentaires. L'Office des produits agricoles achète, vend ou importe des produits agricoles afin de maintenir un équilibre satisfaisant des stocks d'aliments au pays. La Commission canadienne du lait soutient les prix sur le marché des principaux produits laitiers de transformation. La Commission canadienne des grains délivre des permis aux exploitants de silos, recommande des catégories de classification pour les grains canadiens, inspecte et pèse les grains, et exploite un laboratoire de recherche sur les céréales et les oléagineux. L'Office canadien des provendes assure des approvisionnements suffisants en céréales fourragères à des

Vignes de la région du Niagara, en Ontario.

prix stables. La Société du crédit agricole accorde des prêts aux agriculteurs et aux syndicats agricoles. Le Conseil national de commercialisation des produits agricoles surveille la création et l'activité des offices nationaux de commercialisation.

Programmes et politiques

Une importante stratégie fédérale d'aide au développement de l'horticulture canadienne était annoncée au début de 1980. Son objectif consiste à aider cette industrie à élargir ses marchés d'exportation et à remplacer autant que possible les fruits et légumes importés par des produits cultivés au Canada. La moitié environ des importations totales du Canada en fruits et légumes pourrait être remplacée par des produits canadiens. Le rôle du gouvernement dans la stratégie de développement de l'horticulture est d'améliorer l'infrastructure qui lie les divers maillons de la chaîne alimentaire horticole, depuis la recherche jusqu'à la production et la mise en marché.

Une série d'initiatives fédérales visant à aider les producteurs canadiens de pommes de terre a aussi été annoncée en 1980. Elle comprenait un programme d'amélioration de la qualité des pommes de terre de semence; un fonds pour aider les groupes de producteurs à se doter d'entrepôts neufs ou améliorés; un nouveau

Culture du chou en Nouvelle-Écosse.

Culture de la pomme de terre dans l'Île-du-Prince-Édouard. La pomme de terre est le plus important légume cultivé au Canada, et les provinces Maritimes sont reconnues comme principale région productrice de cette denrée.

régime d'assurance pour protéger les producteurs contre les risques financiers liés à la culture, l'entreposage et la commercialisation des pommes de terre de semence; de nouvelles recherches fédérales pour en améliorer la production et enrayer la maladie; enfin, un programme d'expansion du marché des pommes de terre de semence.

La campagne anti-salmonelle s'est intensifiée en 1979-80 gràce à la création d'un groupe spécial chargé de conseiller le gouvernement sur les moyens pratiques de réduire l'incidence de cette infection de la volaille. Le groupe de coordination de la lutte contre les salmonelloses fonctionne à l'intérieur de la Direction de la production et de l'inspection des aliments, mais se tient en étroite relation avec les fonctionnaires de la Santé nationale et du Bien-être social. Il doit formuler des recommandations conformes à l'objectif gouvernemental de réduire le taux de salmonella, bactéries dont la présence cause un problème à l'échelle mondiale.

Agriculture Canada a imposé des mesures plus rigoureuses de sécurité dans les aéroports afin de prévenir l'apparition au Canada de la peste porcine, maladie mortelle du porc contre laquelle il n'existe pas de traitement ou de vaccin connu. Originaire d'Afrique, cette maladie s'est répandue dans la région méditerranéenne et, plus récemment, dans plusieurs pays de l'Afrique du sud et les Caraibes. Étant donné que l'agent patogène peut être transporté dans la viande de porc, les importations de produits du porc en provenance des pays touchés sont interdites. En outre, des mesures d'urgence sont prévues pour enrayer cette maladie au cas où elle apparaîtrait au Canada.

L'Office canadien de commercialisation de la volaille, établi en 1979, est le troisième organisme créé jusqu'ici en vertu de la Loi fédérale sur les offices de commercialisation des produits de ferme. Ses devanciers sont l'Office canadien de commercialisation des œufs et l'Office canadien de commercialisation du dindon. Les premières tâches du plus récent office consistaient à établir des niveaux cibles

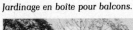

Jardinage en boîte pour balcons.

L'agriculture en Saskatchewan.

de production de la volaille et à concevoir une formule de coût de production pour guider les pratiques de fixation des prix des organismes provinciaux de commercialisation de la volaille.

En 1978-79, les prix de diverses denrées agricoles ont été soutenus au moyen de paiements d'appoint aux producteurs. Ces paiements ont été versés à l'égard des oignons jaunes de semence au Québec, en Ontario et au Manitoba; des haricots blancs; de la betterave à sucre; des oignons au Québec et en Ontario; des pommes McIntosh au Québec, du blé d'hiver dans l'Est canadien; et de l'orge et de l'avoine cultivées à l'extérieur du territoire relevant de la Commission canadienne du blé.

La chaleur perdue dans les centrales thermoélectriques ou nucléaires, les raffineries de pétrole et les usines chimiques pourrait devenir un important moyen de chauffage des serres. Une étude défrayée par Agriculture Canada a identifié 82 sources canadiennes de chaleur perdue capables de chauffer 1 100 hectares de cultures en serres, dont les tomates et les concombres. Pareilles cultures pourraient remplacer les importations d'hiver et rendre le Canada plus autosuffisant en produits horticoles.

Le président des États-Unis, Ronald Reagan, et le premier ministre Pierre Trudeau à la signature par le secrétaire d'État américain, Alexander Haig, et le secrétaire d'État aux affaires extérieures, Mark MacGuigan, de la reconduction du traité canado-américain NORAD.

Affaires extérieures

Le ministère des Affaires extérieures a trois grandes fonctions: 1) conseiller le gouvernement sur les questions de politique étrangère, coordonner la mise en application de ses décisions, représenter le Canada dans d'autres pays et au sein des organismes internationaux et négocier des accords internationaux; 2) fournir une aide aux Canadiens voyageant ou résidant à l'étranger; 3) promouvoir le Canada et ses intérêts à l'étranger.

L'administration centrale du ministère se trouve à Ottawa. En 1980, le Canada comptait 117 missions diplomatiques et consulaires dans 76 pays; nombre de ces missions sont accréditées auprès de deux ou de plusieurs gouvernements, ce qui permet au Canada de maintenir des relations diplomatiques avec 81 autres pays. On compte 94 pays ayant des missions diplomatiques à Ottawa, et 43 autres États représentés selon le système de l'accréditation multiple.

Une mission diplomatique du Canada dans un pays du Commonwealth est appelée Haut-commissariat et est dirigée par un haut-commissaire, alors qu'une mission diplomatique dans un pays non membre du Commonwealth s'appelle ambassade et est dirigée par un ambassadeur ou un chargé d'affaires. Des consulats sont également établis dans une ou plusieurs villes des pays avec lesquels le Canada entretient d'importantes relations commerciales ou dans lesquels il a de vastes responsabilités consulaires; ces missions sont dirigées par des consuls ou des consuls généraux.

Le Canada entretient également des missions auprès de certains organismes internationaux, dont l'Organisation des Nations Unies (ONU) à New York et à Genève; les Communautés européennes (CE) et l'Organisation du traité de l'Atlantique Nord (OTAN) à Bruxelles; l'Organisation de coopération et de développement économiques (OCDE) et l'Organisation des Nations Unies pour l'éducation, la science et la culture (UNESCO) à Paris, ainsi que l'Organisation des États américains (OEA) à Washington.

Politique étrangère

La revue de politique étrangère de 1970 identifiait six grands objectifs nationaux à poursuivre au pays et à l'étranger: stimuler la croissance économique; préserver la souveraineté et l'indépendance du Canada; travailler à la paix et à la sécurité; promouvoir la justice sociale; enrichir la qualité de la vie; et maintenir l'harmonie du milieu naturel. La revue annuelle du ministère des Affaires extérieures (que l'on peut obtenir gratuitement en écrivant au ministère des Affaires extérieures, Édifice Pearson, Ottawa, K1A 0W6) précise les objectifs particuliers et les réalisations de la politique étrangère du Canada dans chaque pays et région ainsi que dans le domaine du droit international, de la maîtrise des armements et du désarmement, de l'énergie et de l'économie internationale.

Services aux Canadiens

Assistance consulaire. L'une des principales fonctions des ambassades et autres missions du Canada est de répondre aux demandes d'aide du voyageur ou du résident canadien à l'étranger. Annuellement, le personnel consulaire s'occupe de près de 600,000 cas qui comprennent aussi bien la délivrance d'un passeport (environ 45,000) que des services spéciaux liés au décès (plus de 400), à l'hospitalisation (plus de 600), à des difficultés financières (de 2,000 à 3,000) et à l'incarcération pour possession de drogues ou autres délits (rarement moins de 1,000).

Passeports. De 700,000 à 750,000 passeports sont délivrés chaque année par le ministère des Affaires extérieures. Au Canada, la délivrance des passeports, des certificats d'identité et des titres de voyage émis en vertu de la Convention des Nations Unies sur les réfugiés s'effectue par le biais des bureaux régionaux des passeports établis à Calgary, Edmonton, Halifax, Hamilton, Montréal, Québec, Saint-Jean, Saskatoon, Toronto, Vancouver et Winnipeg, ainsi qu'au Bureau central des passeports à Ottawa.

Aide juridique à l'étranger. Le Bureau des affaires juridiques du ministère s'occupe des demandes d'aide de citoyens canadiens désirant présenter des réclamations contre, ou concernant, des gouvernements étrangers. Dans le domaine du droit international privé, le Bureau offre divers services visant à faciliter les recours juridiques mettant en cause les juridictions canadiennes et étrangères sur la base de conventions ou de procédures convenues.

Agence canadienne de développement international (ACDI)

L'Agence canadienne de développement international est l'organisme d'État qui administre le programme canadien de coopération avec les pays en développement. Le Canada fournit de l'aide à plus de 80 pays, et dans l'année financière 1979-80 cette assistance a totalisé $1.23 milliard. L'assistance au développement a pour objectifs d'aider les pays du tiers monde à répondre aux besoins essentiels de leurs populations les plus pauvres; de soutenir les efforts déployés par ces pays pour devenir autosuffisants; et de faire en sorte que les intérêts mutuels du Canada et des pays bénéficiaires soient respectés.

Jeune fille de Sri Lanka nouant du bétel; cette plante sert à tresser des paniers. Le Canada est un des pays qui coopèrent avec la république de Sri Lanka pour en améliorer l'agriculture.

La majeure partie de la contribution canadienne est versée sous forme d'aide bilatérale. En 1979-80 cette aide s'est élevée à \$598.79 millions, dans le cadre d'ententes entre le Canada et les gouvernements bénéficiaires pour le financement de projets de mise en valeur. Plus de la moitié est octroyée sous forme de subventions; le reste est prêté à des conditions très libérales. Les pays en développement utilisent les prêts pour acheter des matériaux, de l'équipement ou des services aux fins de leur industrie et de leur agriculture, ou pour accéder au marché canadien d'exportation grâce à des lignes de crédit. Outre l'assistance économique, des subventions bilatérales s'appliquent à des domaines tels que l'aide alimentaire (\$81.8 millions en 1979-80) et l'assistance technique, qui couvre les frais de mission des conseillers canadiens outre-mer et la formation au Canada des stagiaires venus du tiers monde. L'Asie demeure le principal bénéficiaire de l'aide bilatérale (\$238 millions en 1979-80), suivie de l'Afrique francophone (\$147 millions), l'Afrique du Commonwealth (\$138 millions), l'Amérique latine (\$35 millions) et des Caraïbes (\$30 millions).

Le deuxième type d'assistance aux pays en développement est l'aide multilatérale (\$499.92 millions en 1979-80), en vertu de laquelle le Canada et d'autres pays donateurs fournissent des fonds à des institutions internationales qui secourent le tiers monde. Le Canada appuie quelque 65 programmes en tout. Environ 56% de l'aide multilatérale canadienne est fournie sous forme de prêts et d'engagements de capitaux auprès d'institutions financières internationales – groupe de la Banque mondiale et banques régionales de développement de l'Asie, de l'Afrique, de l'Amérique latine et des Caraïbes. De plus, le Canada subventionne les divers programmes des organismes de l'ONU, ainsi que les institutions internationales de recherche en matière de développement. De l'aide alimentaire est aussi fournie par des moyens multilatéraux ($97.8 millions), surtout au titre du Programme alimentaire mondial.

Sous le régime du troisième type d'aide au développement, l'ACDI pratique des formes souples d'assistance au tiers monde par l'intermédiaire d'organisations internationales non gouvernementales (ONG) ainsi que par le biais des entreprises canadiennes. Cet appui de l'ACDI aux ONG revêt la forme de subventions qui peuvent doubler les fonds rassemblés par les ONG mêmes et accroître ainsi le champ des activités. L'ACDI met l'accent sur le soutien des efforts vers l'autarcie, surtout par le développement rural, l'éducation, la formation et la santé publique. Les contributions aux travaux dans ces domaines représentent le plus clair du soutien de l'ACDI aux ONG, mais une somme importante ($16.5 millions en 1979-80) sert à aider les organismes qui envoient des coopérants (comme le Service universitaire canadien outre-mer), ou qui exécutent des programmes d'échange (Carrefour canadien international). Au total l'ACDI a fourni $59.5 millions en 1979-80 à l'appui de 195 ONG canadiennes travaillant sur 2,304 projets dans 103 pays. Elle a aussi versé $7.2 millions à des ONG internationales dont les efforts portent avant tout sur le développement communautaire, la formation des gestionnaires et la création d'institutions et leur soutien.

Enfin, le programme de coopération industrielle ($3.9 millions en 1979-80) encourage les firmes canadiennes à ouvrir des établissements dans les pays en développement ou à agrandir ceux qu'elles y exploitent déjà, et à y essayer des techniques canadiennes. Ce programme aide aussi les sociétés canadiennes à s'assurer une part plus équitable des activités de mise en valeur financées multilatéralement. En outre, les pays en développement reçoivent de l'assistance pour créer un milieu propice à l'industrialisation. L'ACDI soutient également le Service administratif canadien outre-mer (SACO) au moyen de son programme de coopération industrielle ($1.8 million en 1979-80). Le SACO envoie des coopérants (souvent des personnes à la retraite), qui possèdent des compétences techniques, professionnelles ou administratives, pour résoudre des problèmes immédiats dans le tiers monde.

Le Service administratif canadien outre-mer (SACO)

Le SACO est une société canadienne sans but lucratif, fondée en 1967 par des hommes d'affaires et des membres de professions libérales, avec l'appui de l'ACDI. Un conseil d'administration oriente sa politique.

Le SACO vise à mettre à profit la compétence de Canadiens et Canadiennes pour: 1) organiser des échanges de technologie et de personnel qualifié avec des organismes gouvernementaux, industriels et autres de pays en développement; 2) faciliter la réalisation de projets dans ces pays, avec la collaboration de l'industrie et du gouvernement canadiens.

Les activités du SACO se répartissent en trois volets: 1) Le programme outre-mer qui répond aux demandes des pays en développement désireux d'obtenir de l'aide en gestion économique ou financière, ou des conseils techniques et professionnels dans

Un représentant du SACO donne des conseils techniques et de programmation pour l'organisation d'une station de télévision en Équateur.

divers secteurs: agriculture, communications, enseignement, pêche, exploitation forestière, industrie manufacturière, mines, imprimerie, pâtes et papiers, lutte contre la pollution, reboisement et tourisme, entre autres. 2) Le programme d'aide aux autochtones du Canada, qui embrasse tout le pays, répond aux requêtes des bandes indiennes. Celles-ci peuvent demander l'aide du SACO pour établir des commerces rentables, tels que magasins et garages, ou des entreprises dans divers secteurs comme le tourisme, l'exploitation forestière et la pêche. 3) Le programme pour l'industrie et le commerce se compose des «entreprises en coparticipation» et de la «facilité du commerce» avec les pays en voie de développement. De plus en plus des sociétés des pays en développement proposent à l'ACDI la création d'entreprises en coparticipation avec l'industrie canadienne. Le programme pour l'industrie et le commerce est parallèle au programme outre-mer. Les coopérants du SACO aident à développer, dans les pays du tiers monde, des entreprises capables de fabriquer des produits de qualité.

Service universitaire canadien outre-mer (SUCO)

Depuis 1961, le SUCO a envoyé plus de 6,000 coopérants de tous âges et de toutes professions pour combler des pénuries temporaires de main-d'œuvre dans les pays en développement.

Les pays ou organismes bénéficiaires aident à payer le salaire du coopérant aux taux locaux. Le SUCO, organisation indépendante à but non lucratif, assume les frais médicaux, d'assurance, d'orientation et de voyage. La durée des contrats est généralement de deux ans.

Le SUCO s'occupe également du financement d'un petit nombre de projets d'auto-développement outre-mer et de l'éducation du public au Canada. Ses fonds proviennent en grande partie de l'ACDI; le reste est fourni par des particuliers, corporations, fondations, groupes communautaires et gouvernements provinciaux.

Dans le Ghana septentrional, une infirmière du SUCO utilise des graphiques pour expliquer à la population locale la propagation de certaines maladies par l'eau.

Centre de recherches pour le développement international (CRDI)

Le CRDI a été institué en 1970 par une loi du Parlement en réponse au besoin d'un organisme pouvant faire preuve de plus de souplesse qu'un ministère dans le domaine de l'aide financière à la recherche sur les problèmes des pays en développement. Il a pour mission de favoriser le développement économique et social de ces pays, en particulier l'amélioration des conditions d'existence de la population rurale, par le moyen de recherches visant à adapter les connaissances scientifiques et techniques à des besoins précis.

Les travaux de recherche sont presque entièrement conçus et réalisés par des scientifiques et des technologues des pays et des régions intéressés, en fonction de leurs propres priorités. Le Centre raffine les propositions de recherche, recommande les projets à subventionner, suit de près leur déroulement et diffuse les résultats obtenus.

Les critères d'évaluation des propositions de recherche sont les priorités des pays en développement, les possibilités d'application des résultats dans d'autres pays, la réduction des inégalités dans les niveaux de vie, le plein emploi des ressources et de la main-d'œuvre locales, et la contribution à la formation et à l'expérience des chercheurs autochtones.

L'accent est mis particulièrement sur les secteurs suivants: agriculture, alimentation et nutrition, communications, santé, information et sciences sociales.

Le CRDI est financé entièrement par le gouvernement du Canada, mais ses politiques sont établies par un conseil d'administration international. Le président, le vice-président et neuf des 21 gouverneurs administrateurs doivent être citoyens canadiens. Les 10 autres membres viennent habituellement de l'étranger, notamment de pays en développement. Le siège social est situé à Ottawa, et il existe des bureaux régionaux en Afrique, en Asie, en Amérique latine et au Moyen-Orient.

Défense nationale

La politique de défense du Canada vise à assurer le maintien de la sécurité et de l'indépendance du pays. A cette fin, les Forces canadiennes sont liées par des accords de sécurité et de défense collectives avec les alliés du Canada dans le cadre de l'Organisation du Traité de l'Atlantique Nord (OTAN) et avec les États-Unis en vertu de l'accord du Commandement de la défense aérienne de l'Amérique du Nord (NORAD). Elles assument diverses missions de maintien de la paix et d'observation pour le compte des Nations Unies et veillent au maintien de l'aptitude du Canada à fonctionner à titre d'État souverain sur son propre territoire et dans les eaux territoriales qui relèvent de sa compétence.

Comme le principal danger qui menace le Canada sur le plan militaire est l'éventualité, si peu probable soit-elle, d'un échange nucléaire entre les États-Unis et l'Union soviétique, la politique canadienne vise entre autres à prévenir une telle situation par une activité surtout en Europe et en Amérique du Nord.

La contribution principale du Canada en Europe est la présence de plus de 5,000 militaires des forces terrestres et aériennes sous la direction du Commandement allié en Europe. Ce contingent se compose du Groupe-brigade mécanisé canadien,

Hélicoptère des Forces canadiennes prêt à atterrir sur le HMCS Ottawa lors de récents exercices au large d'Halifax (N.-É.).

A la fin de sa formation, un cuisinier des Forces canadiennes est très respecté. Les diplômés du cours d'art culinaire subissent un examen supplémentaire pour obtenir un certificat qui leur permet d'exercer dans n'importe quelle province.

qui compte environ 3,000 hommes, et du Premier Groupe aérien canadien, qui comprend trois escadrons de chasseurs CF-104 et des avions d'appui tactique, ainsi que du personnel de soutien.

L'un des trois groupements terrestres de combat du Canada est chargé d'appuyer, au besoin, les forces de dissuasion de l'OTAN en Norvège. Le groupement peut être transporté par air ou par mer. Le Canada maintient aussi deux escadrons de CF-5 en vue d'un appui rapproché sur le flanc nord de l'OTAN. Ces appareils, ravitaillés en vol, peuvent être dépêchés rapidement en cas de crise. La collaboration avec les forces des États-Unis, en vertu d'une nouvelle entente NORAD signée en 1975 et qui sera en vigueur jusqu'en 1980, est le principal instrument de défense en Amérique du Nord. Le Canada offre actuellement les services de trois escadrons d'intercepteurs CF-101, 24 radars de surveillance, deux stations de repérage des satellites, et il participe à l'exploitation du réseau de pré-alerte. Ces activités mobilisent un effectif de 10,500 personnes.

Les forces maritimes canadiennes collaborent également avec les forces américaines pour déceler et surveiller toute opération maritime qui pourrait s'avérer hostile au large des côtes de l'Atlantique et du Pacifique. Elles comptent actuellement 23 destroyers, trois sous-marins, trois navires ravitailleurs, trois escadrons opérationnels d'avions patrouilleurs anti-sous-marins à grande autono-

Les Snowbirds, équipe de démonstration aérienne des Forces canadiennes, organisée en 1971.

mie et un certain nombre d'avions patrouilleurs à rayon d'action plus court et d'hélicoptères anti-sous-marins. En cas d'urgence, toutes les forces maritimes du Canada peuvent être affectées à l'OTAN.

Afin d'aider les Nations Unies à faire cesser les hostilités par le maintien de la paix et l'observation de la trève, le Canada maintient environ 250 militaires au monts Golan entre la Syrie et Israël, plus de 500 à Chypre, et une vingtaine d'officiers affectés à l'organisation de surveillance de la trève dirigée par les Nations Unies au Moyen-Orient.

Pour protéger la souveraineté du Canada, les Forces armées canadiennes exercent deux grandes fonctions. Elles doivent d'abord prévenir toute atteinte qui pourrait être portée au droit du Canada d'exercer son autorité sur son territoire et ses eaux territoriales. Depuis que la zone de pêche a été établie à 200 milles, la surface en eau qui relève de la compétence du Canada constitue près de la moitié de la surface terrestre du pays, et il a fallu accroître la surveillance et l'inspection des navires de pêche et d'autres activités civiles, notamment la lutte contre la pollution. Deuxièmement, s'il devait survenir des troubles graves d'ordre public, les forces pourraient être appelées à la rescousse des autorités civiles. Aucun groupe des Forces armées n'est expressément chargé de cette fonction, mais des militaires normalement affectés à d'autres tâches peuvent fournir une telle aide.

Les Forces armées constituent également une source de compétences et de moyens auxquels le pays peut faire appel dans des domaines comme la recherche et le sauvetage, l'aide et le secours en cas de désastre, la construction, et la cartographie et les levés.

Facteurs de conversion usuels des unités métriques SI en unités impériales canadiennes

Longueur

1 mm	=	0.03937 po
1 cm	=	0.3937 po
1 m	=	3.28084 pi
1 km	=	0.62137 mi

Superficie

1 km²	=	0.3861 mi²
1 ha	=	2.47105 acres
1 m²	=	0.000247 acre

Masse (poids)

1 kg	=	2.204622 lb
1 kg	=	0.0011023 tonne (courte)
1 kg	=	0.000984 tonne (forte)
1 kg	=	32.1507 onces troy
1 g	=	0.0321507 once troy
1 t	=	1.102311 tonne (courte)
1 t	=	0.9842065 tonne (forte)

Volume et capacité

1 m³	=	220 gal
1 m³	=	35.31466 pi³
1 m³	=	423.78 pieds planche
1 dm³	=	0.423776 pied planche
1 m³	=	6.28982 barils
1 litre	=	0.219969 gal
1 dm³	=	0.027496 boisseau
1 m³	=	27.4962 boisseaux

Masse en unités métriques SI et capacité correspondante en unités impériales canadiennes pour certaines grandes cultures:

Blé, soya, pommes de terre, pois.	1 t = 36.74 boisseaux
Seigle, lin, maïs.	1 t = 39.37 boisseaux
Colza, graines de moutarde.	1 t = 44.09 boisseaux
Orge, sarrasin	1 t = 45.93 boisseaux
Céréales mixtes	1 t = 48.99 boisseaux
Avoine.	1 t = 64.84 boisseaux
Graines de tournesol	1 t = 91.86 boisseaux

Température

9/5 de la température en °C + 32 = température en °F

Remerciements

Les collaborateurs

J. Lewis Robinson (*Géographie régionale*), professeur de géographie régionale à l'Université de Colombie-Britannique. B.A. de l'Université Western Ontario, 1940; M.A. Syracuse (N.Y.), 1942; Ph.D. de l'Université Clark, à Worcester (Massachusetts), 1946. Auteur de neufs volumes, dont *The Geography of Canada* (Toronto, 1950); *The Canadian Arctic* (Ottawa, 1952); *Resources of the Canadian Shield* (Toronto, 1969); (en collaboration avec George Tomkins) *The Gage World Atlas: A Canadian Perspective* (Toronto, 1972); et divers chapitres de livres et articles.

Charles A. Barrett (*Performance économique du Canada, 1979-80*), directeur de l'Analyse générale de l'économie et de la recherche en commercialisation pour le Conference Board au Canada. B. A. Toronto, 1970; M.Sc. en économie, 1971; Ph.D. en économie, 1975, London. Chargé du programme d'analyse économique courante du Board; de la recherche en économie et en commercialisation, ainsi que du contenu des conférences, colloques et ateliers du Board dans le domaine de l'économie et de la commercialisation. Auteur de plusieurs études et articles.

J.L. Granatstein (*Histoire*), professeur d'histoire à l'Université York. B.A. Royal Military College, 1961; M.A. Toronto, 1962; Ph.D. Duke University, 1966. Auteur de *The Politics of Survival: The Conservative Party of Canada 1939-45* (Toronto, 1967); en collaboration avec R.D. Cuff, de *Canadian-American Relations in Wartime* (Toronto, 1975, 1977); de *Canada's War: The Politics of the Mackenzie King Government 1939-45* (Toronto, 1975); en collaboration avec J.M. Hitsman, de *Broken Promises: A History of Conscription in Canada* (Toronto, 1977); et d'autres livres et articles.

Gordon McKay (*Le climat*), directeur de la Direction des applications météorologiques au ministère de l'Environnement du Canada. B.Sc. Manitoba, 1943; M.Sc. McGill, 1953. Cet article est une version abrégée de «Climatic Resources and Economic Activity» qui paraît dans *Canada's Natural Environment: essays in applied geography*, réalisé par G.R. McBoyle et E. Sommerville (Methuen Publications, Toronto, 1976).

Provenance des photographies selon le numéro de page

Couverture. Malak
Frontispice. Deryk Bodington
  3. Malak
  4. Michael Saunders
  5. Deryk Bodington
  6. George Hunter
  7. E. Otto/Miller Services
  9. Malak
 11. George Hunter
 12. Louis Collis
 13. Jim Merrithew
 15. Mike Beedell (2)
 17. Dunkin Bancroft/Photothèque
 19. George Hunter
 21. Malak
 23. J.E. Lozanski
 24. J.E. Lozanski
 25. George Hunter
 27. Murdoch Maclean
 28. Mike Beedell
 29. (1)Ted Grant/Photothèque; (2) Malak; (3) Malak
 33. Malak
 35. Jim Merrithew
 37. Malak
 38. Murdoch Maclean
 43. Dunkin Bancroft/Photothèque
 45. George Hunter
 46. Malak
 47. (1) Sig Bradshaw; (2) Malak; (3) Mike Beedell
 49. Fred Bruemmer
 50. Mike Beedell
 51. Fred Bruemmer
 53. George Hunter
 57. Malak
 58. Audrey Giles/Photo Source
 59. Jim Merrithew
60-61. (1), (2) Malak; (3) Bodington; (4) Murdoch Maclean; (5) Malak
 62. Young People's Theatre
 63. Festival Lennoxville
 64. Groupe Nouvelle Aire
 65. Theatre Calgary
 66. Les Grands Ballets Canadiens
 67. The Anna Wyman Dance Theatre
 68. Photo Features Ltd./Centre national des Arts
 70. Malak
 71. Musée national des sciences naturelles
 72. Musée national de l'homme
 73. Musée national des sciences et de la technologie
 75. Malak
 77. Malak

79. Gilles Benoit/Photothèque
80. Barbara Johnstone
81. Sig Bradshaw
82. Les photographes Ellefsen Ltée
83. Sig Bradshaw
84. Newfoundland Department of Education
85. Fred Bruemmer
86. Alberta Education
87. Island Information Service
89. George Hunter
90. Deryk Bodington
92. Gerry Cairns/*Winnipeg Free Press*
93. *Vancouver Sun*
95. Ontario Hydro
97. Conseil national de recherches
98. Conseil national de recherches
100. Deryk Bodington
101. Deryk Bodington
102. O.J. Dell/Photo Source
103. Malak
104. George Hunter
105. Ontario Hydro
107. Richard Harrington
108. Environnement Canada
109. Malak
110. Fred Bruemmer
113. Ministère de l'Énergie, des Mines et des Ressources
114. Fred Bruemmer
115. Fred Bruemmer
116. Ministère des Communications
118. Ministère des Communications
121. Jim Merrithew
123. British Columbia Telephone Company (2)
124. *Vancouver Sun*
125. Société Radio-Canada
126. Société Radio-Canada
127. Postes Canada
128. Alec Burns/Photo Source
129. Richard Harrington
130. Michael Saunders
131. Malak
132. Murdoch Maclean (haut); Mike Beedell (bas)
133. Jim Merrithew
134. George Hunter
135. Mike Beedell
136. George S. Zimbel
137. George Hunter
139. Mike Beedell
140. George Hunter
141. Malak
142. George Hunter/Photothèque
143. Miller Services

146. George Hunter
147. George Hunter
149. Malak
150. Deryk Bodington
151. Malak
152. Malak
154. Malak
155. Malak
156. Deryk Bodington
157. Deryk Bodington
158. George Hunter/Photothèque
160. Deryk Bodington
161. Malak (3)
162. George S. Zimbel
163. Malak
164. Bryce Flynn/Photothèque
165. Les photographes Ellefsen Ltée
166. Reed Paper Ltd.
167. Miller Services
168. Les photographes Ellefsen Ltée
169. Richard Harrington (2)
170. George Hunter (haut); Malak (bas)
171. *Vancouver Sun*
172. Southam Murray Printing/Consumers' Gas
173. Sulpetro Ltd.
175. Malak
177. Malak
178. George Hunter
179. Petro-Canada
180. Deryk Bodington
181. Les photographes Ellefsen Ltée
182. Michael Saunders
183. George Hunter/Photothèque
184. Miller Services
186. Les photographes Ellefsen Ltée
189. Sig Bradshaw
190. Miller Services
192. George Hunter
193. George Hunter
194. George Hunter
195. Deryk Bodington
196. Hawker Siddeley Canada Inc.
197. David Portigal/Indal Ltd.
200. Gulf Canada Ltd.
202. (1), (2) George Hunter/Photothèque
203. (3), (4) George Hunter/Photothèque; (5) Harold Clark/Photothèque
204. George Hunter/Photothèque
205. George Hunter
207. Canadian General Electric Co. Ltd.
209. The Steppac Group Inc./Ivaco Ltd.
210. George Hunter/Sherritt Gordon Mines Ltd.
211. Indal Ltd.

212. Malak
213. Malak
215. Malak
216. Daon Development Corp.
217. Bryce Flynn/Photothèque
219. George S. Zimbel
220. Charlie King/Photothèque
223. David Watson/Photothèque
225. George Hunter
226. Canadian General Electric Co. Ltd.
228. George S. Zimbel
229. George Hunter
230. George Hunter
231. Deryk Bodington
232. George Hunter
233. George Hunter
234. Fred Bruemmer
238. George Hunter
239. Malak
240. Audrey Giles/Photo Source (haut); Jim Merrithew (bas)
241. George Hunter
242. Murdoch Maclean
243. Ted Grant/Photothèque
245. George Hunter
246. Sig Bradshaw
247. George Hunter/Sherritt Gordon Mines Ltd.
248. George Hunter
249. George Hunter
252. Miller Services (haut); George S. Zimbel (bas)
253. George Hunter
254. Deryk Bodington (haut); George Hunter/Photothèque (bas)
255. J.E. Lozanski
256. Malak
257. Malak
261. Jim Merrithew
262. British Information Services
263. Canadian Press
264. Ministère de la Défense nationale
265. George Hunter
267. Malak
269. Michael Saunders
271. Gendarmerie royale du Canada
273. Sig Bradshaw
274. Audrey Giles/Photo Source
275. Secrétariat d'État
277. Vancouver Sun
278. Commission de l'emploi et de l'immigration
280. J.E. Lozanski
281. George Hunter
282. Canadian General Electric Co. Ltd.
283. Southam Murray Printing/Consumers' Gas
284. George Hunter/Photothèque

285. Reed Paper Ltd.
286. George Hunter
287. George Hunter
288. George Hunter
289. Malak (bas et en haut à droite); David Watson/Photothèque (en haut à gauche)
290. Consommation et Corporations Canada
291. Malak
292. Ministère de la Défense nationale
293. Mike Beedell
295. Mike Beedell
296. Peter Redman/*The Financial Post*
297. Wamboldt-Waterfield
299. Jim Merrithew
300. Deryk Bodington
301. George Hunter/Photothèque
302. Bryce Flynn/Photothèque
303. O.J. Dell/Photo Source
304. Deryk Bodington
305. Malak
306. Deryk Bodington
307. George Hunter
308. Marc Poirel
309. Mike Beedell
310. Malak
311. Malak
312. Malak
313. Malak
314. Richard Harrington
315. George Hunter
316. Ministère des Pêches et Océans (haut); Jim Merrithew (bas)
317. Malak
318. George Hunter
319. Malak
320. Malak
321. Malak
322. Malak
323. Malak
324. Jim Merrithew/Ministère des Affaires extérieures
326. Agence canadienne de développement international
328. Service administratif canadien outre-mer
329. Service universitaire canadien outre-mer
330. Ministère de la Défense nationale
331. Ministère de la Défense nationale
332. J.E. Lozanski

A noter: Adresser toute demande de renseignements au sujet des photos de la Photothèque à l'Office national du film du Canada.

Index